A Diplomat in Japan

［附録］『ケンブリッジ近代史』より
楠家重敏 監訳／
小島和枝 訳

変革の目撃者

アーネスト・サトウの幕末明治体験

アーネスト・M・サトウ 著
Ernest Mason Satow
楠家重敏 訳
Shigetoshi Kusuya

下

晃洋書房

開港と君主制復活の期間に日本の開化期の危機にあった数年間の内幕を、この時代の重大事件に大きな役割を果したイギリス外交官が個人的体験をもとに報告した記録である。

凡例

一　本書はアーネスト・メイソン・サトウ（Ernest Mason Satow, 1843-1929）著 *A Diplomat in Japan*（Seely, Service & Co. London, 1921）の楠家重敏による日本語訳である。翻訳にはバジル・ホール・チェンバレン（Basil Hall Chamberlain, 1850-1935）旧蔵、訳者所蔵本を用いた。同書にはサトウからチェンバレンに宛てた書簡五通とチェンバレンによる書入れがあり。適宜これを利用する。

二　原書はサトウ日記に基づく記述（一八六〇年代）と後年に回想録を執筆していたころ（一八八五年ころと一九二〇年ころの二回）の叙述に大別される。第二二章までが一八八五年ころの、第二三章以降が一九二〇年ころの執筆である。本書の上巻が原書第二二章まで、下巻が原書第二三章以降を扱っているのは、上記の事情を配慮したものである。原史料の日記と後年の回想とを区別するため、原書と日記を対校して、第五章以降の回想の部分を［ ］で囲んだ。同じく日記との対校を行って、原書にない日付を補った。どの日の日記に基づいているかを明らかにするため、たとえば〈以上、日記一月一日〉として、訳注に根拠を明らかにした。戦前版の翻訳の削除部分を〈 〉（『維新日本外交秘録』削除部分）、あるいは〈 〉（『幕末維新回想記』削除部分）として明記した。

三　原書と本訳書の史料的価値を高めるため、こまかく改行はせず、原文の段落を維持した。

四　原書のサトウの注釈を（注：）、訳者の注釈を脇注として区別した。新史料の紹介も補注の意味で行った。

五　年月日は西暦で統一した。歴史用語としての陰暦の年月日の使用は行った（例：八月一八日の政変）。

六　歴史的用語は原著者の書き方に従って、当時の呼称を用いた。たとえば、将軍は大君《たいくん》に、天皇はミカドに、閣老は老中にほぼ統一した。ただし、明治以降は若干表記にゆれがある。人名は戦前版の『維新日本外交秘録』が宛字としているものを踏襲せず、不明のものはカタカナにした。

七　原書にある写真と地図は省略した。ただし、原書の巻末の Glossary of Japanese Words は一部を活用し、サトウの注にくわえた。

八　附録として、本書下巻に *The Cambridge Modern History*（Cambridge University Press, Cambridge, 1909）の第一一巻第二八章のサトウ執筆による The Far East（1 China and Her Intercourse with Western Powers, 2 Japan）を添えた。この附録は小島和枝が翻訳し、楠家重敏がこれを監訳した。

九　カタカナのルビはサトウの原語をあらわし、ひらがなのルビは難語に対し楠家がほどこした。

一〇　原書には差別的記述が存在する。今日使用すべき表現ではないが、歴史的史料の改変をふせぐため、本書では原書どおりの叙述を行った。

目次〔下巻〕

第二三章　将軍政治の没落……1
第二四章　内乱の勃発（一八六八年）……20
第二五章　伏見で戦闘が始まる……40
第二六章　備前事件……51
第二七章　初めての京都訪問……67
第二八章　ハラキリ——京都でのミカド謁見交渉……80
第二九章　堺事件——フランス水兵殺害……90
第三〇章　京都——ミカドに謁見……96
第三一章　江戸帰還、大坂で新たに公使信任状を奉呈……106
第三二章　いろいろな事件——水戸の政争……118
第三三章　会津若松占領とミカドの江戸行幸……136
第三四章　榎本が脱走した徳川の軍艦で蝦夷を攻略……147
第三五章　一八六九年——江戸でミカドに謁見……154
第三六章　東京の最後の日々、故国への門出……166

附録

サー・アーネスト・サトウ『ケンブリッジ近代史』(Cambridge University Press, Cambridge, 1909) より …… 171
楠家重敏 監訳・小島和枝 訳
第一一巻 国民国家の成長
第二八章 極東(一八一五年〜一八七一年)
第一節 中国と西欧列強諸国との関係
第二節 日本
解説A *A Diplomat in Japan* の史料学 …… 楠家重敏 251
解説B アーネスト・サトウと *The Cambridge Modern History* …… 小島和枝 275
あとがき …… 289

第二三章　将軍政治の没落

［江戸を出発する前に、私は高屋敷《タカヤシキ》（英語 high mansion）と呼ばれる一軒家を借りておいた(1)。江戸湾を見渡す崖の上にあり、家賃は一か月一分銀一〇〇枚で、六ポンド一三シリング四ペンスに相当した。その家は以前身分のあった日本人紳士の隠居所だった。その紳士は長男に家督を譲り、この場所を買い入れて、自分の好みで邸宅を建てたのである。必然的ではあるが、常識はずれのとても奇妙な家だった。いろいろな形の小部屋があり、庭には小山と草地が作られ、樹木や低木が植えられている。花と言えば、椿と弟切草《おとぎりそう》（学名：Hypericum Chinense）の叢《くさむら》だけだった。茎が丈夫でない草花は、夏の激しい豪雨ですべて打ち倒されてしまうので、日本では多年生の草花を植え込んだ花壇はうまく面倒ができないのである。土地の全体の広さは三分の二エーカー(2)ほどであった。二階があり、そこには私の寝室と日本人客のための応接間がある。階段が三か所あり、真夜中に人殺しが襲って来た時に逃げ出せるようになっている。一階にはヨーロッパ人の訪問客の応接間が一つ、訪問者の控室が二つ、私の用人のための宿泊施設が一つ、それから私の書斎がある。書斎は九フィート平方で、丸窓から海の景色が一望できる。その横の角窓から庭が見渡せる。本と書類を収納する小さい戸棚と戸のない棚がたくさんある(3)。書きものをする机、小さい仕事台、私が使う椅子、私の日本語教師の椅子、公使館に雇用された中国語教師の腰掛があった。広い浴室、台所、

（1）上高輪伊皿子町、戸田銑五郎抱屋敷。

（2）約二六九七・九平方メートル、契約書では八一四坪。

離れの二階屋もあった。その離れには私の用人が住んでいた。時には、私が英語を教えていた若者の日本人たちも宿泊していた。私の食事は全くの和食で、万清《マンセイ》[4]という有名な料理屋から運ばせていた。だが、イギリスのビールは飲み続けていた。家の中にいる者は、私の用人（前に述べた会津のサムライ野口）で、彼の役目はすべての監督管理、勘定の支払い、必要な修理の手配、私自身が会う必要のない用事でやって来る人々との応接であった。彼の次には、食卓で給仕し、身の回りの世話をする一四歳の小柄な少年[5]がいる。彼はサムライ階級の出身なので、外出の際は大小の刀を差す資格があった。それから、三〇歳くらいの女性がいるが、彼女の職務は床の掃除、朝晩の雨戸の開け閉め、それから私の衣服のボタンの縫い合わせである。家具があまりないので、ゴミ掃除はささいな仕事だった。私はある男を雇って、近所の使いや家の中の者のための飯炊き、その他の雑用をしてもらおうと思っている。最後は、門番である。彼は庭掃除、馬の世話、馬車の開閉などの仕事をやっている。私が徒歩や馬で出かける時には、二人の騎馬警護と一緒に付いて来る。騎馬警護はこの年の初めに大坂から陸路の旅をして以来[6]、大君政府の命令で私に付いている[7]」。

「こうして、私の思い通りに、家の中の体制を確立したので、日本語の勉強と日本人との親しい交際が存分に出来るようになった[8]。その結果、日本人の考え方や見解をよく分かるようになったので、全く嬉しくなった」。私の日記をひも解くと、一一月六日に新橋[9]に近い三汲亭[10]で中村マタゾーと夕食を共にし、もちろん芸者[11]がサケの相手をし、音楽に興じ、陽気な会話を続けた、と書いてある。七日には、霊巌橋《れいがんばし》の大黒屋で外国語学校（開成所）教授の柳川春三と鰻の串焼きとご飯で夕飯をしたとある[12]。「政治的動乱が起こり[13]、大君政府の人々と会談を重ねるサー・ハリーの通訳を務め、はたまた公式文書を日本語から英語に翻訳し、英語文書を日本語にする仕事が、私の手元には山のようにあった。こうした務めを果たすために、朝の午前九時から晩の午後九時まで、仕事にかかり切りとなることがしばしばあった。私が食事を摂れたのは、ほんの短い休憩のときだった[14]」。

一一月一六日の真夜中、外国奉行の一人、石川河内守[15]がサー・ハリーに重大な情報を伝えに来た[16]。大君が統治の大権をミカドに手渡したこと、今後はミカド陛下の命令を実行する機関に過ぎなくなるだろう、ということだった[17]。われわれはすでに他の情報から、大君が退位して、その将軍職自体が存在しなくなるだろうということを聞いていた。すでに一一月一四日に小笠原壱岐守[18]がわれわれに秘密の話として語ってくれたところでは、今後の政治の予定は有力な諸大名の協議で立てられ、大君の決定といえどもミカドの

(3)　一八六四年一二月、サトウは公使館に通訳見習の日本語学習のため中国人教師雇用を要求し認められた。

(4)　芝・高輪車町に店舗。「品海《ひんかい》（品川の海）の鮮魚、眺望が絶雅」という。サトウの家に隣接。本書上巻第一七章二二八頁、下巻第三一章一一〇頁参照。

(5)　安か。

(6)　本書上巻第一八章二四一頁参照。

(7)　一〇月二七日の勝海舟の日記には「昨日、英の書記官サトウ氏へ面会。同人云う。長崎にて英の水卒殺害人は慥（たし）かに分からず、平山氏と説、合わず。甚だ悪説なり。ゆえに帰り来り委細を閣老に説く、云々の密話を話す」とある。

(8)　一八六七年一一月一日、サトウは「通訳見習のための日本語学習計画」を提案し、公使パークスの承認を得る。

(9)　場所は定かではないが、銀座に近い新橋という説もある。

(10)　日記にも、原書にも記憶にあいまいなところがあり、店名のスペリングに乱れがある。

(11)　コズル、コタマ。神明前のいわゆる新橋芸者か。本書下巻第三三章一四一頁注(22)の同僚か。

(12)　以上、日記一一月六、七日。

(13)　一一月九日、徳川慶喜が大政奉還。

(14)　サトウは一〇月二一日、二四日から二六日、二八日から一一月二日まで『国史略』第一巻の、一一月二日、八日、九日、一二日、一四日から一六日、一八日、一九日、二一日と同書第二巻の読書ノートをつけていた。推古天皇から桓武天皇までの記事。

(15)　石川利政。

(16)　サトウはこの会談の報告書を作成。将軍職の起源と歴史にも言及。イギリス外務省に送る。

(17)　日記には「最終的な決定権は大君が保持することを内密に打ち明けたではないか。一体どうなっているのか」とあり、イギリス側も不意を突かれ動転。

(18)　老中、外国事務総裁、小笠原長行。

承認を受けなければならなくなるのである[19]（注：この大事件の詳しい事情は、読者は私の友人であるＪ・Ｈ・ガビンス氏の価値のある浩瀚な著作『日本の発展一八五三〜一八七一』[20]第五章を参照されたし）。慶喜が将軍職を辞任した実際の日付は一一月八日だった[21]。

それから二日後（一一月一八日）にサー・ハリーと会談した際、壱岐守は長い文書を読み上げて、大君が政権をミカドに引き渡す決断をした原因について説明した[22]。諸外国との交流を再開して以来の出来事を長々と回顧したのである。もちろん、非難の対象は政治変革を扇動した者たちに向けられた。その文書によれば、慶喜は徳川一門の統領を辞めたのではなく、単に将軍職を廃止したのに過ぎないのである。新しい体制になっても、今年の初めに取り決めた新規の開港場[23]に関する協定には何らの変更は起きないであろう。二人の老中の縫殿頭《ぬいのかみ》[24]と兵部大輔《ひょうぶたいゆ》[25]が京都に出向いた、というのである。

勝安房守[26]は、大君一派が事をあせって、内乱が起きる恐れがあることを心配している、とわれわれに語った。金子泰輔は酒井飛騨守[27]の家来であるが、諸大名が軍隊を大坂に結集させている、と語った。薩摩兵士五千人と、毛利長門の指揮下の長州と土佐の兵士も同地に陣を張っている。だから、われわれが兵庫開港を監督しに行くのは、スズメバチの巣に入って行くようなもの[28]である。大君は四千人から五千人の兵士を大坂に急いで派遣するよう命じた。老中は主君[29]と松平伯耆守[30]に対し、今後大君とミカドのいずれに従うか決めなければならぬ、と伝えた。極秘の回状が旗本（石高一万石以下の領地を有する徳川の主要家臣）の間に流された。それは、前将軍家茂を毒殺したとして慶喜を非難し、忠誠の士は江戸郊外の向島に集合せよと訴えた檄文である。撤兵《さっぺい》、つまり訓練を受けた軍隊が給料を払えとやかましく要求していた。京都の内乱は避けがたかった[31]。

要するに、古い制度の終焉が来たように思われた[32]。

一週間後（一一月二五日）、壱岐守が最初の文書に代わる別の文書を回覧してきた。その文書で彼は反大君派をののしる言葉が本当に山のようにぶちまけられていた。そうこうしているうちに、事態はだいぶ平静に戻ってきた。金子がまたやって来て、前に報告した風評は根拠のないものだった、と白状した。その前夜、後藤象二郎の手紙が届いた。この手紙は後藤休次郎とその連れがもたらした。休次郎は後に旧知の仲になった中井弘蔵の変名だった。先月（一〇月）土佐藩が大君に提出した覚書の写しを彼らは見せてくれたが、その内容は大君にこれまで採用していた方針で進むよう勧告し、さまざまな改革案を提案したものだった。これらの提案のなかで、最も重要なものは両院から構成される議会の創設、主要都市での科学と文学の学校の設立、諸外国との新しい条約を交渉であった。彼らは私に、議会運営についての詳細な情報を尋ねたが、あいにく私はその知識を持ち合わせていなかった。そこで、兵庫開港の件で大坂に行くから、そのときにミットフォードから議会の知識を得られるようにしておくと約束して、その場を切り抜けた。[33]翌日（一一月二六日）、彼らは薩摩の吉井幸輔からの使者を送り、すべて順調に行っていること、大坂

(19)　以上、日記一一月一六日。
(20)　ガビンスの著作“The Progress of Japan, 1853～1871”の第五章は「将軍政治の没落」というサトウの本と同じ章題になっている。一八六〇年代の政治情勢を叙述。
(21)　慶喜が大政奉還を奏請したのは正確には一八六七年一一月九日で、翌日、勅許が下る。
(22)　田辺太一著・坂田精一訳『幕末外交談二』、三一一―三一六頁参照。
(23)　兵庫など。
(24)　老中格、松平乗謨。
(25)　老中格、稲葉正巳。
(26)　軍艦奉行勝義邦、海舟。
(27)　長州藩世子毛利広封。
(28)　面倒を起こす。
(29)　金子の主君の酒井飛騨守。
(30)　前宮津藩主本荘宗秀。
(31)　サトウは一一月二〇日に外国奉行に海軍伝習のためのイギリス人教師が来日した書簡を書いたが、この一件は実現できなかった。一一月二二日には日本人留学生がロンドンに到着した手紙を外国奉行に書いたが、この一件も途絶した。幕府崩壊のためである。
(32)　以上、日記一一月一八日。

に到着次第できるだけ早い「訪問を歓迎いたします」こと、西郷と小松は大隅守㉞か修理大夫㉟のいずれかを迎えに鹿児島に行っていること、を伝えにきた。

　われわれは江戸での薩摩の出先執行官と知り合いになった。留守居（大名の首席代表は、こう呼ばれた）の篠崎彦十郎は、大君が政権を放棄したのは、大局から見て日本を議会が支配するほうが良いと考えたからだとする見解を、あざ笑った。本当は独力で出来なくなったからだと言っていた。土佐と薩摩から書簡が届いた。この両藩は「外国の事情に通じたる両三藩」と、外国事務に関するごく最近のミカドの勅書㊱の中に書かれていた。それには、われわれの支援をかなり強く希望しているようだった㊲。［われわれは大坂へ行く用意をしているところだった㊳］。一一月二七日、太鼓㊴の演者のような服を着た、私の年少の門下生の鉄を連れて横浜に行った㊵。［ミットフォードと私は］三〇日の夜明けに、［スワン艦長指揮のイギリス軍艦ラットラー号で］出航した㊶。一二月二日、紀伊水道を航行中、強い西北の疾風に出くわしたので、軍艦は二ノットの速力しか出なかった。［当時のイギリス軍艦の蒸気力はきわめて微弱だったのである］。われわれはその日の午後（四時三〇分）に大坂㊷に碇を下した。岸から小舟が来ないので、砂州を越えることができないと観念した㊸。ところが、翌日（一二月三日）の正午ごろには何とか上陸して、大坂町奉行㊹に面会するために城の向いの公邸を訪ねた。［ミットフォードはこの国に滞在してまだ一二か月も経っていないのに、まったく誰の力も借りず、日本語をよどみなく話すことができる。これは彼のすぐれた語学能力がなせる業である㊺］。

　［われわれの任務は公使館員のために宿泊場所を見つけることだった。町奉行に相談してから］、大坂城㊻の背後にある屋敷の視察に向かった㊼。そこは慶喜の首席老中の伊賀守㊽がこの春に住んでいた屋敷であった㊾。（一二月四日）われわれは、この屋敷の修繕費と仮兵舎の工事代金を工面した。後者は間もなく警護にやって来る、騎馬警護兵と第九連隊の五〇人の分隊員のためのものである。できることなら、一八日までに万

事を整えたかったのである。この平和な、全くの商業都市が、いまや二本差しの諸大名の家来で満ちあふれている。西郷がまだ鹿児島から戻っていないことや、吉井が京都にいることが分かったので、われわれは吉井に大坂まで会いに来てくれないか手紙を書いた。(50) しかし、彼の返答は自分も忙しいので、西郷が帰ってくるまで待ってくれ、というものであった。(一二月五日)われわれは兵庫の外国人居留地の予定地に行ってみた。そこには数棟の保税倉庫、運上所、衛兵所、矢来(51) が建てられていた。(52)［矢来の目的は市街から外国人居留民を遮断するものである。これは条約の規定に全く違反するものであるので、われわれは、即刻、町奉行に抗議した］。

一二月七日、われわれは二人の老中(53) とその同僚の若年寄(稲葉兵部大輔、(54) 松平縫殿頭、(55) 永井肥前守、(56) 川勝備後

(33) 以上、日記一一月二五日。
(34) 島津久光。
(35) 島津茂久。
(36) 一一月一七日の御沙汰書。
(37) 以上、日記一一月二六日。
(38) 「英国書記官サトウ上坂致し候ニ付而は、兼而同人へ為附添置候別手組出役之六人、早々出立致し、サトウ在坂中、護衛相心得候様可被申渡事」との外国奉行への通達あり。
(39) 日記では、「どんどこどん」。
(40) 以上、日記一一月二七日。
(41) 以上、日記一一月三〇日。
(42) 天保山の前面。
(43) 以上、日記一二月二日。
(44) 小笠原伊勢守長功、柴田日向守剛中。
(45) サトウは一二月四日、五日、九日から一一日、一七日から二三日、二六日、二八日に『国史略』第二巻の読書ノートをつける。桓武天皇から花山天皇までの記事。
(46) 日記では、玉造御門。
(47) 日本側の史料には「ミットホルト、サトウ両人為乗組、摂海へ差遣候間、申立、尤右序に玉造口外御城番屋敷外二ヵ所之明屋敷をも見分為致度」とある。
(48) 老中板倉勝静。
(49) 以上、日記一二月三日。
(50) 以上、日記一二月四日。
(51) 竹や丸太を縦横に組んだ仮の囲い。
(52) 以上、日記一二月五日。

守)を訪ねた。彼らは江戸に戻るところだったが、大君の命令で、われわれに会うために大坂に留まっていた。彼らがもたらした情報はここに書くべきほどのものではなかったが、慶喜はずっと前からミカドに政権を返上するつもりでいた、と断言した。もちろん、これは信じられなかった。われわれの見解では、慶喜は薩摩、長州、土佐、肥前からせがまれて、いやになったのだ。慶喜の勢力の結束を図るために、諸侯会議《ゼネラルカウンシル》を招集しようと決意したのである。諸侯会議が実現すれば慶喜が大多数の得票を獲得し、それにより大君の権威を以前よりも確固たるものになると考えたのである。

一二月一二日、大坂でのすべての用事を済ませ、われわれはかごで兵庫に出発した。ミットフォードは尼崎まで歩いて行き、三時間四五分かけて到着した。かごに乗っていた私はそれよりも三〇分余計にかかった。午後三時までに六時間かけて目的地まで半分の所まで来た。そこで、われわれはかごから降りて、てくてく歩くことにした。ミットフォードの日本語教師の長沢と護衛は、われわれと歩調を合わせるために速足で歩かねばならなかった。やっと午後六時すぎにラットラー号の艦上に着いた。スワン艦長と一緒に夕食を済ませ、われわれは再び上陸して、市役所(総会所《ソウクワイジョ》)で一夜の宿をとった。次の日(一二月一三日)、新任の兵庫奉行の柴田日向守を訪ねて、いろいろな用件について詳しい検討をした。柴田が語ったところでは、神戸では開港の前祝と称して祭りが一週間も続き、人々が緋縮緬《ひぢりめん》の衣装をまとい、外国人居留地の予定地の敷地を地盛りする土運搬車を引きながら行列をつくった。居留地の場所は全く申し分がなかった。ご当地の兵庫でもお祭りが計画された。こうした祭りは朝野をあげた好意を表わす明確なあかしであって、日本人と外国人の友好関係が大いに増進することを約束するものと、われわれは見て取った。

同じ日、ラットラー号のノエル大尉(のちの提督サー・ジェラード・ノエル)と一緒に、われわれは船で大坂に戻った。間近に迫った外国貿易の大坂開市を祝って、市民が総出でお祭り騒ぎである。晴れ着を着た群衆が「いいじゃないか、いいじゃないか」(良いではないか)と踊り歌った。家々には、色とりどりのおもち、みかん、小袋、しめ縄、花が飾られていた。着ていた服装は、大部分は緋縮緬だが、青や紫のものも少しあった。大勢の踊り手が頭に赤ちょうちんをのせていた。こうした喜びの口実として、伊勢の二神[62]の名前が印された紙のお札が降り注いだと、そんなことが最近起きたと言いはやされた[63]。

一四日、薩摩の友人の吉井の訪問を受けた。吉井はこう述べた。——薩摩、土佐、宇和島、長州、芸州で構成される諸藩で連合が成立した。この同盟は自らの勢力を優勢にするために、最後の最後まで事態を推し進めていく覚悟である。肥後と有馬はこれに同調するようである。肥前と筑前は無関心を装っている。全体的には、西国諸藩は相当考えを一致させると言える。大隅守[64]（脚の水腫の一種である脚気がかなり重症である）は京都に行くには病が重すぎるので、修理大夫[65]が彼の名代で数日中に到着する予定である。才谷《サエダニ》梅太郎[66]は、私が長崎に滞在中に知ることになった土佐の男だが、数日前に京都で宿泊中に見知らぬ三人の男に殺害された。大君は京都に約一万、薩摩と土佐は両者合わせてその半分の軍勢を京都と大坂にそれぞれ集めている。他の大名、たとえば芸州も軍隊を派遣してくるだろう。長州問題を平和的に解決するのは難しいだろう。なぜなら、大君派の大多数が長州藩を完膚なきまでに滅亡させるために、戦争の再開を強行すべしとしているからである、と。

(53) 日記では、老中と参政。
(54) 老中格稲葉正巳。
(55) 老中格松平乗謨。
(56) 若年寄永井尚服。
(57) 若年寄並川勝広運。
(58) 以上、日記一二月七日。
(59) 西宮。
(60) 以上、日記一二月一二日。
(61) 剛中。
(62) 天照大神と豊受大神。
(63) 以上、日記一二月一三日。
(64) 島津久光。
(65) 島津茂久。

この機会に、私は吉井に言った。長崎でのイギリス人水兵殺害事件は決して解決したわけではなく、われわれが新政府(67)に提出すべき最初の要求の一つは殺害者の処罰であろう。この問題については金銭での賠償は一切受け付けないだろう。日本人がもし外国人との良好な関係を維持して災難を避けようとするならば、この種の事件を未然に防ぐべきであろう、と。吉井はこれに答えて、もし現在の状況で国内の諸問題が健全な土台の上で安定しないならば、諸大名は大君と条約を結んだ諸外国との関係を悪化させる目的で、外国人に復讐を加えることになるだろう、と言った。さらに私は言い返し、われわれはもはや実際手に負えない人間の行為に対し大君に責任を負わせることができないのだから、諸大名は目的を達成できないであろう、と言った(68)。

一六日(69)、私は宇和島藩士の須藤但馬と西園寺雪江の訪問を受けた。前者は宇和島藩の高位(70)の人物、もう一人はこの春私が宇和島に行ったときに会った役人(71)だった。彼らは伊達伊予守(72)の先遣隊として大坂に来ていたのだ。伊予守は来年一月に大坂に来る予定である。彼らは、議会が開設される見込みであることを大変喜んでいると言っていたが、この件に関してはご老公が私に再三語っていたことなのだ。私は長崎の殺害事件について先に吉井に話したことと似たようなことを語った。賠償問題については決してあきらめていないし、現在は単に中断しているだけだと言っておいた。また、土佐とは従来通り友好な関係にあると説明した。

この二人が去ると間もなく、中井(73)がやって来て、後藤は昨晩到着したが、忙しくて貴殿に面会できない、と伝えた。後藤が来られないのなら、われわれが彼に会いに行こうと提案すると、中井は喜んで了承した。土佐屋敷（出先機関）の前で後藤と落ち合い、一緒に屋敷に入った。両者の最初の話題はイギリス人の二人の水兵殺害事件である。われわれはこう発言した。殺害の夜に横笛丸と南海丸が共に港から姿を消したという噂は何の根拠もないことが分かってきたので、土佐に対して強く抱いていた疑いは一応晴れたが、イギリス人が日本人に殺害されたという事実は依然として残っている。ある人たちはイギリス政府が金銭的補償で満足すると思っているようだが、われわれは、金銭的賠償という形ではない、犯罪者の処罰が行われるまで安心はできない。新体制が確立されて、われわれの要求が効果的に提供される機会がやって来るまで、ずっと待っているつもりだ、と。後藤は、最近自分の部下が二人殺害[74]されたので、イギリス側の気持ちはよく分かる。前藩主の容堂と私自身もあらゆる手段を講じて犯罪人の発見に努める所存だと、答えた。それから、私は後藤に銃を託しても良いかと尋ねた。その銃は私から容堂公に贈呈するもので、たいした価値もなく美しくもないが、彼が私に親切にしてくれたささやかなお礼の品であった。ついで、容堂公が新政府に提案した憲法のこと、とくに容堂公がその設立を要望した元老院について、互いに議論を交わした。この会談の結論は、チーフ[75]が到着したら自分は京都から会いに来るが、数日間大坂に滞在して、ミットフォードと私からもっと詳しいイギリスの政治組織について学びたいと約束したことである。われわれが後藤にこの時に教えることができたのは、内閣の構成と議会による法律制定の方法に関する若干の知識だけだった[76]。

(66)　坂本龍馬の別名。
(67)　サトウは「新政府」の語を用いて、時代の変革を意識。
(68)　以上、日記一二月一四日。
(69)　日記では、一五日。
(70)　日記では家老。
(71)　日記では目付。
(72)　前宇和島藩主伊達宗城《むねなり》。
(73)　日記では中江恭平。
(74)　坂本龍馬と中岡慎太郎か。
(75)　パークス。
(76)　ミットフォードの意見。「(後藤によれば)上下両院からなる議会を設立する以外に、この国の窮状を救う方法はない。下院は「さむらい」、すなわち武士階級から選出された代議員によって構成される。ここで(ミットフォードが)コメントを加えれば、武士より低い階級、すなわち、商人や農民も、政治的発言権をもってしかるべき存在であるという考え方は、日本人には思いつかないことらしい」と。

後藤はたとえば貴殿のような外国人を雇って、情報を集めてもらい、自分の相談にも乗ってもらいたいと言った。私はそれに答えて、自分はイギリス政府に満足して奉職しているので、いかなる国の政府にも勤務することができないのである。もし土佐藩で官吏を雇用したいのなら、公使に対して借用の申し込みをするとよいと言った。

しかしながら、どんな高い地位をあたえられようとも、日本人から給料をもらうことなど考えたことはなかったから、私はイギリス女王陛下の官吏を辞めた場合でも、日本で仕事を求めることはしまいと決心した。

その晩、われわれ、つまりミットフォード、ノエル、私が日本流に「外で食事をする」（フランス語）ことになり、私は登加久《とかく》(77)という料理屋で夕食をするために、「三人兄弟」(78)で午後六時半ごろ出発した。往来はお祭り騒ぎの人々で一杯らしく、私の護衛のため同伴している二人の警護兵(79)は、他の者も呼んでお伴させましょうかと言った。しかし、私は二人で十分で、他の者は考えていないと言って、その判断を彼らに任せた。そこで、われわれは往来に出て、（道頓堀沿いに）裏道のようなものがあればもぐり込んで、近道を見つけようとした。私の勘ではそういう道がありそうに思えたが、結局、警護兵の意見に従った。彼らは明らかに回り道の道筋を通って、われわれを宴会の場所に連れて行った。

群衆をかき分けて行くのは、なかなか大変だった。彼らは燃え立つような赤い着物をまとって、踊りながら、「いいじゃないか」と繰り返し叫んでいる。人々は踊りと提灯行列に夢中になって、われわれが通り過ぎたことに気づかなかった。私が心配したのは、われわれの通り道を作るために、護衛の別手組が乱暴なやり方で人々を横に押しのけたので、口げんかが始まるのではないかということだった。案に反して、群衆はわれわれに何の無礼も働かず、また邪魔立てもせず通してくれた。登加久に着くと、主要な部屋は祭りの連中で一杯であり、残りの部屋は閉め切ってあった。われわれの使いの者が入室を断られて、ちょうど追い返されるところだった。われわれが立ったまま、部屋に入れてくれるよう店の者に説得していたら、若者と子供の一団がぞろぞろ中に入って来た。彼らは大声を出し、踊り狂い、かごを担いでゆらせていた。かごの中には見るも鮮やかな衣を着け丸々と太った人形が入っていた。店の中にいた宴会のお客はみな、日本にはドアというものがないので、ドアと言えないが、部屋と部屋を仕切るふすまの敷居で彼らを出迎えた。全員総出のすさまじい興奮した踊りが終わったあと、例の一団は再び姿を消した。踊り子の格好をした美少女の数は、以前大坂での経験から想像したものよりは多くなっている。われわれは登加久の店の人々を説得して店の中に入ることが出来なかった。ところが、その店の人々が徒歩「五分」ほどの距離にある店[80]を案内してくれた。ところが、その店も閉まっていた。説明によると、店の全員が踊りに行ってしまったからだと言う。われわれは憂うつになりはじめ、われわれの宿舎に帰えりたい思いが強くなり、「哲学者」（ミットフォードの中国の使用人の林福《リンフー》）が作ってくれる冷たい食事で夕食をとるしかないと考えた。ところが、幸い足の丈夫な小柄な男の案内人が、松翁亭（松の木の老人の食堂）という店があるから、帰りの道筋にあるので立ち寄ってみたら、と言ってくれた。そこで、その店に行ってみた。数分待つと、とても良い部屋に案内され、そこで食事にありつけた。店の女性たちが給仕をしてくれ、座を盛り上げて、杯まで回してくれた。これはいつもならゲイシャがすることである。大坂の女性は全然怖がったり嫌がったりしないので、とても意外だった。江戸でいつも見慣れている冷たい、しばしば反感をもった接待にくらべるとなおさらである。好奇心というものが、すべての他の感情を上回っていた。そのうえ、給仕をしてくれた人たちはおおむね、自然な白い歯ではなく、熟女のしるしである、お歯黒を染めていた。たぶん、

(77) 難波新地の店。
(78) アレクサンドル・デュマ・ペール『三銃士』のもじりか。
(79) 日記では、松下と横井。
(80) 日記では、「ついい」。高津の料亭「二ツ井戸」か。

たわむれに浮気をしようと思わなくなるだろう。今夜の冒険を十分楽しんだので、われわれは早めに引きあげた(81)。

ノエルは翌日（一六日）艦に戻ってきた。われわれは寺町の宿舎(82)から城の背後にある公使館員一行のために用意された場所(83)に移動した。ここの主要な建物は公使と三、四人の公使館員が住むには十分の広さがあった。公使は彼らを中国での彼の政治活動中に用いた軍事用語の「参謀《スタッフ》」と呼んで上機嫌になった。離れの建物はミットフォードにあてられ、第二の建物は第九連隊第二大隊の分遣隊の士官に、第三の建物は来客用に、第四の建物は騎馬騎兵隊に、第五の建物は私にあてがわれた。臨時の小屋は警護の歩兵の宿舎になった。

住む場所が決まると、われわれは西郷を訪ねた。ヨーロッパから帰ったばかりの岩下佐次衛門が友人のモンブラン伯と一緒に西郷のところに来ていた。そのときの話題はイギリス軍艦イカルス号の二人の水兵殺害事件に移っていった。西郷はお世辞で、君の当りは少ないが、当たると大きいね、と言った。今後もこうした殺害が起きる可能性については意見が分かれた。私は以前から承知していることだが、日本の進歩を熱望し日本国民に対し友好的な気持ちになっている外国人は、外国人への襲撃は今後少なくなるだろうと主張するが、先入観のない観察者は拳銃を携帯する習慣をやめよとは進言しないのである。われわれが日本人側にはっきりと理解させたのは、イカルス号事件の「償い」は金銭の支払いでは解決できないということであった。さきの八月にわれわれが伏見を通過した際に、ミットフォードと私を殺害しようと土佐と薩摩の藩士が謀ったことについては、そんな可能性はありえないと盛んに言い張った（幸いわれわれは違う理由で道筋を変えたのだが）。しかし、私はこれが事実であることは疑わなかった。野口が大坂に着いたとき、確かに土佐のサムライと思しき者が計画に失敗したことを残念がっているのをもれ聞いたと語ったのである。須崎でこの話を聞いたと語ったところ、後藤も当時は私もその噂を耳にしたことがあり、もしそんなことがあったら大変だと思い、事が起きないよう手配したと答えた。ところが、西郷は、それは事実ではないだろうし、後藤はそのとき京都にはいなかったと言い張った。われわれも、外国人の生命を狙おうとする者は薩摩や土佐の人間にはいないと思うが、しかし、この両藩には藩の首脳とは全く無関係に、時おりそうした考えを抱く無法者もいることは確かだと、言い張った(84)。

外国奉行の石川河内守が一八日にわれわれに面会するためにやって来た。大名たちの会議の日程が決まっていないので、他の大名より京都到着が遅くなっても、非難はされないだろう、と石川は語った。すでに京都に到着している若干の大名、あるいは到着するはずの大名が、こまごまと議論をして、結論を下したとしても、それをどうやって実行するのだろうか。反対は必ずや起こることだろう、とも言った。石川との会談でわれわれが得た結論は、内乱が起こりそうもないとは言えないが、会議の日程の決定を先延ばしにしているのは、反対派を困らせようとする大君側の計画の一環であるということだった(85)。

二〇日に江戸から陸路で着いた手紙では、もはや大君は存在しておらず、慶喜もなにびとでもない、というのが世間一般の考えになっている、と伝えてきた。江戸と京都という距離の隔たりと、口から口へと伝わる風説が、事態の様相を一変させていったのである。伊藤俊輔の意見では、戦端はすぐにでも開かれるだろうが、その目的はこの国の平和のためには大君の領地はあまりにも広大すぎるから、それを奪い取ることだと言う。大君は京都にたった七個の歩兵大隊しか駐屯させず、戦争が起こる要因がないとの考えから、すべての援軍を撤退させてしまったのである。もし戦争にでもなれば、もちろん、兵庫や大坂は外国人居留地とて最も安全な場所ではなくなるであろう。また、イギリスの領事館も大坂城の真裏にあるの

(81)　以上、日記一二月一五日。
(82)　本覚寺。
(83)　玉造御門之屋敷。
(84)　以上、日記一二月一六日。
(85)　以上、日記一二月一八日。

で、危険にさらされるだろう。この大坂城も必ずや厳しい戦闘の中心地になるはずである。伊藤が知りたがっていたのは、サー・ハリーがやって来るのか、外国貿易のための兵庫と大坂の開港開市を延期できないか、この件でサー・ハリーに申し出をしてきたのか、ということだった。私は「いや、もちろん、ない」（本当は知らなかった）と答えた。そこで、伊藤はこちらの目的は大坂と兵庫を開いて外国人に満足してもらうためだが、われわれ日本人は政府を改良させる計画にも邁進するつもりだ、と言った。ところで、大坂と兵庫での日本側の代表者に誰かを任命しておかなければならないという。今の奉行ではどうか、と私が言うと、伊藤は事件が起きれば、彼らはすぐに免職されてしまうだろう、と答えた。私はすかさず言い返し、反乱軍[86]が外国人居留地を襲撃しないかぎり、大君に対してどんなことをしても構わないが、もし彼らが外国人と衝突するならば、徳川の軍隊と同じように、イギリスの二個連隊とすべての外国の軍艦と戦わなければならなくなる、と言った。伊藤は、彼らにはそんな考えはない、戦闘行動を実際に始める日時が差し迫ってきたら、前もって私に知らせてくれると約束してくれた。長州藩士の一隊は毛利平六郎[87]と福本志摩に率いられ大坂に向かいつつあり、桂（つまり木戸）と吉川監物は領国内の行政に専念するため余儀なく地元に留まることになった[88]。

サー・ハリーは一二月二四日に到着し、領事館の区画をひとあたり見て、彼が乗ってきた船に戻った。その日は一日中大騒ぎだった。篠崎弥太郎から手紙をもらった。日本の現状を手の中のたまごの殻にたとえ、小松と西郷に平和を維持するよう説得してくれと懇願していた[89][90]。クリスマスの日（一二月二五日）に、外国奉行の糟屋筑後守[91]がやって来た。彦根[92]と備前[93]と芸州[94]の大名、三人とも重要な大名だが、彼らが京都にいる、と彼は言った。しかし、彼にしても何が起ころうとしているのか見当もつかないと言う[95]。二八日には旧友の林謙三が来た。彼は今年の一月にイギリス軍艦アーガス号で一緒に航海したことがある。彼が伝えるには、一五〇〇人の長州兵が毛利内匠[96]に率いられ二三日に西宮に上陸したという。彼も戦いが起こるかどうか分からないと言い、西郷と後藤が平和維持に努力してくれると思っていた。私が面倒（フランス語）を見ている遠藤[97]は西宮に行って、彼の長州藩士に面会し、彼が江戸で知り得たことを毛利内匠に報告したことは疑いもなかった。毛利内匠は力量のある男として呼び声が高かったが、たぶんそれがために若いころから官職から去って隠居となったのであろう[98]。二九日には伊賀守[99]が永井玄蕃頭[100]を連れてチーフ[101]に会いに来た。永井は当時[102]大君のほとんど唯一の相談役として信頼されていた。もちろん、伊賀守も中枢で参画していた。大坂と兵庫の奉行が全員現れた。議論の唯一の課題は一月一日に貿易のために開港開市される大坂と兵庫の準備に関するものだった。[「奉行が全員」という言い回しは、当時の慣例として、ほとんどの同じ官職には複数の役人がいたからであった]。

翌日（一二月三〇日）、例の二人の高官[103]がやって来た。長崎の殺害事件が会談の議題だった。この会談でわれわれは満足を得られそうもなかった。永井玄蕃頭が不愉快な役目を減じてあげようと努力したにも関

(86) 倒幕軍。
(87) 徳山藩世子毛利元功。
(88) 以上、日記一二月二〇日。
(89) 日記は「一巻から五巻を除く写本の（新井白石）『藩翰譜』を送ってくれる」と続く。ケンブリッジ大学図書館アストン・コレクションに現物。
(90) 以上、日記一二月二四日。
(91) 外国奉行並糟屋義明。
(92) 井伊直憲。
(93) 池田茂政。
(94) 浅野茂長。
(95) 以上、日記一二月二五日。
(96) 萩藩家老。
(97) 謹助。
(98) 以上、日記一二月二八日。
(99) 老中板倉勝静。
(100) 若年寄格永井尚志、一八五八年日英修好通商条約の交渉に尽力。
(101) パークス。
(102) 日記では「現在」。
(103) 板倉と永井。

わらず、平山老人をふたたび長崎に派遣させることに合意させられてしまった。イギリス外務省からサー・ハリーの行動を是認する文書が届いた。サー・ハリーはこの問題を今後も継続する悪夢として大君政府に未決定のままにしておきたかったようにも思える。彼は語気を強めて、イギリスは殺害者が逮捕され処刑されるまで、この事件の追究の手をゆるめることは決してない、と言った。この二人の訪問者も、後藤のときと同じように、イギリスの憲法について枚挙にいとまがないほどの質問をした。こうしてみると、敵味方の両派ともわれわれの助言を欲しがっていたようだ。そこで、サー・ハリーは、すべての軍隊を大坂から撤退させなければ、同地で外国人と衝突するかもしれない、そうなると、私は二個連隊の兵士を呼び寄せることになるだろう、と告げた。日本の国内の事件にこのように干渉して、大君に当惑を加えようとするサー・ハリーに、私は不当さを感じずにはいられなかった。というのは、大名の軍隊が大坂を占領しているのは、京都に進軍するための単なる足掛かりにすぎず、首都の京都以外にどこに進軍するというのか[104]。この動きを続けて、サー・ハリーは翌日（一二月三一日）私を薩摩の留守居役の木場伝内のもとに派遣して、彼の薩摩の軍隊の撤退をさせたい理由を説明させた。木場はそれに答えて、わずか二五〇人が大坂にいるだけで、どこへでも移動することはできるはずだから、このことを西郷に書いておきましょう、と言った。そこから、長州藩士の長松文輔に会いに行った。彼は西宮から来たが、同地の芸州（安芸）藩士の所に泊まっている。触れが出されているが、そこには長州の軍隊が首都の京都近辺にまで進軍する命令を受けており、芸州屋敷を借り、西本願寺にも宿泊が許されていることを告げている。それにも関わらず、彼らは大坂に来たくなかったので、イギリス公使が大君側の人々にたまたま彼らの望むものを申し入れたのを大儲けと考えた。私は長松から長州の軍隊がやって来る本音の理由の説明も聞き出せなかった。

　伊賀守はわれわれにこんな話をした。一五日に芸州を出た使者によって、長州の軍隊がやって来るのを停止することを命じる指令が送られたが、海路だったので、陸路を通って芸州に到着した長州の使者は、先に発せられた命令に従って出てしまったと報告した（これは明らかに、たんなる作り話だった）と。伊賀守はこうも言った。二〇日にすべての軍隊を乗せた長州の汽船三隻が芸州の御手洗《みたらい》(105)に立ち寄り、芸州の役人に同行を求めた。この要求は拒否された。長州の軍隊に本国に戻るよう勧告したが、彼らは藩主の命令だと言い立て、藩主からの召還命令がないと長州に戻れないと言って、勧告を退けたという。これは芸州の言い分なので、信じることはできない。これは長州と芸州の両藩がでっち上げたことで、全体の作戦計画に従っただけだと、私は確信した。大君が長州の軍隊の出動を取り消しにする命令を出したことで、かなり明白に証明されたと思うが、もともとの命令が発せられたとき（もしそれが本当だとしたら）、大君政府側の今のような政策転換(106)はまだ意図されていなかったのである。壱岐守(107)はわれわれにそう装ったわけだが、実は最近になって大名連合からそうさせられたのである。チーフは私を西宮に派遣してその土地の形勢を確かめようと考えていたのだが、むしろ長州藩の人々から進んで私に話してくれたのだ。それで、この面倒くさい旅を実行する必要がなくなったのである。

その日、つまり一八六七年の最後の日に、イギリス外務省から至急便が届いた。ユースデンが領事として箱館に転任したので、その後任として私が年俸七〇〇ポンドの日本語書記官(108)に任命される件を裁可してきたのである(109)(110)。

---

(104)　以上、日記一二月三〇日。
(105)　大崎下島、現在の広島県豊田郡豊町。
(106)　大政奉還か。
(107)　老中小笠原長行。
(108)　Japanese Secretary。
(109)　サトウは一二月三一日に木場伝内との会談の報告書を作成。
(110)　以上、日記一二月三一日。

第二四章　内乱の勃発（一八六八年）

元日（一八六八年一月一日）、大坂川[1]の河口の砲台の天保山と兵庫で、外国貿易のための開市と開港を記念する祝砲が発せられた。多くの日本人は西海岸[2]の港、つまり新潟の開港延期の告示[3]が出たことで、兵庫開港が延期されたのだと勘違いした。兵庫が京都の西に当たっていたという理由からであった。チーフ[4]を京都まで連れて行き、抗争する両派を調停させ、日本人が共倒れになるのを防ごうという計画を私は立てた[5]。［そのために、西郷と後藤に会って必要な処置を講ずるために、チーフより先に伏見に行きたいと私は申し出た。ところが、この野心的な計画も、京都で起きていることがあまりにも急展開なので挫折してしまった］。［流言飛語がそれからの数日間に乱れ飛んだ］。（一月二日）まずわれわれの耳に入ったのは、長州の両侯[6]が以前の官職に復帰したということである。土佐の隠居（容堂）は一月一日に上陸すると、大坂には立ち寄らず、すぐに京都に上って行ったという。大君の地位は脆弱だと言われた。会津藩と一、二の小藩以外には、彼を支持する者がいなかった。長州側は西宮を軍事的に支配して、襲撃を受けないように、周囲の地域を巡視していた[7]。（一月三日）私の使用人の野口は、長州の軍隊が西宮を出て、一〇マイル[8]進軍して京都につづく街道[9]の昆陽《こや》[10]まで来た、と教えてくれた。大坂にいた会津藩の人々はみな京都に上った。会津藩主[11]は長州処分に関する大君の寛大な処置に不満をいだき、ミカドの身辺警護の役職（守護職）を辞任する覚悟である[12]。一月四日には大騒動の勃発の兆候があった。日本と条約を結んでいるすべての国の公使がチーフを訪ねて来て、これまで起きた事件について見解を述べ合った。ほとんどのものは取るに足らない内容だった。彼らは日本の国内情勢に全く暗かったからである。北ドイツ連邦の代理公使フォン・ブラントに至っては芸州と紀州を混同するほど日本の地理にまるで通じていなかったのである。遠藤が西宮から戻って来て、毛利内匠はすでに長州兵と京都におり、もう一隊は薩摩の軍隊と手を組んで伏見を占拠している、とわれわれに伝えた。しかし、何より重大なのは、薩摩、芸州（安芸）、土佐の三藩が会津に代わって御所の警護に当たっていることだ。大君が大坂に下って来るという噂があり、大君の練兵部隊(13)を川下に輸送するため淀で船舶が拘留されていると言うのだ。大名側の目的は大君と戦うことではなく、ただ大君から特権を強奪することにあるのだ。彼らは徳川一門の罪に対する罰として領地一〇〇万石を取り上げることを提案した。遠藤が言うように、長州問題はすでに解決し、御所の警護も交代したことは明らかだった。

野口の話では、会津は大君に愛想をつかし、辞表を書いて送ったが、桑名藩によって阻止された。ところが、大君は会津の意向を聞いていたので、大坂から戻ってきた伊賀守に直接この話をして、会津をただちに免職した。その後、上記三藩が御所の周辺を掌握することになったのだ。大名たちはさっそく事態を話し合うために御所に参内した。しかし大君は出席を拒否した。彼は戦闘を好まず、はっきりとした行動には出なかった。彼の唯一の狙いは平和的に事態を収拾することだった。野口のふるまいは明らかに自藩の

（1）安治川。
（2）日本海側。
（3）四月一日に延期。
（4）パークス。
（5）以上、日記一月一日。
（6）藩主毛利敬親、世子広封。
（7）以上、日記一月二日。
（8）約一六キロメートル。
（9）西国街道。
（10）現在の兵庫県伊丹市。
（11）松平容保。
（12）以上、日記一月三日。
（13）伝習兵。
（14）老中板倉勝静。

に京都に入った。[18][19]

後の一瞬にいたるまで平和のかく乱要因は見られなかったのである。一八四一年に五二歳で亡くなった大君家斉[15]の甥である関白の二条[16]は免職させられて、近衛か九条がその地位についた。[17]長州の軍隊が一月二日に京都に入った。

会津藩の好戦的な傾向を反映していたようだ。石川河内守はこれとはいささか異なる見解を話したが、最

［大坂は首都の京都で進行していた事態には動揺しなかった］。五日には大坂市内の料理屋[20]で私の日本人護衛にご馳走することができた。その席には二人の魅力的なゲイシャ[21]が同席した。一人は、まるで絵から飛び出したようで、上品な顔かたち、弓なりの鼻、小さくふっくらした下唇、細い目、人のよさそうな顔立ちだった。もう一人は西洋人の美的観念からすればさらに見目美しいが、目に少し険があった。それから年増の芸子《ゲイコ》で楽器を弾き、年のころは二六か二八、気の利く女だった。往来はお祭りのようで夜になっても煌々《こうこう》と明るく、たくさんの人々が踊りを踊っていた。[22][23]

六日になって、謎が石川によって明らかになった。彼はわれわれの所にやって来て、三日に薩摩が大君だけでなく、ミカドと大君の仲介者の関白、伝奏、議奏の三職の廃止も建議したと言う。新しい政権は総裁（国務大臣のようなもの）、議定（石川は内閣の意味に解釈した）、参与（イギリスの国務次官に似ている）から構成されるものになる。将来の行政部の構想として、われわれが後藤に教えたものとこれはやや似ている（注：しかし、これは全く正確というわけではない。われわれがそれを呼ぶとしたならば、総裁は内閣総理大臣の部屋の相棒のようなもので、議定は行政各省の大臣にあたるものであった）。[24]石川の言葉では、この建議に対しては譜代大名のみならず他の大名からも大反対に合ったが、過激論者が調子に乗って、ミカドを廃止するかもしれないことを、大名たちが恐れたからである。この点について私は石川を安心させた。彼は言葉をつなげて、「それは机の上で議論する提案ではなく、戦いによって決着をつけるものだ」と言った。彼の報告からすると、大君自身はこの制度に反対ではなく、大君の臣下が主人を思って反対しているようである。大君は

平和を守るためにはいかなる犠牲も辞さないように思われた[25]。

［一月四日に私が母に宛てた手紙には、こんなことを書いた。一月一日、ロコック、ミットフォード、公使館付医師ウイリスと私は兵庫に出かけて行き、提督と食事をした。提督の艦載大型艇がわれわれを迎えるために大坂に来ることになっていた。そこで、外国人居留地[26]に行ってみたら、何の出迎えもなく、ひとりの小さな子が櫂《かい》を操っている日本製の大型船に乗り込んだ。はじめはかなりのろのろと進んでいたが、帆船が曳航してくれた。その後、帆船が離れると、再びその少年に頼らざるを得なくなった。とても寒く、北東の風が吹いていた。私は船首に座って、鉄道旅行用のひざ掛けを歯でくわえていた。他の二人は傘で体を守っていた。ミットフォードの中国人の忠実な使用人の林福《リンフー》はさおに筵《むしろ》を高く掲げていた。こうして、われわれは安治川を下り、河口の港まで来た。迎えの艦載大型艇はその気配すら見えなかった。そこで、日本の小舟を借りて湾を横切ろうと思った。兵庫までの距離はわずか一一マイル[27]だし、風も順調だっ

（15）徳川家斉の生没年は一七七三〜一八四一年であり、享年は六八歳。
（16）摂政二条斉敬。
（17）関白は一八六七年の王政復古で廃止。
（18）以上、日記一月四日。
（19）サトウは一月四日の川勝近江守の文書を出し、公式文書に使用する文体について議論をする。「各国おゐて互之書翰往復ハ其自国之公書文体（言語の意）を用由へき」。一方、サトウは一月四日、六日、八日、一一日から二二日、二八日から三〇日に『国史略』第三巻の読書ノートをつける。一条天皇から安徳天皇までの記事。このころ、『国史略』の「神代」の冒頭を試訳。
（20）難波新地の登加久。
（21）「わかうめ」と「こたけ」。
（22）以上、日記一月五日。
（23）サトウは五日に覚書「大君の主要支持者」を作成。
（24）サトウは同年三月下旬に「三職八局」（太政官日誌第二号）を英訳しイギリス外務省に報告。四月二〇日これをJapan Herald紙に発表。
（25）以上、日記一月六日。
（26）大坂・川口居留地。
（27）約一七・六キロメートル。

たから。ところが、帰りは必ず強風になるだろうということで、船頭は誰も彼も断ってきた。われわれは荷物を小舟に入れて、帰らざるを得なくなった。天保山砲台から領事館までの距離は約七マイル半㉘だったが、外国人居留地㉙に新設された副領事館に立ち寄らなければならなかったので、結構な時間がかかった。われわれは公使館でそろって夕食をとった。チーフ㉚は激しい腰痛に襲われ部屋にこもっていた。しかし、騎馬騎兵隊や横浜駐屯軍から派遣された護衛の歩兵五〇人を従えて、馬上で大坂に乗り込むのを中止するほどの病気ではなかった」。

一月七日になると、大君は万事休すとなった。その日の朝、かつて外国公使と老中の間の通訳をしていた時代遅れの和蘭通詞の森山㉛がやって来て、慶喜が京都から退去したとの知らせを伝えた。慶喜はフランス公使に会いに来るのだ、と最初私が思い込んだふりをした。「とんでもない。将軍職を奪われて、彼がここに落ち延びて来るのです」と言った。大君はすでに四、五日前から心を決めていたが、彼の出発命令は説得を受けて取り消されたので、その場にいた大坂駐在の外国奉行は大いに喜んだ。しかし、また命令が再び下され、実行されようとしている。われわれはぶらぶら外に出て、大君の到着準備の様子を見に行くつもりである。訓練部隊㉜の各小隊が鼓笛隊を先頭に行進してきた。野砲が狭い往来に邪魔物を払いのけるかのように置かれている。寒さから守るために頭をスカーフで包んだ様々な軍服の男たちを見たが、あまり軍人らしい姿ではなかった。川端㉝の料亭㉞に行ってみたが、ここは、この春、ときおり日本風の宴会をした場所であった。会津藩士で満員になっていて、店の外に彼らの武器が立てかけてあった㉟。店の中に家老㊱がいたので、会ってみた。彼が思うには、大君が京都を退去したのは御所の壁際で戦火を交えるのを好まなかったからであるという。また、主導的な大名の間で仲たがいがあり、薩摩は主力部隊で計画を実行しようとしているが、土佐は道理を尊重して行動しようとしている。しかし、彼らの目的は一緒なのだと述べた。薩摩と大君の間の調整に努力しているのは、加賀ではなく、土佐であるとも言った。彼は政府の組織についても大いに語り、後藤の計画は、もし実現可能なら、喜ばしいけれど、国民はこうした根本的変革に対応できるほどまだ成熟していないと言った。私も彼の意見に同感だが、従来から存在した専制政治からいきなり代議政治に替えると奇妙なことになりそうだ。ミットフォードと私は午後二時ころ準備の様子を見るために別の所に行った。京都に向かう道に架かる京橋あたりまで歩き回った。この場所では、大君の到着を鶴首の思いで待ち構えている様子が明らかだった。兵士の集団が驚くほど集まっていたが、彼らは甲冑《かっちゅう》を身に着け、色とりどりの派手な陣羽織《サーコート》を着て、槍と陣笠で武装していた。ここで窪田泉太郎(37)に会った。彼は大君の訓練部隊(38)の指揮官で友人を二人連れていた。その一人がミットフォードにひどい日本語で、自分たちはとても勇敢だから、死は覚悟している、と話した。勇敢な男なら、こんな風には退却しない、と私は窪田にささやいた。すると、窪田は玉座(39)の前で戦火を交えること、ミカドの玉体を危険にさらすことに大君は反対されたのだ、との従来からの説明を繰り返した。私は、御所の警護を放棄すべきではなかった、と言い返した。窪田はミカドの命令だと断言した。ミカドが戦うべきではないと命じたならば、その命令に従わねばなるまい、と私は控えめに言った。「その通り。大君にとってはそうだが、家来の場合はそうではない」と窪田は意味ありげな返答をした。

城の堀に沿っている往来のちょうど端まで来た時に、小ラッパが部隊に向けて鳴り出し、われわれは訓

(28) 約一二キロメートル。
(29) 川口居留地。
(30) パークス。
(31) 森山多吉郎。
(32) 伝習兵。
(33) 八軒屋。
(34) 天満の播磨屋。
(35) 会津藩兵は勅命で京都を追われ、大坂に配置されていた。
(36) 外島。
(37) 歩兵頭並。本書上巻第一四章一七七頁参照。
(38) 伝習兵。
(39) 御所。

練部隊が長い行列をつくって行進するのを見かけた。部隊が通り過ぎるまで、われわれは華麗な赤い陣羽織を着た男の反対側にたたずんでいた。彼らが行った後から、奇想天外の服装（遊撃隊、「勇敢に戦う男たち」）をした男たちの群れが続いた。この中には、黒髪や白毛を背中の半分までたらした長いかつらが付いた陣笠をかぶった者や、水盤型の軍帽（陣笠）や平たい帽子をかぶった者もいた。武器には長槍、短槍、スペンサー銃、スイス銃、マスケット銃、地味な両刀など様々だった。やがて、あたりが静かになった。すべての日本人がひざまずいた。騎馬の一団が近づいたからだ。慶喜とお供の者だった。われわれは、この転落した偉人に向かって脱帽した。彼は黒い頭巾《ずきん》でくるみ、通常の軍帽をかぶっていた。彼の表情を見ると、やつれて、悲しげであった。彼はわれわれには気づかなかった。これに引きかえ、彼の後に従った老中の伊賀守と豊前守[40]は、われわれの敬礼に応えて陽気に会釈してくれた。会津侯や桑名侯[41]もその中にいた。さらに他の遊撃隊が続いた。そのしんがりは、さらに大勢の訓練部隊であった。われわれは最後の部隊を見送ってから、城に入るのを見届けようと、その方向に急いだ。その途中で、大君を一目見ようと駆けつけたチーフ[42]に会った。［彼は力を尽くして大君の失脚の一端を担ったのだ］。堀に架かる橋を横切る縦列は色鮮やかな姿だった。行進は大きな門（大手門）から入って行った。大君以外は、みんなここで馬から降りた。その場にふさわしく、おりから雨が降ってきた。

　私の気持ちとは全くうらはらに、チーフは明日会見するために使者を送りたいと主張した。私が書いた手紙の中で、私は慶喜を大君殿下（His Highness the Tycoon）と称した。代わりにもらった返書には、彼のことを単に上様《ウエサマ》と認めてあった。この称号は、ミカドの朝廷に将軍として認められる以前の、徳川家頭首につけられたものであった。

　遠藤が戻って来て、つぎの情報を伝えた。二人の皇族の有栖川宮[43]、山階宮[44]、公卿の正親町[45]、岩倉[46]が総裁に、尾張侯[47]、越前侯[48]、芸州侯[49]、薩摩侯[50]、土佐侯[51]が議定に任じられた。大原[52]（公卿）、その他さまざまな人々、前記雄藩の三人が参与に任じられる。薩摩で参与になるのは、岩下、大久保、西郷であった。その他の藩については遠藤にも分からなかった。長州侯父子の官位は復活された。御所は薩摩と芸州が警護し、長州の軍隊が京都の町を守ることになった。薩摩の汽船は筑前に向かい、一八六四年に都落ちした五人の公卿の三条(53)（その後、連年、宰相）、三条西(54)、壬生(55)、四条(56)、東久世(57)（後に外務卿）を迎えに行った。

慶喜を臆病者と非難するのは無理がある。誰も彼に対してそんな批判を下せる者はいない。たぶん彼は自分の軍隊の勇気を信頼できなかったのだろう。この徳川の頭首を加えない新政府は、どうやってうまく続けることができるのか、誰も分からない。慶喜は大名たちの中に入っていけるのか、あるいは滅ぼされてしまうのか、そのどちらかに違いない。おそらく後者の場合は彼の敵対者たちの思うつぼだろう。慶喜は翌日チーフとの面談を断ってきた。接見は延期されると思われた。「ジャパン・タイムズ」紙の私の論説から翻訳された『（英国）策論』で主張された政策が、今の政局を支配しているように思われた。外国貿易のための江戸開市は明らかに延期されるに違いない。ロコックがさきの協定の実施を監督する責任を拒否したからだ(58)(59)。

(40)　若年寄大河内正質。
(41)　松平定敬。
(42)　パークス。
(43)　熾仁親王、総裁。
(44)　晃親王、実際は議定。
(45)　正親町三条実愛、実際は議定。
(46)　具視、実際は初め参与、次に議定。
(47)　前藩主徳川慶勝。
(48)　前藩主松平慶永。
(49)　藩世子浅野茂勲。
(50)　藩主島津茂久。
(51)　前藩主山内豊信。
(52)　大原重徳。
(53)　実美。
(54)　季知。
(55)　基修。
(56)　隆謌。
(57)　通禧。

一月八日の朝、チーフは本当に我慢できなくなった。正午ごろ私に命じて、ロコックと私に城に行って接見を取り極めたいとの趣旨の書面を準備させた。そうしたところ、木場伝内[60]から私宛の私信が届き、会見の都合の良い時間を指定してくれと言ってきたので、急送便は遅れてしまった。われわれの書面は午後三時にはとうに着くはずだった。同じころ、塚原[61]と石川[62]がやって来て、フランス公使が今ただちに大君（われわれは彼をまだそう呼んでいた）に会われることになっているので、明日なら慶喜は貴殿たちが指定した時間[63]にいつでもサー・ハリーに会われると、伝えてきた。サー・ハリーは仲間の公使[64]に出し抜かれたことを知って、彼の怒りは爆発した。彼は外交的な立場としては上位にあることを理由に優先権を主張し、ただちに護衛に出発の命令を下した。土砂降りの雨の中、われわれは城に向かった[65]。私は他の者より少し遅れたが、接見室[66]に入ったとき、ロッシュとサー・ハリーが言い争っていて、ロッシュが接見の邪魔をするとは「礼儀知らず[67]」の違反行為だと非難した。だが、サー・ハリーも売り言葉に買い言葉で返した。会津[68]と桑名[69]が目通りをして退室を命じられた後で、引き続いて接見が行われた。会津は暗い顔色をしている男で、かぎ鼻、年のころは三二歳、中背でやせていた。桑名は見苦しい若い男で、見た目二四歳くらいで、あばた顔で、とても小柄な体形だった。古狐の平山[70]は「上様[71]」の後ろに座って、メモを取っていた。塩田三郎[72]は、［フランス語をうまく話せるが］、彼はロッシュのために、一方、私がサー・ハリーのために、慶喜の口からこぼれ落ちる言葉を同時に通訳した。慶喜は最近数日間の出来事でさえ説得力のない報告をしていた。勅命に従って御所から軍隊を撤退させたと言ってみたり、また薩摩の指示に等しいと思われる他の勅命には承服できないと言ってみたりである。たぶんこれは慶喜の側からすると当然のことだった。他の勅命というのは将軍職を廃止し、御所に近づくことを禁止したものだった。慶喜は内大臣という官職を辞任して、領地二〇〇万石を引き渡すことを申し出るべきだと勧告された[73]。しかし、彼はその勧告に意を留めず無視する決心をした。この領地というものは、長州や薩摩やその他の大名が所有する領地と同じく、官職と切り離された自分の所有物だという理由からである。列侯会議を開いて各藩主に思う所を自由に話すことをせず、大名たちが前もって計画を準備し自分をひそかに出し抜いた、と慶喜は思っているらしい。つまり、策略にまんまとはまったことに、彼は腹を立てているのだ。会議を開催する提案は、単に慶喜の目を欺くための策略に過ぎなかったことは、かなり明らかだった。彼は会津の御所守護の取り消しの勅命をこう説明した。当日、つまり一月三日の朝、薩摩と芸州をふくむ大名たちが、会津の守護している御所の数門を掌握し、関白(74)やその他の高官が退出した後、とある追放されていた公卿たち(75)を御所に招き入れた。そして、同じ日の正午、これらの人々が新政権樹立の宣言を発したのであると。慶喜の話では、これはあらかじめ仕組まれたことであった。彼らはすべての計画を立ててから、誰にも相談せずにこれらを実行したという。ある時には、彼は五人の有力大名(76)は仲間割れをしていると言ってみたり、またある時には、布告というのもあらかじめ彼らが同意したものであるとも言った。慶喜の報告が終わると、彼は二人の公使(77)に意見を求めた。二人の公使とも、政権を明け渡した慶喜の愛国心と諸侯会議であらゆる問題を解決しよ

---

(58)　以上、日記一月七日。
(59)　日記では、「チーフは私の助言を聞いてくれない。シカシ　ジブン　バカリ　リコウ　ト　オモッテ　イル」と続いている。
(60)　薩摩の大坂留守居役。
(61)　但馬守昌義、旧外国総奉行。
(62)　利政、旧外国奉行。
(63)　日本側の史料では、午前一〇時。
(64)　ロッシュ。
(65)　日本側の史料では、「英公使儀押懸け登城いたし候」とある。
(66)　御白書院。
(67)　フランス語 les convénances。
(68)　前京都守護職松平容保。
(69)　前所司代松平定敬。
(70)　図書頭敬忠、旧外国総奉行。
(71)　慶喜。
(72)　旧通弁出役。
(73)　この筋書きは西郷と大久保がつくったとの説あり。
(74)　実は摂政。
(75)　都落ちしていた七卿のうちの五卿。
(76)　薩摩、土佐、芸州、越前、尾張。

うとする彼の正しい考え方に、称賛の声を上げた。ロッシュはかなりのお世辞で、サー・ハリーはもっと控えめに、何点か要を得た質問をしてみたが、これに対する回答はあまり率直なものではなかった。慶喜は大坂に下った理由として、御所近辺で暴動が起きてはいけないとの懸念と、配下の者たちの憤慨をなだめたい意図をあげた。慶喜は大坂に留まるつもりだったが、反対派がここまで来て彼を襲撃するかどうかは断言することができなかった。京都に樹立された政府の形態に関するもう一つの質問には、ミカドは名ばかりの支配者にすぎず、京都は何もできない男たちの集まりで、口げんかばかりして、政治には無能な連中で占められているのだ、と答えた。かと言って、慶喜自身がどのくらい権力を持っていて、他の大名たちがどのくらい彼の支援に馳せ参じるかも、見当がつかなかった。京都に集まった大名たちの中には、会議がいつまで経っても開かれないのに愛想をつかし、国元に帰ってしまった者もいる。また、五大諸侯(78)の厚かましさに当惑しながらも、まだ京都に残っている大名もいる。もちろん、彼らは大君派ではない、というのがわれわれの結論である。

ついに、上様(79)は疲れたと言って、謁見を切り上げた。彼には哀れみを禁じ得なかった。五月には気位も高く、立派な態度だったのに、この変わりようである。彼は痩せこけ、疲れ果て、声も悲しみを帯びていた。彼は両公使に対し、相談したいこともあり、再度会見したいと言っていた。外国奉行がわれわれに書面を渡し、慶喜が将軍職を辞任したこと、称号が以前の「上様」に戻ったことを告げた。

木場が欲しかったのは、上様の計画がどのようなものであるか、私が彼にそれを伝えることが出来るかどうか、つまり、彼が兵を集めるために江戸へ戻るのか、それとも「残忍にも」京都に進軍するために大坂に留まるのか、それを知りたかったのである。私は伊藤を介して、慶喜がどのような行動をとるか、私にも分からない(80)と答えた。このような事に私が情報を供給してくれると思うのは、あまりに単純すぎるのである。

［互いに争う両派の間に立って中立を守ろうとする］外交団は、一月九日の朝にプロシア公使館に集合し、宣誓書[81]と、行政がどこで行われているか知らせてほしいという要求書を作成した。フランス公使は最善を尽くして、前者を大名たちの党派性のない宣誓書にしようとした。フランス公使の通訳である塩田と私は宣誓書を日本語に翻訳することになり[82]、二人は別々に作業を行った。塩田の訳文はかなりの逐語訳で、彼は“divers partis”（いくつかの党派）という術語を「共謀者」としか当てはまらない言葉[83]で翻訳した。私は原文の言い回しにあまり固執しないで、自由な日本語に翻訳したいと思った。二人はこの点で口論をした。塩田が出て行った後、石川がやって来た。彼に私の訳文を見せた。結果がどうであろうとも、イギリス公使館の態度にできるだけ疑義がないようにしなければならなかった。夜の遅い時間[84]になっても、何一つ解決しなかった。上様との謁見は取り急ぎ実施されるはずだったが、これの延期が決まっただけだった[85]。翌朝（一月一〇日）、二つの訳文を比較した後、チーフは論争の原因になるかもしれないフランス語の原文を書き直すよう提案した。そこでロコックと私は他の公使たちのところへ行き、私の翻訳を承認してもらった。われわれがフランス公使館に行くと、平山と川勝[86]も来ていた。彼らはその文書に対する上様の返礼書を作成するために、それを持ち帰った。ロッシュとサー・ハリーとの間で、席次に関して意見の違いが起こった。前者はただの全権公使だったが、われわれのチーフは特命全権公使なのだ。すべての規定からチーフが上席だったが、他の公使たちはロッシュが先に日本にいるので、ロッシュが上席だと考えたので

(77)　パークスとロッシュ。
(78)　尾張、越前、芸州（安芸）、薩摩、土佐。
(79)　慶喜。
(80)　以上、日記一月八日。
(81)　中立宣言。
(82)　本書下巻第二七章六八頁参照。
(83)　日記では、「党与」。
(84)　日記では「明日の午後三時」。
(85)　以上、日記一月九日。
(86)　旧外国奉行、広道。

ある。この決定は、「最年長者」（フランス語）が上席であるというサー・ハリーの主張と他の友人の公使たちに先だってサー・ハリーが接見を行う権利があるという理由も消え失せてしまった。もちろん、後者の口実はどんな場合でも支持できるものではなかった[87]。

午後三時に全外交団は城内の御白書院に集合した。他のすべての部屋は会津、桑名、紀州が使用した。謁見はヨーロッパの宮廷で実施される同様な儀礼で行われた。上様の後ろには従者が立ち、彼の左手に会津、桑名、牧野備中守[88]、松平豊前守[89]（二人の家老）、大垣侯[90]と見られる貴人、それに平山と塚原が列席した。右手には数多くの大目付がいた。日本では、中国と同じように、左手が上席である。殿下（His Highness）のすぐそばに、伊賀守が起立していた。外交団の挨拶の翻訳を読み上げるのが彼の役目であった[91]。慶喜の答辞は実に長いものだが、上様自身が口頭で行った[92]。彼は自分の政策の説明を始め、京都から退去した弁明を行い、諸侯会議の決定に従う考えであることを表明した。公使たちが投じた細かい質問に対する彼の回答は、外国人は日本の国内問題に心を煩わすべきではない、政府の形態が固まるまで外交事務の執行は自分の任務であると思う、ということであった。外国奉行の面々は、おそらく今日を限りにお払い箱になると思っていたが、明らかに安堵の色をなしていた。彼らは喜び勇んでいる。この謁見は一時間半で終わった。演説を終えると、上様は外国公使の列を回り、めいめいに一言二言話しかけた。サー・ハリーには、友好関係の継続と日本の海軍創設への助力を希望された[93]。チーフは華麗な文句を並び立て、自分の気持ちは以前と変わりない、さらに、この窓から差し込む太陽の光は上様の将来への良い兆しである、と答えた。このたとえを日本語に翻訳するのに私はいささか苦労した。ところが、上様は分かったような振りをした。上様の秘書[94]の一人の妻木中務[95]が晩にやって来て、上様の回答を英語に翻訳するのを手伝ってくれた。

黒田新右衛門[96]から京都の命令[97]の正確な原文を受け取った。彼が語るところでは、大名側[98]は一致して二〇〇万石の土地と位階一等の返上要求に対する慶喜の回答を待っている。彼らは他の西国大名や北国諸大名も自分たちの側につくことを期待しているとも言った。戦わずに済むならそれに越したことはないが、戦う必要があるのなら、すぐにやるべきだ、と私は助言した。彼はしばらく考えて、これに同意して、うなずいた。大名側は三、四日のうちに外国公使に対し、彼らの意図を表明しようと考えていた。私の見た所では、城の見張り小屋からイギリス公使館にやって来る薩摩の人々は相当血気にはやっているようだ。そこで、彼らがこの危ない行動をしないように、私の方から会いに行くことを約束した(99)。

（二月一一日）石川(100)は、阿波、肥前、肥後、筑前、その他の有力大名の家臣たちが薩摩の過激なやり方に抗議して、諸侯会議の招集を要求する趣旨の文書を私に持って来た。彼らの言葉から推測できる限りでは、いずれの側も戦いを目論んでいるとは思えない。われわれが耳にしたのは、一両日のうちに尾張、越前、公卿の岩倉が既出の要求の回答を徳川方に受け取りに行くとのことである。若狭の小浜の酒井雅楽頭(101)の軍

(87)　日記では、「結局、パークスは『小人』（日本語）なのだ」と続く。
(88)　大坂城代牧野越中守貞明。
(89)　老中格大河内正質。
(90)　戸田氏共。
(91)　サトウが日本語に直した挨拶文は次の通り。「此度日本の政体大に変革せるにつき、各国の使臣は、従来上様が勉励・信義を以て条約を相違なく履行せられしことを感謝す、各国の使臣は固より日本政体の変革に関するものにあらず、期する所は堅固の政体を確立して、国民の帰服を得、且外国に対して信義を失はざるにあり、因て将来外交の事務は、いづれの政府へ交渉すべきや、公然の通告あらんことを望む」。
(92)　この答辞の英訳もサトウが行う。
(93)　『徳川慶喜公伝』には「相替らず親睦にしたし、海軍の儀も宜しく」とある。
(94)　日記では、「御祐筆」。
(95)　一橋家家老。
(96)　薩摩藩士。
(97)　朝命。
(98)　新政府。
(99)　以上、日記一月一〇日。
(100)　外国奉行石川利政、河内守。
(101)　若狭守の誤り、酒井忠氏。

隊は、上様の強力な味方であるが、この軍隊が西宮に派遣されたのである。そこには薩摩と長州の軍隊もいたはずである。しかし、遠藤[102]の意見では、戦いは間違いなく起こるそうだ。昨夜大勢の薩摩藩士が京都から到着し、追放から呼び戻された五人の公卿を京都まで警護する、と遠藤が言っていた[103]。

一二日、私は黒田新右衛門と木場伝内に会いに行き、外国外交代表から「先の」（フランス語）大君へ献上した挨拶文とそれに対応した返答書の写しを渡した。彼らは阿波藩はじめ一一藩の抗議の正当性を認め、大君のミカドへの主権返上の非を唱える藩がたくさんあると言った。このことから、かの五大藩が急いで行動を起こしたい理由が、このように主張する者が到着する前に計画を実行したかったからだと分かった。加賀は慶喜を支援する軍隊を招集するために京都を離れたと言われている。徳川方が戦いの準備をしていることは今や明白になってきた。紀州藩士は大坂近在の天王寺、住吉、木津にいた。会津は京都に道が通じている淀城を占拠している。ここは京都南方数マイルの所で、自藩の軍隊五〇〇〇人がいる。最近組織された徳川の歩兵隊[104]である新撰組三〇〇人も淀へ進んでいる。その道沿いには小規模な派遣隊が至る所に駐在していた。尾張、越前[105]、岩倉[106]は一月一八日に大坂に到着の予定だが、その日より前に五大藩が大坂に行進して来るかもしれない[107]。

木場伝内に招かれて、一四日にミットフォードと私は薩摩屋敷に行った。そこで、寺島陶蔵（以前は松木弘安として知られていた）に会ったが、彼はこの朝京都から戻ったばかりだった。尾張と越前が取りまとめをしている前大君の領地返上問題が解決されるまで、ミカドの親政を諸外国に公表するのは日延べしたほうが良い、と寺島は説明した[108]。［（この日本人との会談中、この大君という称号は一切用いなかった。この称号は外国人に使用するためだけに考案されたものである。われわれが用いたのは、徳川とか幕府という言葉だけだった）］。会津と桑名だけは海路でそれぞれの国元に帰るために大坂に来いとの勅命を受けていたが、彼らは単独で行くのを好まなかったので、慶喜が彼らと一緒に行くことが許されたという。慶喜が返還するべき領地は国家財政の中核を形成するものであり、土佐をはじめとする諸藩は、それぞれの大名もこれと同じ目的のために少しの割合でも犠牲を払うべきだと提案したところ、薩摩がこの後半の案件に反対したのである。ミカドの告示（注：これは宮廷用語について質問した回答のなかで述べられたものである。実際にこの文書が公布された時には、私の記憶をたどってみると、古典的な漢文で作られていた）は旧式の日本語で次のことを表明するものであった。ミカドは大名連合の頭であり、将軍職は廃止され、国政はミカドの指揮を前提とする大名の諸侯会議に委任され、最後に、条約はミカドの名をもって書き換えること、であった(109)。われわれが寺島に同感なのは、現在の不安定な状況で、この告示を公布するのは時期尚早ということだ。京都に町奉行《シビルガバナー》があらたに任命された。略奪者や公共の平和を乱す者を逮捕するための夜警も置かれた。もちろん、慶喜の目論見は大名の諸侯会議を招集して国政の審議を推進することだった。「彼は徳川の直系の家臣に助けを借りて議会の多数派を確保し、そして、自分の以前の権威ある地位に復帰できるために有利な採決を行い得ると確信していたのである」。この戦略は、ミカドを手中に擁した薩摩の大胆な攻撃でくつがえされてしまったのである(110)。

(102)　長州藩士遠藤謹助。
(103)　以上、日記一月一一日。
(104)　徳川慶勝。
(105)　松平慶永。
(106)　具視。
(107)　以上、日記一月一二日。
(108)　一月一六日の大久保一蔵（利通）の寺島宛の手紙では、「サトー江御談判之趣委曲承知いたし候（中略）。朝議も相決候何れ内輪之御治定第一之事」とある。現時点では、外交よりも内政を優先する意か。
(109)　原文はほぼ次の通り。「朕は大日本天皇にして、同盟列藩の主たり、（中略）第一、朕国政を委任せる将軍職を廃するなり。第二、大日本の総政治は、内外の事、共に皆同盟列藩の会議を経て後、有司の奏する所を以て朕之を決すべし。第三、条約は大君の名を以て結ぶといへども、以降朕が名に換ふべし」。
(110)　以上、日記一月一四日。

翌日（一月一五日）、サー・ハリーは諸侯会議と政府の新組織に関する上様の計画をそれとなく聞き出すために登城したが、さきに上様にイギリス憲法に関する質問を受け、それにかなりの時間をとられ、彼が質問できたのは最後に一つ二つだけだった。上様は前回の会談で話したいくつかの出来事のために、自分の計画がどんでん返しをされたと言って、巧みにサー・ハリーの質問をはぐらかした。護衛の準備が整ったので、われわれは仕方なく帰ることになった。帰ろうとすると、会津がやって来て、チーフにきわめて丁重な挨拶をされた。チーフは大名たちと知り合いになれることを楽しみにしていて、すでに数人の大名とは懇意になっていると答えた。もっと多くの大名と知り合いたいとも言った。阿波侯[111]は京都と大坂のどちらにおられるかご存知ですかと、チーフは会津侯に尋ねた。会津侯は知らないと答えた。チーフは昨年阿波侯のお国に行ってきて、とても歓待されました、と言い返した[112]。［ところが、こんなやや無遠慮な言い方をしても、全く手ごたえがなかった］。

同じ日[113]、紀州生まれの若い土佐藩士がわれわれに会いに来た。名前は陸奥陽之助[114]といい、彼と私は外国公使のミカド政府の承認問題を議論した。私は次のように説明した。先に一歩を踏み出すのは外国側がするべきことではない。われわれは徳川のチーフから引き続き政務を行うことの保証を得ている。かたや、京都側からは今のところ連絡を受けていないのだから、われわれとしては徳川との公的関係を続けざるを得ない。もし京都政府が政務の指揮を取りたいのなら、自分たちが外交事務を引き継ぐことを外国公使に通告する旨を幕府に知らせるべきで、その後、公使たちを京都に招くべきである。こうして、ミカドの地位が全世界に証明されるのである、と。

陸奥は、後藤からの使者として来ているわけではないので、単に自分の個人的見解を申し述べるに過ぎない、と答えた。皇族[115]が大坂までおいでになり、大坂城で外国代表と会見され、その席に徳川の頭首も出席され、外交事務の管理を辞任され、その上で皇族がミカドの政策について宣言を行う、と彼は考えた。

もちろん、諸大名とその軍隊が皇族を護衛することになろう。私は心から彼のこの提案に賛成し、彼の依頼もあって、誰にもこれをもらさないと約束した(116)。

翌日（一月一八日）、ミットフォードと私は再び薩摩屋敷に行くと、われわれ宛の質問状が京都から届いていた。われわれはそのすべてに回答した。ミカドが外国公使を京都に招き、前大君に日本の外交事務の執行権限を放棄させることが必要だというものだった。薩摩藩士は、慶喜が外国公使に行った一月一〇日の回答を撤回させたらどうかと提案した。先代のミカド(117)の逝去の際にイギリス女王のお悔やみを伝えたサー・ハリーの書状の写しと、それに対する板倉の返事の写しを、私は彼らに渡した。しかし、彼らは書状が朝廷に伝達されたかどうかを知ることができなかった。肥後の大名(118)が当地に到着し、京都に向かった。備前は西宮に駐屯することになった。五人の追放された公卿はその日の午後に大坂に到着して、川を上って京都に行くことになっている(119)。

数日前に公表された通り、（一月二一日）越前と尾張は京都から下り、登城した。（一月二二日）越前は日本の外国事務方(120)を通じて手紙を送って来て、家来にイギリスの護衛隊が訓練をいつ見せてくれるのかと言ってきた。護衛隊の訓練はない、とわれわれは答えた。［おそらく彼らはかなり前に大君が護衛隊の訓練を供覧されたことを耳にしたのだろう(121)］。われわれにしては、こうした依頼は当方へ直接してほしかった(122)(123)。

二三日、石川(124)がやって来て、江戸で起きた騒動の影響で、日本の護衛兵を一〇〇人増員することになっ

(111) 蜂須賀斉裕。
(112) 以上、日記一月一五日。
(113) 日記では、一月一七日。
(114) のち陸奥宗光。
(115) 日記では「宮様」。
(116) 以上、日記一月一七日。
(117) 孝明天皇。
(118) 細川慶順。
(119) 以上、日記一月一八日。
(120) 旧外国奉行か。

たと告げた。一六日の夜、彼の話では、薩摩藩の数人[125]が北方の庄内藩の大名酒井左衛門尉[126]の芝の兵舎を襲ったが、撃退された。その翌々日、酒井の家来が大君政府から借りた軍隊[127]と共に一六日の暴行事件に関係した男たちの引き渡しを求めて薩摩屋敷に出向いたが、屋敷に到着する前に野戦砲や小銃の攻撃を受けたので、これに応戦した。結局、薩摩屋敷は丸焼けになった。防戦した者[128]は殺され、捕虜になった者[129]もいた。ある者[130]は湾内に碇泊していた薩摩の軍艦[131]に逃れた。この軍艦は間髪なく大君政府の船に攻撃を加えたが、戦闘の結果は不明である。いずれにしても、他の薩摩屋敷も島津淡路守[132]の屋敷も焼打ちされた。逃げ延びた薩摩藩士が大坂で騒動を起こして復讐する可能性もあった。大坂城を攻撃することはないだろうが、念のためイギリス領事館員がいる場所にも多少の軍隊を駐在させておきたいと言うのである。これに対するチーフの答えは、まずは事件の詳細を公式文書にしてもらわねばならぬ、それが済むまで、一人たりとも公使館に派遣してはならぬ、というものだった。さらに驚いたのは、石川の話では、われわれが江戸に残して来た通訳見習[133]が田町の通りにある薩摩屋敷から発砲を受けたが、この情報をもたらした手紙の日付は一月一四日だった、との報告があった。この日付は薩摩[134]が酒井[135]の屋敷を襲撃する二日前のことだから、彼の話は信頼できない。われわれが考えたのは、慶喜が大名側の最後通牒に拒否の回答を行ったので、大坂にいる彼自身が襲撃されるのではないかと恐れたのではないかということだった。越前と尾張はその日に京都に戻ったが[136]、「彼らの使命の成果については、われわれは何も聞いていない」。二四日、提督[137]が江戸からの情報を持って、大坂に到着した。石川が伝えてくれたことが全部本当であることが分かった。彼の報告によると、一七日の夜、薩摩藩士が江戸城の一部に火を放って、先々代の大君[138]に嫁入りした天璋院様[139]を連れ出そうと企てた。そこで、大君政府は江戸の薩摩屋敷を攻撃し、残らず焼き払った。屋敷にいた人々は薩摩の汽船に乗って海へ逃げた。その間に、イーグル号[140]やその他の大君政府の軍艦は蒸気を起こして、薩摩の汽船を攻撃せよとの命令を受けた。海戦が起きたが、イーグル号と薩摩の汽船が沖合に姿を消して、幕となった。イーグル号は前檣《ぜんしょう》の一番下の帆桁《ほこう》を失って翌日帰航の途中でイギリス軍艦ロドニー号に遭遇した。薩摩の汽船は二三日に紀州地方の南方の大島岬の沖合で見かけられた。通訳見習のクインとホッジスが一二日ころ日本の船に乗っていたところ薩摩の砲台の前を通過中に発砲されたという話も本当だった。被害はなかった[141][142][143]。

(121)　一八六六年三月二一日に横浜の本牧でイギリス駐屯軍と幕府陸軍兵士が合同の観兵式と模擬戦。本書上巻第一四章一七七―一七八頁参照。
(122)　二三日、兵庫領事のマイバーグが急死。
(123)　以上、日記一月二二日。
(124)　利政、旧外国奉行。
(125)　実は薩摩の支藩の佐土原藩。
(126)　酒井忠篤。
(127)　前橋、西尾、上山の三藩など。
(128)　篠崎彦次郎。
(129)　益満久之介。
(130)　伊牟田尚平ら。
(131)　翔鳳丸。
(132)　佐土原藩主島津忠寛。
(133)　J・J・クイン、J・L・ホッジス。
(134)　議定松平慶永。
(135)　議定徳川慶勝。
(136)　以上、日記一月二三日。
(137)　ケッペル。
(138)　徳川家定。
(139)　篤姫。
(140)　軍艦回天丸の原名。
(141)　二四日、サトウはパークスに人事についての不満の文書を提出。ラウダーが兵庫領事に就任したことに不満。ラウダーへのサトウの嫉妬は後年まで続く。
(142)　以上、日記一月二四日。
(143)　サトウは一八六八年一月二六日に、大君政府が一月三日以来の薩摩の罪状を列記した「討薩の表」を、英訳している（サトウ文書、PRO 30/33 1/4 pp. 6-7）。さらに、二八日には「討薩の表」の別表である「薩藩奸党の者罪状の事」を英訳している（PRO 30/33 1/4 p. 7）。二六日のサトウ日記は空白であるが、じつは重要情報の英訳で多忙な一日だった。なお、一月二七日には大坂町奉行所関係者と兵庫大坂外国人居留地の売規則と地券などの件を協議（『続通信全覧』編年之部一六、四〇三頁）。

第二五章　伏見で戦闘が始まる

一月二七日の夕方、京都方面で大きな火災が見えた。遠藤（謹介、長州藩士）の話では、都から三マイル[1]の所にある伏見で、前大君の軍隊と薩摩および同盟諸藩の軍隊が戦闘中だと言うのだ[2]。大君政府の軍艦開陽丸とその他の船舶が兵庫で薩摩の大型船を封鎖しつつあった。この前日（二六日）、二つの歩兵大隊が行列を組んで京都へ行進しているのが見えた。たぶん伏見で交戦中の軍隊の一部であろう。噂によれば、慶喜自身が数日中に出陣するそうだ。ウイリスの忠実な従者の佐平は同じ日に伏見を通ってきたが、薩摩藩の部隊が街路で待機し、たき火で暖を取っていたのを見た。他の皇帝支持者[3]が彼らと一緒だったどうか、彼はよく分からなかった。伏見にやや近い所に新撰組がいた。その背後に歩兵の大部隊が控え、みんな明らかに殺気立っていた[4]。次の日（二八日）の夜中、以前われわれが友人に会いに出かけたことがある、土佐堀の薩摩屋敷が焼打ちに会った。ある知らせによると、屋敷の者が逃げる前に火をつけたといい、また他の説では徳川の軍隊が三、四発の砲弾を撃ち込んだので、火の手が上がったという。ともあれ、薩摩藩士は徳川方の追跡を受け、船に乗り込み川を下ったが、川岸から銃で撃たれ、逃亡した二人が殺された。サー・ハリーは板倉を訪ねた。板倉は伏見の町は薩摩の軍隊によって火が放たれたが、これは上様の部隊が京都に入ることを阻止するためのものである、と言った。戦いは午前四時から始まったが、戦果はまだ分からない。別隊が鳥羽街道を行進し、川の右岸を進んで行くと、待ち伏せに遭い、退却を余儀なくされた。上様がいつ出陣するのか、板倉にも分からなかった。伏見で行く手を阻まれた軍隊は、京都の二条城の占拠を命じられた前衛部隊だった。慶喜はすぐに二条城に戻るつもりだったが、これは越前と尾張の勧めによるものだった。すべての他の大名は薩摩の横柄なふるまいに嫌気がさしていた。おそらく、伏見で徳川方と戦ったのは、ひとり薩摩の軍隊だけだった。石川[5]は伏見の司令官から手紙の写しを私にくれたが、それは塚原[6]と豊前守[7]に認めたもので、薩摩屋敷を破壊するために大砲を貸したことが書いてあった。塚原が行方不明になったことが報告された。官軍が伏見奉行の公邸を攻撃した際に塚原が狙撃されたと推定される。しかし、彼が淀より先で目撃されたかは、われわれには確かでない[8][9]。

翌日（二九日）、チーフは公使館に近い玉造門のすぐ内側の板倉の邸宅に出かけたが、そこで永井玄蕃頭[10]に会った。永井はわれわれに、昨夜までに徳川の軍隊は両方向から前進を阻まれ、そのはるか西の竹田街道で進軍を試みている、と言った。軍勢は一万人から六千人ほどなので、何とかうまくやれるはずだとわれわれには思えた。報告によると、敵の軍勢は薩摩藩と長州藩で構成され、浪人が加勢している。その浪人はおそらく他の藩の者だろうが、残りの大名たちは中立の態度を取っている。上様方の指揮官は竹中丹後守[11]であった。前進部隊は「討薩の表」を携帯したが、玄蕃頭はこれを上様の「従者」と称した。彼が未だに主張しているのは、上様は武力には訴えたくないのだが、その意思ではない方向に向かわされていることである。しかし、一月二六日の晩に行われた薩摩の汽船ロータス号に砲撃した件について、玄蕃頭は

（1）四・八キロメートル。
（2）鳥羽伏見の戦い。戊辰戦争勃発。
（3）官軍。
（4）以上、日記一月二七日。
（5）前外国奉行石川利政。
（6）前外国総奉行塚原昌義。
（5）前若年寄松平正質。
（8）サトウは一八六八年一月二八日から同月三〇日まで『国史略』第三巻の読書ノートをつける。
（9）以上、日記一月二八日。
（10）若年寄永井尚志。
（11）若年寄並陸軍奉行竹中重固。

満足が行く説明が出来なかったのである。同夜、また報告があり、徳川の軍隊は伏見から七マイル半の所で退却し、淀の下手の木津川の橋を破壊して、薩摩の軍勢のさらなる前進を防いだと言う。負傷者を乗せた七隻の船が川を下った[12]。

三〇日の朝にわれわれが耳にしたところでは、徳川方の形勢はそんなに有利だとは思われなかった。午後になって、大火が城の付近の丘からはっきり見えた。枚方と橋本の方向で、大坂と伏見の中間あたりである。それは戦闘がこちらに近づいている証拠だった。チーフは公使館員と協議を行い、できるだけ多くの船を雇って、公文書をイギリス艦隊に移すことにした。これを安全な場所に移し終えたら、冷静に事の成り行きを待つことができるのである。夕食を済ませて、サー・ハリーはフランス公使に会いに行った。午後九時半ころ戻ってきて、上様はもはや外国公使を守ることができず、公使たちは自国の旗を守るため自ら適切な処置をとる必要がある、との外国公使に宛てた回状が出るはずだと伝えた。午後一一時には回状を持参した使者[13]がやって来た。われわれの荷物の移動のため明朝にはできるだけ多くの船を用意すると約束した。公文書をまとめて、われわれは床に就いた[14]。朝（三一日）の午前四時になって、ロコックが私を起こし、今日早々に敵が大坂に来るから、夜が明けたら、運べるだけの荷物を持って逃げなければならない、というフランス公使からの手紙が届いたことを知らせた。そこで、われわれは床を離れ、とても寒かったが、荷造りをした。まだ船は来ていなかった。夜が明けると、私の日本人護衛がやって来て、難儀をしたが、大きな船を一艘確保したと伝えた。この船に公文書を積み込み、午前九時ころ出発した。その後、石川がやって来た。私の力では貴殿らを助けることが出来ないと語った。皇帝支持者[15]がまだ現れないうちに、今すぐ逃げ出したほうが良いと言ってくれた。そこで、サー・ハリーと私は荷物係を探して外に出ると、城の大門[16]の外で彼らに出会った。まさにその時、奇妙な行列が門の中に入って行った。宗教的な仮装行列が運ぶ神のかごともいうべきミコシのようなもの、差し掛けの大きな傘、先頭に長い竿の先に提灯を持って立つ二人の男から構成されていた。石川は、どうやらミカドの使者を乗せてきたらしいと言っていた。彼と私は荷物係と一緒に戻り、公使館の裏手の川岸まで荷物のほとんどを運んだが、まだそこには船が来ていなかった。そこで、奉行の公邸に行き、われわれのすることに役人たちを動員しようとした。彼らは全くの狼狽《ろうばい》の呈であり、船を手配するのは無理だとはっきり言った。石川は涙を流さんばかりであった。公使館のために船や荷物係の手配など二度とするものかと誓うのであった。もともとそれは彼の任務ではないのだ。そのため、城内にわれわれの荷物のほとんどを預けておくことにした。しかし、それは杞憂に終わった。われわれが宿舎に戻ってみたら、留守の間に五隻の船が来ていて、チーフは満面の笑みをたたえていた。そんなわけで、午前一〇時ころ、われわれは外国人居留地(17)に向かって出発することができた。ところが、私の日本人護衛の六人を残していくことになった。[彼らは一八六七年にわれわれが大坂から江戸までの陸路の旅をして以来、私に付き添ってくれた素晴らしい仲間だった]。私の荷物のために船を手に入れなければならなかった。なぜなら、荷物を置き忘れていたことに気づき、いろいろな物(18)を城に運ばなければならなかったのである。ところが、予想以上に船が来てしまったので、ミンスミートの巨大なつぼまでひとつ残らず荷物を船に積み込んだ。[運の悪いことに、ミットフォードが最近大枚一分銀八〇〇枚を出して購入した見事な金蒔絵の飾り棚を、うっかり見落としてしまったのである]。正午ごろ、[私は大いに勝利感を抱いて]外国人居留地に向かった。家の形をした船(屋形船)が七隻あった。私は面識のない男に、この船は誰のために用意されたものか尋ねた。サトウさまのためだとその男が何気な

(12)　以上、日記一月二九日。
(13)　松平太郎、旧幕府歩兵頭。
(14)　以上、日記一月三〇日。
(15)　官軍。日記では「大名の軍隊」とある。
(16)　玉造門か。
(17)　大坂・川口居留地か。
(18)　ミンスパイの詰め物。

く答えたので、とてもうれしく思った。全行程を歩かずに済んだので、私は気持ちよく船で川を下ることができた。途中で、われわれは全員居眠りやうたた寝をしていた。［昨夜は全く休息をとっていなかったのだ］。時々川岸の哨兵に呼び止められたが、船を止めるまでは至らなかった。居留地に到着したのだが、強い西風が吹いていたので、河口の砂州を渡ることができなかった。チーフ、ロコック、ウイリス、ウイルキンソンはまだ熟睡していた。［歩兵護衛隊の指揮官の］ブルース大尉と警官は再び公使館に戻っていった。残して来た荷物を何とかして取ってこようとしたのである。同じ目的のブラッドショウ中尉のために、私は船を一隻手配した。夕刻になって、彼らは戻ってきた。艦隊の大型艇は居留地の沖に停留していた。公使館は大坂の副領事館内に置かれた。寒さがことに厳しかった。今の状況を考え、とても上等な夕食を終えて、われわれは喜んで床に就いた。他の外国代表は川の河口の天保山のみすぼらしい小屋に居て、食べ物もわずかしかなかった。われわれと彼らの境遇をくらべると、自分たちを誇りに思いながらも、彼らに哀れを感じた。町人の間に噂が飛び交っていたが、それは慶喜が反乱人（朝敵）の宣言を受けたということだ(19)。

次の朝（二月一日）の午前九時ころ、ロコックと私は第九連隊第二分遣隊から来た護衛兵を連れて、状況視察のために大坂城の付近まで行った。城の前は黒山のような人だかりで、すべての門には番兵が居なくなっていた。われわれは奉行の館の戸を叩いてみたが、何の応答もなく、奉行とその家族はすでに逃亡したことは明らかだった。群衆はそれを笑いの種にしていた。われわれは私の日本人護衛の一人を城内に送り、そこに誰かいるか調べさせたが、慶喜は出発してもぬけの殻だったとの答えだった。われわれは公使館にも行ったが、すべてが前のままだった。正午までに戻って来て、昼食を摂っていると、一三人のフランス兵の分隊がやって来た。彼らは群衆から石を投げられた報復として、発砲して八人か九人の人々を殺して来たのである。野次馬たちが外国人をののしり叫ぶことをいさめることになると思われるが、それにも関わらず、外国人たちには大坂は安全な場所ではないと思われるようになり、大変遺憾である。われわれが城に行って戻ってくる間も、敵意をむき出しにするようなことは見られなかった。この事実が示すと思われることは、ここの住民は国籍の違いを認識できることだ。フランス公使館は略奪に遭い、家具は粉々になった(20)。

昼食後、サー・ハリーとウイリスと私は天保山に向かった。チーフは友人の公使たちを訪れるため、ウイリスは皇帝支持者（官軍）と戦った京都から送還された会津の数人の負傷兵の手当てをするためであった。チーフの友人の公使たちはサー・ハリーに対してひどい怒りを覚えた。なぜなら、サー・ハリーの荷物と公文書が幸運にもすべて無事だったこと、危険と思われる場所から自分たちよりも四マイル近い所で留まっていたからである。かなり怒りに燃えた議論が続いて起きた。サー・ハリーは、公使館の資産は塵ひとつまで運びきるまでは大坂を離れるわけにはいかない、と言い張った。それがいつまでかかるか彼にも分からなかった。これに対して、他の公使たちは自分たちの旗をすでに降ろしてしまったので、神戸（兵庫）に引き上げて、事態の推移を見守るしかない、と言った。私は会津の数人の負傷兵と友達になった。彼らは徳川の軍艦まで自分たちを連れて行ってくれる船を待っているところだった。彼らはこう言った。もし適切な援軍があったなら、敵を破ったことであろう。しかし、藤堂(21)は最も重要な防衛拠点の山崎（川の右岸にあり、その左岸近くに淀がある）で寝返ってしまった。慶喜方の総司令官の竹中(22)も淀で敵に投降した。さらには、訓練歩兵(23)も何の役にも立たなかった。一人が逃げ出すと、（イギリスの言い方で言うと）残りの者も羊の群れのように後についていく始末であった、と。彼らは薩摩の軍隊をせいぜい千人以下だろうと見

(19)　以上、日記一月三一日。
(20)　日記では、「何と愉快な」と続く。
(21)　津藩主藤堂高猷。
(22)　陸軍奉行竹中丹後守。
(23)　陸軍伝習兵。

積もっていたが、敵は接近戦にとても巧みだった。それに後装銃で武装していた。慶喜はすでに逃亡し、どこへ消えたか分からないが、おそらく江戸だろう。天保山の堡塁と、さらに少し川の上流の今まで郡山(24)（九州の大名）の管理下だった堡塁が破壊されていた。天保山の大砲は使い物にならず、弾薬は正午に出帆した徳川方の軍艦開陽丸に積み込まれていたことが分かった。慶喜もこの船に乗ったと信じられている。(25)平山翁(26)は天保山の堡塁にいた。しかし、自分の身を隠すことに躍起になっていた。フランス陸軍教官のシャノワーヌ［（後年、わずかな期間だがフランス陸軍大臣になった）］と、もう一人の士官が前日の夜に江戸から到着した。しかし、すでに手遅れだったことを知り、彼らはがっくり肩を落とし、再び戻って行く羽目になった。明らかに彼らは慶喜の総司令官の相談役として活躍するつもりでいたのだ。堺の町は焼け落ちたとか、［大和川の］難波橋あたりの人家も焼失したとか報じられたが、偶然なのか故意なのか知られていない。薩摩兵は誰も大坂には入っていなかった。フランス公使から出た根拠のある話では、慶喜は大多数の大名が自分にこぞって反対していることを知ると、大坂の城と町を越前と尾張に明け渡すことを決めた。両侯が朝廷からの使者としてやって来た時、自分に親切で丁重だったからだ！会津兵は負傷者の手当てを手伝ってくれたウイリスにとても感謝していた。そして、イギリス人を世界で最も善良で親切な国民だと明らかに尊敬しているのだ。彼の友人の公使たちとの仲たがいを防ぐために、サー・ハリーは兵庫に行くことを決意した。私は副領事代理のラッセル・ロバートソンとブルース指揮下の第九連隊第二大隊の護衛の半数と一緒に大坂に残ることを志願した。イギリス国旗の名誉を守ろうとしたのである。野口と日本人護衛が私を守ってくれることは明らかだ。もし襲撃を受けた場合は、最後まで応戦することを決意したが、そんなことは私には予想できなかった。私は長州の見習の遠藤を京都方面に派遣し、諸大名がすぐに外国の諸代表に対して新政府の政策を宣言することを勧めようと思ったからである。ミットフォードと私は先に薩摩の友人たちに宣誓書の草稿をあたえていたし、この問題に関しては私と土佐の間で個人的な了解があったからだ。堡塁にいる会津の兵士たちは、薩摩兵が変装して大坂城に入ったとか、慶喜の訓練兵の中に何人ももぐり込んだとか、私たちに語った。もしわれわれが聞いたことが全部本当だとしたら、彼らはいかにも悪賢い奴らだ(27)。

それゆえ二月二日に、チーフは兵庫に赴くことになった。ロコック(28)を横浜に送るため、イギリス軍艦ラットラー号を手配した。ロコックが横浜で公使館の担当になったのである(29)。チーフ自身も神戸を引き揚げることになった。朝の午前八時半ころ、副領事館から、城の方向から白い煙が立ち上り、ついで黒い煙の厚い雲が昇って行くのが見えた。間もなく、城が燃えているという噂が広まった。それは事実だった。朝食をすませ、ロコックと私はブルースとブラッドショウと一緒に第九連隊第二大隊の護衛兵四〇人を連れて、火事見物かたがた、イギリス公使館が焼けたのかどうか見に行った。われわれは川岸づたいにから京橋門まで進んだ。門をくぐると、穀物倉庫と本丸《ホンマル》（中心部の円形広場）が燃えていた。誰に聞いても、誰の仕業か分からなかった。風は北から吹いていた。火の粉がたちまち大火となって、訓練兵が以前駐屯していた南側の仮兵舎の数練に燃え広がった。われわれが玉造あたりに回って行くと、公使館の建物が今や最下層の人々の略奪にあっていた。われわれは略奪者を追跡したが、荒廃を食い止めるには時すでに遅かった。すべての家具が粉々になり、倉庫の品物は奪い去られた。不運にも、その中にはミットフォードの美しい装飾戸棚も含まれていたが、確かにそれも持って行かれてしまった。城の前には大勢の人だかりであった。人々が門の外にも中にも押しかけていた。しかし、彼らはわれわれに敵意は示さなかった。われわ

(24)　大和郡山の誤り。
(25)　日記では、「彼はわれわれに行方を教えないとは、何と見下げたやつだ」と続く。
(26)　若年寄兼外国総奉行平山敬忠。
(27)　以上、日記二月一日。
(28)　公使館書記官。
(29)　彼は一八六八年三月三〇日から一八六九年六月六日まで臨時代理公使を務めている。

れが予想していた投石もなかった。もちろん、暴徒は奉行の公邸を徹底的に破壊し尽くした。

　正午ころ、副領事館に戻ると、遠藤[30]がとうに任務を終えて帰っていた。彼の言葉によれば、二、三百の長州兵がすでに大坂城に入り、城を尾張に明け渡すために残った一人の役人[31]との間の儀式が終わらぬうちに、火の手があがったそうだ。放火は、暴徒によるものか、慶喜の配下によるものか、遠藤にも分からなかった。到着した皇帝支持者（官軍）は長州兵だけだった。

　午後二時ころ、われわれはロコックとウイルキンソンと共に救助艇に乗って外国人居留地を出発した。ロコックとウイルキンソンはイギリス軍艦ラットラー号で江戸に向かうことになっている。川の半ばで、われわれが出会ったのは、二隻の大型船を一緒の艦載ボートがチーフとイギリス軍艦オーシャン号のスタンホープ艦長を乗せていたところだった。彼らは大坂中が火事だと思って、われわれを救出して、イギリス国旗を守ろうとしたのである。なんてこった。われわれは少しも危険な目に遭わなかった。勝利軍から襲撃されることもなく、城からの炎上のとばっちりも受けなかったのである。しかも、私と一緒に残った各人の安全のために、私の生命を賭けるつもりでいたのだ。私は薩摩、土佐、長州から、イギリス公使館には配慮するという保証を再三受けていた。ところが、助けなど必要なかったのだ。チーフの命令には従わねばならない。荷物を入手するのは、きわめて困難だったので、われわれの欲しいものをできる限り手に入れるために、艦載ボートを派遣せねばならなかった。われわれは三隻の船を手に入れ、そこにすべての品物、さらに副領事の家具まで積み込んだ。公文書と第九連隊第二大隊の荷物もすでに運び出した。ひとつ残らず午後六時半までには運び出したのである。われわれはついに安全に砂州を渡り切った。私の乗った艦載ボートは三度も砂州に座礁し、しまいにはびくとも動けなくなった。だが、イギリス軍艦サーペント号のバロック艦長が自分のボートに私を乗せてくれたのである。ウイリスは公使館の金庫を守りながら、サーペント号の艦載ボートの引き船でやって来たが、深夜になるまで乗艦出来なかった。こうして艦はすべての荷物を曳航し、蒸気をふかして兵庫まで行った(32)。

翌日（二月三日）、われわれは兵庫に上陸し、荷物の荷揚げをおこなった。一行のほとんどの荷物が領事館に収納された。私はこの地方の行政官の家(33)を手に入れた。数人の運上所(34)の役人が住んでいた。その家の管理人が抗議した。だが、幕府がわれわれを大坂に追い出したのだから、放棄された幕府の役人の家に入るのは、世界中の当然の権利(35)であると言い張った。そこで、私は荷物を家の中に入れて、その家を整えた。われわれのチーフは領事館に宿泊した。他の五か国の代表、つまりフランス、オランダ、アメリカ、北ドイツ、イタリアの公使は運上所を宿とした。運上所は大きな二階建ての西洋館で、役人たちはこの家が勝者の手に落ちるくらいなら、火を放ってしまおうとしただろう。大坂町奉行は、われわれが旧知の柴田(36)だが、一日五〇〇ドル（約一〇〇ポンド）で蒸気船の大坂丸を借り、配下の部下と共に江戸に戻ろうとしていた。その日の午後に出て行った。

昨夜か早朝に薩摩の五代(37)が大坂にチーフが留まっていても大丈夫だと告げに大坂まで来たと、私は知った。もちろん、彼が来た時には手遅れだった。次に私が聞いたのは、もし慶喜が大坂や京都、あるいはこの二都市を結ぶ諸地点から軍隊を撤退させない場合には、慶喜に対して謀叛人(38)の宣告が下されることになっており、もし慶喜がそもそも越前と尾張が勧告したことに聞く耳を持たず拒否した場合には、薩摩、芸州、長州、土佐が武力を用いて無理やり服従させることを決めた、ということである。これで慶喜が急い

(30)　謹助、長州藩士。
(31)　城代監察。
(32)　以上、日記二月二日。
(33)　代官屋敷。
(34)　税関。
(35)　天下公然の権利。
(36)　剛中。
(37)　友厚。
(38)　朝敵。

で逃走したことが説明できるようだ。しかし、いかなる点から、日本人の観点からも西洋人の観点からも、これは不名誉なことだ。慶喜が外交事務の監督責任は自分にあると外国代表に通知した後、彼の役人から公使たちが受け取った唯一の追加通告は、自分はもはや公使館を保護することはできない、ということだけだった。ところが、彼は姿をくらますことを考えていたなどとはおくびにも出さなかった。京都に公使たちを招待することになり、慶喜は招待状を公使たちに送付せよと命令されていたことが私の耳にも入っていたが、もちろん、彼はそれをしなかった。事実、［西欧のような海外諸国とのそもそもの最初の関係から徳川政府の外交政策は］、外国人を京都の一派と接触させないことにあった。そして、この観点から、フランス公使ロッシュの熱烈な支援を受けていたのだ。私はしっかり思い出すのだが、京都から慶喜が退出した後で、われわれが慶喜に会いに大坂城に行った時、ある外国奉行が私に冷やかしで、「もちろん、あなたは京都に行けると思っておられるでしょうが、あまり当てにしてはいけませんよ」とか、そんなようなことを言ったのだ。

薩摩藩か徳川方か、誰だか知らないが、兵庫と神戸の間の［水無の川の河原の端に建ててある］円形砲塔の破壊を企てている者があると知らせが回って来たので、イギリス軍艦オーシャン号、フランスの旗艦ラプラス号、オネーダ号（アメリカ船）から小舟を出した。砲塔のとびらに錠をおろして、その鍵を取って来た。(39)

(39) 以上、日記二月三日。

第二六章　備前事件

二月四日、備前の兵士が早朝から神戸を通り過ぎ、午後二時ごろ、(1) ある家老の家来が、行列の目の前を横切ったアメリカ人水兵(2)に発砲した。［この出来事は日本人の考えからすると、死を免れない刑罰に値する無礼な行為だった］。その後、彼らは出会った外国人の生命をことごとく狙おうとした。しかし、幸いにも深刻な結果には至らなかった。［後年外国人居留地になった場所は、当時は広々とした平地であった］。その奥の端には幹線道路が走っていた。備前の兵士がその道を通行すると、彼らは突然火を放った。明らかに元込め銃からだった。それゆえ、すべての外国人が身の安全のため、あたふたと平地を横切って走っていくのが見えた。アメリカ海兵隊はすぐに追撃を始め、イギリス第九連隊第二大隊の警備隊も出動し、数人のフランス水兵も上陸した。ブルース指揮下のイギリス警備隊の半数が神戸から外国人地区に通じる入り口を占拠するため至急派遣された。あとの半数は敵を追跡した。［外国人地区の平地の東のはずれの］生田川の河原に着くと、備前兵が六〇〇か七〇〇ヤード（六三〇メートル）前方を詰め合って縦列で前進して来るのが見えた。そこで、われわれは川の堤のすき間を抜けて、口火を切った。わが方には、少なくとも六人の非戦闘員がいたが、みなライフル銃で武装し、同じく発砲した。ウイリス、ミットフォード、それに私は自前の拳銃しか持っていなかった。最初にわが方から一斉射撃があると、敵は道端の野原に逃げ

(1)　三宮神社前で。

(2)　フランス軍曹長キャリエールの誤りか。

込み、堤の下からわれわれに発砲した。われわれも砲火で反撃したので、敵は全員遁走した。われわれは敵を追って、隠れそこなった敵兵を見つけてはすぐにそこかしこに発砲した。しかし、最後には敵は丘に逃げ込んで、完全に姿を隠してしまった。サー・ハリーは［以前警官だった騎馬騎兵隊を従えて］、西宮方面へかなりの距離の道を駆け抜けたが、敵の姿をこの目で捕らえることはできなかった。［もしわれわれの銃弾に当たって傷を負った敵がいたなら、戦友に連れられ逃げ延びたに違いない。ウイリスは両足のくるぶしに弾が通貫して川岸で倒れていた老婆の百姓を発見し、彼女を連れ帰り、傷の手当てをした］。その後、惨めな格好をした運搬人を捕らえた。彼は九死に一生を得て奇跡的に逃げ帰ってきたのである。というのも、この男は隠れていた場所から出て行こうとしたところ、すぐ近くの場所から彼に拳銃で少なくとも一五発放たれたが、傷ひとつ受けなかったのだ。逃亡兵が落としていった荷物を開けてみたら、貴重品は何もなく、ただ火縄銃と榴弾砲の中間のような小武器三丁、少数の大工道具だけだった。われわれの捕虜として連れ帰った運搬人の自供から、敵の部隊は備前藩家老の池田伊勢と日置帯刀が率いており、この二人は四〇〇人ばかりの兵士を連れて西宮の守備隊に加勢に行くところで、まだ若干の兵士が兵庫に残っていることが確かめられた。居留地に戻っていく道すがら、ブルースに行く手を阻まれた敵兵が神戸で落とした荷物が相当たくさんあった。そこで、神戸の幹線道路に沿って見張兵をできるだけ遠い第一関門まで配置し、その門には強力な警備隊に榴弾砲を持たせて待機させた。見張兵の列は平地の北側から東側にかけて延ばされた。この見張兵はアメリカの水兵や海兵隊員だが、午後一〇時ころ彼らから警報が発せられた。かなり素早く海軍関係者が反応を示した。野砲を陸揚げし、たくさんの小銃兵を上陸させた。結局、敵兵は誰も姿を見せなかった。大山鳴動して何とやら、である。私がサー・ハリーに提案したことは、もし備前兵が彼らの行動に関する満足できる説明をしなければ、外国勢力はこれを日本全体に対する争いとみなすという宣言を出すことであった。サー・ハリーが友人の公使たちを説得して、この宣言に同意させたので、私はその写しを持たせて、仲間の備前藩士の所へ追い返した。(3) とはいえ、その写しが本来の宛先まで間違いなく届くとは、そんなに当てにはしていなかった。午前一時半ころ、一〇〇人の長州兵が徳川軍に備えて神戸と兵庫を守るため派遣されたが、彼らが村(4)の中央にあるわれわれの陣営のそばに到着したまさにその時、警備隊がもうすこしで発砲しそうになった。幸いにも、私がその瞬間に居合わせていた。さっそく私は長州兵が階級と書類で部屋割りをしていた旅館(5)に行き、撤退するよう交渉をした。彼らは快く撤退を受け容れた。

午後になって、筑前、久留米、宇和島、それに徳川の所有と思われる四隻の汽船を兵庫と神戸で差し押さえ、これらを「物的保証」とした。(6)

二月五日の朝、吉井から大坂に来て時局を語らないかと招き入れる案内が届いた。私の手中にはあまりに多くの案件があったので、無理だった。長崎のグラバー商会所属の汽船ワンポア号が到着した。この船が八〇〇人の薩摩兵を運んできた、という噂が立ち、広がった。そこで、私は命を受けてその上陸を阻止するため船で出かけた。ところが、その船には一人も薩摩兵はいなかった。四国の阿波藩士の数人が兵庫から船で姿をくらました。イギリス兵が彼らを追跡したが、その数が少なく、みすぼらしい姿をしていたので、不問に付した。その後、われわれは布告を発したが、［それは私に文書の起草を任された］。その内容は汽船を差し押さえた理由、第二に人々が落ち着いて稼業に励むことの勧告、第三に武器を所持していない者はわれわれの屯所の通行を許すことを知らせたものであった。午後一時ころ、あるオランダ人が警告をしたのだが、日本人が襲撃して来るとのことだった［（普通に考えても、これは十分ありえることだった）］。

(3) サトウ起草の抗議文の英文と日本語文は『大日本外交文書』第一巻第一冊、二二四―二二五頁参照。
(4) 神戸。
(5) 日記ではテツヤ。
(6) 以上、日記二月四日。

この情報は運上所[7]に居を構えた外国代表の宿泊先にも届けられた。運上所では、フォン・ブラント[8]が少なくとも三〇〇人の武器を持った一隊の件で大騒ぎをして、彼はこの一隊がすぐ近くの北側の丘陵から神戸を脅かそうとしていると言い張った。私は望遠鏡でそのあたりを見回したが、確かに人はいたが、彼らが武装していたら、それは友好的な長州藩士であろう。そこで、イギリス軍艦オーシャン号のガードン少佐と兵士一〇人を連れて行き、探索に出かけた。長州の布告を見つけたら、所かまわず、われわれの布告を貼り付けるつもりだった。だが、丘の上にいた人々とは農民たちだった。長州の軍隊は大きな仏教寺院の勝福寺に駐屯していたが、そこは約二マイル離れた丘の上だった。それゆえ、彼らがわれわれとの約束を守ってくれていることが分かった。われわれは兵庫の町を練り歩き、備前藩の官用ホテル（本陣）の戸口に第一の布告文を貼り、長州の軍隊が四日の夜に宿泊した家には四通りのすべての布告文を貼りつけた。これですべてが完了し、われわれは居留地に引き返して、外国人の仲間の胸をなでおろさせた。

　戻ってみると、私はばったり吉井と寺島に出会った。彼らは話し込んでいたところだった。チーフ[9]は彼らと短い話し合いをしていたが、彼は二人に、すぐに京都に人を派遣し、ミカドの使者に布告文を持って外国代表に来てもらうようにと、進言した。二人はチーフに三〇〇人の薩摩兵士がイギリスの見張兵の列を通過することを認めてもらいたかったが、チーフはこれを拒否した。理由は、われわれはミカドから公式通知は一向にないからで、われわれは薩摩が陛下の命令で行動しているとは認識できない。やむなく、彼らは別の道を通って兵士を兵庫に入れることに同意した。その後、私は二人と一緒に兵庫にある薩摩の本陣[10]に出向いた。彼らは最近の出来事[11]の経過についてたくさんのことを話してくれた。彼らの話によれば、薩摩兵ははなから勝利続きであった。自分たちは「袋のネズミ」同然だったので、命がけで激戦を勝ち抜かねばならず、そのために勝利を呼び込むことができたのだ、と。伏見では、絶望的な戦いを強いられていたが、その後は徳川の軍隊を押しまくって、ついには淀まで後退させた。淀の町は徳川の退却部隊によって川の長い橋もろとも燃えてしまった。会津兵はとても勇敢に戦った。幕府の作戦は当方の会津と新撰組（最近出来たサムライ武装集団）を相手方の薩摩と長州の軍隊に戦わせ、それから訓練兵(12)を皇帝支持者(13)の右手にひそかに回して、京都を奪取することだった。肥後(14)も御所を奪い取るために、薩摩も形勢が悪くなっていくことをただただ待ち続けていた。しかし、彼は今ではとても意気消沈している。実戦に参加した薩摩と長州の兵士の数はおよそ一五〇〇人で、残りの部隊は京都の防衛に専念していた。ともあれ、占拠すべき道がとても狭いので、大きな部隊の有利さが発揮できなかったのである。彼らは野砲に銃弾袋を装着したが、これが敵に大きな破壊をもたらした。薩摩兵の死者は二〇人だが、死傷者の全体数は一五〇人を超えなかった。彼らはたくさんの敵兵を捕虜にして、大砲や小銃を多数手に入れた。藤堂の寝返りが官軍に大きな援軍となった。藤堂軍ははじめ彼らに抗戦していたが、ミカドの軍旗、すなわち、赤地に金色の太陽と銀色の月を見たときに、彼らは戦意を失い、敵に寝返ってしまった。他にも小競り合いに強い利点があった。皇族の仁和寺宮《にんなじのみや》(15)は御室御所《おむろのごしょ》としても知られていたが、彼が最高司令官を務めていた。箱根から先のすべての藩が服従していたので、仙台藩も味方になるだろうと、皇帝支持者側は見越していた。紀州はすでに降伏したい様子で、大垣も服従した。[会津をのぞく]、戦っていた他のすべての藩が服従する模様だったからである。吉井と寺島の話では、岩下(16)、後藤(17)、都落ちした五卿の一人の東久世(18)が神戸に来て、

(7) 税関。
(8) プロシア公使。
(9) パークス。
(10) 小豆屋。
(11) 鳥羽伏見の戦い。
(12) 伝習兵。
(13) 官軍。
(14) 松平肥後守容保。
(15) 議定嘉彰親王。
(16) 薩摩藩士岩下佐次右衛門。
(17) 土佐藩士後藤象二郎。
(18) 東久世通禧。

外国代表に対してミカドの声明を伝えることになっている、という。新政府の望みは、諸外国との関係については完全に公平な態度を採るが、イギリスに関しては以前より京都方の良き友人だったので、とくに感謝と友好の気持ちを込めて臨むということであった。その夜の午後一〇時半まで、私は吉井と寺島と一緒だった。イギリスが汽船を差し押さえたのは当然の権利の行動であると、彼らは認めたように思えた。私と一緒にいる間に、彼らは大坂にいる自藩の友人に長文の手紙を書き、今回の事件を説明し、イギリス側の通告書を同封して急いで送った。彼らはまた京都に手紙を書き、時を移さず外国公使に対する通告書をミカドの使者に持って来させるよう催促した[19]。

六日の早朝、薩摩の軍隊が大型船で西宮にやって来て、兵庫に上陸した。[前日のわれわれとの合意に基づくものである]。

肥前の大村藩士の渡辺昇とフクザカ・コーゾー[20]がやって来て、差し押さえられて今はフランスの手にある大村藩の汽船に関するイギリスの意向について尋ねた。この汽船はもともと宇和島藩のもので、この度の航海のためにのみ借り受けたのだった。そこで、私は備前藩に対する通知書の写しと汽船を差し押さえた理由を説明した書面を両人にあたえた。彼らはイギリス側が正当な行動を取ったことを全面的に了解した。ところが、イギリスの水兵が、アメリカ人とフランス人もそうなのだが、ありとあらゆるコソ泥のたぐいを働き、汚名をそそいでしまった。

私は長州軍の隊長の片野[21]を訪ねた。彼が言うのには、備前藩の二人の家老が大坂か京都に向かった。[彼は知らなかったが]、四日の騒動の後で、一般兵を当地に残したままである[22]。

二月七日、ミカドの使者である東久世が岩下、寺島、伊藤を伴い、わずかな従者と共に、芸州所属の小さな汽船で兵庫に到着した。彼らの到着を知らせる通知を受け取ると、私はチーフの所へ行き、彼の友人の公使たちと会合を開き、ミカドの使者との会見の場所と時間を取り決めることを勧めた。どうやら公使たちは一様に不快感をあらわにしたらしい。とくにフランス公使は無視されたように思い、これがあからさまだった。彼らのイギリスの友人[23]はこうしてミカドと公使たちの間の連絡役になったのである。彼らはミカドの伝言の内容をサー・ハリーから聞き出そうとしたが、彼は知っているわずかなことさえ、公使たちに知らせなかった。会見は翌日の正午に運上所（税関）で行うことが決定した。私は兵庫に行って、これを岩下に知らせた。三〇〇人の備前兵が兵庫に入ったとの情報があったが、私にはその痕跡さえつかめなかった。イギリスの海兵隊は、混成部隊の駐屯地を作るときの不和がわざわいして全部撤退したので、アメリカ海兵隊だけが町の中央の木戸の守りについていた。そこで、これからは彼らが続発するコソ泥もどきの事件のすべての責任を負うことになった。[24]［彼らは腹の立つくらい杓子定規で、私が通行証を持っていないと言ったら、目的地の往復に大変な遠回りをさせられた］。

二月八日、東久世が予定の時間と場所[25]に重大な通告をもたらした。［東久世は日本人としても小柄な男で、才気ほとばしる目をしていたが、歯は不揃いだった。その歯は宮廷生活で身につける黒い染料（お歯黒）が完全には取り切れておらず、話す方もぎこちなかった］。文書は漢文で書かれていたが、翻訳文は以下のとおり。

「日本の皇帝[26]はすべての外国の元首および臣民につぎのように通告する。将軍徳川慶喜《よしのぶ》（下記に注）が彼自らの請願により政権の返上を求めたが、これに許可をあたえた。われわれは今後、わが国の外交内政のあらゆる事柄に最高の権能を行使するであろう。したがって、皇帝（天皇）の称号が、これまでの条約に

(19)　以上、日記二月五日。
(20)　日記では、フクザワ。深沢説あり。
(21)　片野十郎。
(22)　以上、日記二月六日。
(23)　パークス。
(24)　以上、日記二月七日。
(25)　運上所。
(26)　日本語では「天皇」、英訳はEmperor。

用いられた大君の称号の代わりに用いることになる。役人たちが、外交事務執行のために任命されつつある。条約諸国の代表（公使）は、この通告を受け容れてほしい。　一八六八年二月三日　睦仁（印）[27]」（注：彼のことをケイキと通常呼んでいるが、それは彼の名前のヨシノブを漢字の二文字で書いたときの音読みである。）

この文書は実に巧妙に構成されている。諸条約がミカドに履行義務を負わしているのは当然のことであり、したがって大君の称号に代わってミカドの称号をもってすると述べ、条約のことはついでに言及したのに過ぎなかった。この文書の翻訳[28]が出来上がり、すべての公使に示されると、つぎにはミカドの使者[29]に対して質問の集中砲火が行われ、彼はこれをうまくさばいた。ロッシュがミカドの権威が日本全国に及ぶのかと尋ねたが、これに対して使者は冷静な態度で、徳川の反乱が今のところその実現を妨げているが、その権威は次第に帝国全土に及ぶであろう、と答えた。ロッシュの通訳（徳川方の人物であった）は、その際、故意に誤訳して、この使者の発言を「もし全国民がミカドに従うならば、ミカドはこの国を統治することができるであろう」と通訳した。しかし、われわれがもう一度質問して確かめたところ、使者が実際に述べたのは、「ミカドが統治を行うことになった当然の結果として、国民はすべてミカドに従うであろう」ということだった。備前事件に関して、ミカドの政府は将来にわたって神戸の外国人の生命と財産を保護すること、備前藩の処罰を主張する外国代表の要求を受け容れることを約束した。このことを条件として、海兵隊と水兵は軍艦に引き上げ、汽船も釈放することになった。大坂はまだ完全に平穏になったとは言えないが、通常の状態に間もなく戻ることであろう。そうなれば、外国人は正式に大坂に戻るようにと要請されるだろう、と東久世は言った。使者の東久世はミカドの政府の代表として、外国代表が通告を各国の政府に報告して、自国の民衆に公示するかどうかを知らせてほしいと言った。これはミカドの政府の「承認」の要求にも等しいものだった。ロッシュは激怒[30]した。そして、「こうした人々をあてにしてはならぬ」と叫んだ。その時、イタリアのデ・ラ・ツール伯とドイツのフォン・ブラントはロッシュに向かって声を荒げて、先方はわれわれがそう言ってくるまで、待っていたのではないかと応酬した（もちろん、われわれが大坂の薩摩屋敷で秘密の交渉をしていたことなど知らないのだ）。ここに及んで、だれもかれも自分の政府に報告すると言ったので、ミカドの使者もこれに満足した。使者を兵庫まで乗せて帰る砲艦が来るまで、とりとめのない会話に花を咲かせたが、これといった重要な話題はなかった。伊藤が私に言うことには、われわれが京都に行くことは差支えないし、面倒なことは起きますまいとのことだった。私は無関心の素振りをしていた(31)。［実は、私は京都の街並みや名だたる建物を見たくて仕方なかった。この町は二世紀以上の間、外国人を厳重に警戒して寄せ付けなかったからだ］。

翌日（二月九日）、東久世は自ら志願して、イギリス軍艦オーシャン号にやって来た。

公使たちの連名の文書が東久世に提出されたが、それは備前藩が犯した罪に対する賠償を要求したものであった。この文書は文字通り完全な謝罪と、発砲を命じた士官の極刑を求めたものであった(32)。公使たち、とくにロッシュ氏は自分たちが砲火の下にあったという事実はさらに犯行の重大性を加えるものである、と主張した。［まるで、行進中の備前藩の軍隊が、公使がその場にいたのを承知で事を起こしたかとでも言うように、である］。伊藤は、備前藩の家老にハラキリ（切腹）をさせることは政府も同意するだろうと、考えていた。また伊藤は、次のように語った。長州はミカドに小倉（下関海峡の南岸）と石見地方で獲得した土地を献納した。桂（木戸）と自分（伊藤）はさらにこれを進め、長州藩の維持に必要なものを残して、土地も家臣も他の所有物もすべてミカドに返上したいと思っている。もし、すべての大名がこのようにす

(27)　日本語出典は『日本外交文書』第一巻第一冊。
(28)　一八六八年三月二六日付の Japan Herald 紙に掲載。
(29)　東久世。
(30)　イタリア公使。
(31)　以上、日記二月八日。
(32)　「一、無故外国公使共幷其人民を襲候段、御門陛下之政府より以書面各国公使え十分詫入。一、外国公使幷在留諸外国人え対し発砲する様下知せし士官は死罪之事」。

るなら、強力な中央政府が出来上がるだろう。現存の制度では難しいかもしれないが。[33]すべての大名が勝手気ままに援助の手を引っ込め、すべての諸侯が異なった流儀で軍隊の訓練をするのを、放置している限り、日本は強い国にはなり得ない。それでは北ドイツ連邦の二の舞いになる。弱小諸侯はいくつかの強大な存在に呑み込まれてしまうに違いない。四国の松山と高松の大名は、徳川方に味方したので、取りつぶしになって、その領地はミカドの支配下に置かれるであろう。土佐がこの役目を執行すると言っているので、その処分は土佐藩に一任されるだろう。兵庫から数マイル西にある姫路は、おそらく皇帝支持者（官軍）に攻撃されるだろう、と語った。

岩下、伊藤、寺島が外国事務局御用掛として署名した布告文が、兵庫の町中に貼りだされた。ミカドが諸外国との条約を守ること、外国人に対し礼儀正しい行動をとることを人々に告知した。ロッシュがこの日の夕方彼の通訳の塩田を連れてヨーロッパに出発することが伝えられ、書記官のブラン男爵が代理公使として留まることになった。［京都の使者が昨日行った公式通告によって］、彼は全く窮地に追い込まれ、自分の方針が完璧に覆されたことに見るに堪えなくなってしまったのだ。彼はまず横浜に向かうつもりらしい。彼は横浜で狡猾な策を弄して、外交官としての名声を回復しようとしているのではないかと、私は疑った。［ところが、彼は前言を翻して、日本に留まることにした。やがて事態が好転し、自分もミカドからの招聘を受けて京都に行き、体面を損なうことなく新しい政治体制を承認することになるだろうと考えたのである］。パークスの指示に従った少数の者をのぞいて、他の公使たちはいたって穏当にふるまった。[34][35]

二月一〇日、外国公使たちは東久世ともう一度会見をおこなったが、そこには岩下と後藤も同席した。彼らが言うには、伊藤[36]が一時的に運上所[37]と奉行所（知事）の管理者になるということであった。奇妙に思えたのは、さして高位でもない人物がこの二つの役職を兼務するのに適していると考えられ、また、一般の人々が彼にすぐに従うことだ。私の日記に書き留めてあることだが、日本の下層階級は支配されることを大いに好み、自分たちを支配する権限があると主張する人物なら誰にでもすぐに服従するのである。とくに武力を背後に持っていそうだと、これが著しいのである。［伊藤には英語を話すのが得意だという大きな取り柄があった。これは当時の日本ではまれに見る大成果であり、とくに政治運動に関する人物の場合はなおさらである］。人々に服従の習慣があるのだから、外国人が日本を統治することは、それほど難しいことではないであろう。二本差し階級(38)を排除することができたらであるが、外国人が統治するとなれば、外国人はすべて日本語を話し、読み、書けなければならない。さもなければ、外国人はこの企てに完全に失敗するであろう。［しかし、サムライが相当たくさん存在していたので、そのような考えは実現するはずがなかった。一九一九年の今から振り返ってみると、日本精神を理解した誰もが、かりそめに、このような観念を心に抱いたとしても、冗談でも、全くのお笑い種であるように思えた］。

後藤は備前事件の外国代表の覚書を持って京都に行くことになっていた。朝廷では備前事件の刑罰(39)の宣告について同意するだろうと予想される理由はいくつもあった。しかし、家老の日置帯刀に対しては打ち首にするのではなく、たぶん、切腹《ハラキリ》をさせたかったようだ。少なくとも、日本人の友人から内々に聞いた話ではそうだった。この問題の始末がつくまでは、外国人を備前藩士が配置されている西宮に往来させな

(33)　この伊藤の意見は、一八六九年三月五日の版籍奉還の上表の先触れ。松尾正人『廃藩置県の研究』は、これ以前の「木戸と伊藤の合議、伊藤の積極的な姿勢を裏づける証左」と評価。

(34)　以上、日記二月九日。

(35)　サトウは二月九日から同月一五日まで『国史略』第三巻の読書ノートをつける。安徳天皇から後鳥羽天皇までの記事。

(36)　伊藤俊輔、のち博文。

(37)　兵庫税関。

(38)　サムライ。

(39)　死罪。

いようにと頼んでおいた。大坂では万事が平穏に戻ったとの情報が届いた。われわれは数日中にも大坂に戻れるようにしようと、その日を鶴首の思いで待っていた。

以前自ら後藤休次郎と名乗っていた男は、今や本名の中井[40]の姓に戻って、外国事務局御用掛になった[41][42]。[彼はとても陽気で、性格も明るく、いつもおふざけやお祭り騒ぎをしていた。宴会を行う時には、彼が幹事になって取りまとめや交渉を任される。こんな風だから、彼には「ガイムショウ　ノ　タイコモチ」[43]（外国事務局の道化）というあだ名がついた]。

一一日、東久世は配下を従えて、サー・ハリーやフォン・ブラント[44]と会談を行うために領事館にやって来た。話し合いは三時間も続いた。われわれは開港に関するすべての条約、協定、覚書[45]を彼らに見せた。それはすべて外国事務総裁の皇族である仁和寺宮[46]によって、ミカドの名において確認されるべきものであった。最近の京都での出来事についても相当質疑応答が繰り返されたが、彼らはいずれ詳しい事件の顛末を述べて、小笠原壱岐守と他の［旧体制支持者が行った］声明を反論したいと言った。諸侯会議は、薩摩に手荒く先手を打たれたと慶喜が文句を言っていたものだが、一二月一五日に開催されるはずだった。西国の諸大名はこの日が過ぎた後もずい分待っていたが、誰も京都に来なかったので、彼らは行動を起こすことにした。かつて幕府に行っていた要求は、支配権とともに、政権を十分に維持するだけの領地を新政府に引き渡せというものであった。譜代大名と旗本の領地を別にしても、徳川家には二五〇万石の領地が残ると算定された。徳川はこれを拒否し、八〇万石の土地を引き渡し、朝廷を支援するための補助金を出し続けると申し出た。しかし、京都を退去する際、会津や桑名の頑強な反対に関わらず、慶喜は新政府から要求された領地の引き渡しに同意するつもりでいた。その後、越前と尾張の二侯が大坂に下ったおり、彼らは慶喜を京都に戻し、上記の要求に合意させようとしたが、会津と桑名が慶喜に従って先陣を切ることなど毛頭考えておらず、戦闘が続いて起きたのは偶然のことなのだ。この会談が行われた日には、すでにほとんどの箱根から西の大名たちはミカドに帰順、または加担しており、あるいは間もなくミカドに服従する武力に服従せざる状況にあった。こうして徳川が所有する八〇〇万石の領地のうち七〇〇万石が実際にミカドの手中に入ったのである。もし徳川があの時服従していたら、彼は残りの所領を保持して、とにかく平穏にやって行けるはずだった。ところが、彼が失地を回復しようとする恐れがあり、その場合にはミカド側が徳川を滅ぼすことになっていた。そのため、北陸道（越前や加賀の地方を通っている）や信濃を抜けていく中山道や東海道からも派遣軍が向けられることになっている。彦根の井伊掃部頭《かもんのかみ》(47)や京都派の大名たちは、忠誠を証明するために官軍の先頭に立つことになっていた。北方の大名たちは徳川に謝意を表す義理もなく、また徳川を支持する理由もなかった。阿波は帰順しており、兵庫の守備隊に協力していた。最近の戦闘において京都で捕らえられた捕虜は内戦の場合の昔からの日本の慣習たる死罪を逃れるために、平和が回復された後は国元に帰されることになっている。

われわれはミカド方が諸外国に対し厳正中立を守る意向であることは承知していた。

江戸の薩摩屋敷にいた私の旧友の南部弥八郎と柴山良介が最期を遂げたという風説があった。前者ははりつけの罪、後者は打ち首の刑だという。私は何としても彼らのための仕返しをしてやりたいと思った。[西洋人の考えからすると、捕虜の生命を奪うことは忌まわしいことなのだ]。

(40)　中井弘。
(41)　以上、日記二月一〇日。
(42)　日記では、「昨夜、一〇日ぶりに勉強を再開することが出来た」と続いている。「勉強」とは、『国史略』の読書ノートをつけること。
(43)　日本の「外務省」は明治二年成立なので、この記述はそれ以降のもの。
(44)　プロシア代理公使。
(45)　一八六二年のロンドン覚書、一八六六年の改税約書、一八六七年の開港開市の取り決め、など。
(46)　山階宮の誤りか。
(47)　井伊直憲。

報告によると、隠居した肥前の大名で、一般に二股膏薬の異名がある、松平閑叟老人が間もなく京都にやって来るそうだ。また、長崎奉行[48]も任地を出発し、長崎は薩摩と芸州と土佐が占拠しており、肥前が砲台を守っているそうだ[49]。

二月一三日にわれわれに届いた便りは、壱岐守[50]からサー・ハリーに宛てたきわめて外交的な手紙であった。その文面は、慶喜が京都に入れなかったのはもっぱら薩摩の陰謀によるものであり、薩摩の一時的な成功によって長年続いてきた条約が破棄されるような事態にならねばよいが、との希望が示されていた。ロコック[51]が壱岐守に対して一言も触れていなかったのは、ミカドが外国代表に使者を派遣する場合、チーフがどのような態度を取ればよいかと質問したことである。イギリスから情報が届いた。向山（注：隼人正は一八六七年のフランス万博のために渡欧していた）[52]がイギリス外務省にやって来て、サー・ハリーが大君に対して「陛下」ではなく「殿下」という呼称を用いたことに苦情を申し立てたのである。これに対して、スタンレー侯[53]は、日本には殿下よりも高位の呼称があることを理解している。それゆえ、殿下という言葉は「陛下」という意味ではない。「陛下」は君主に対して用いる最高の呼称である、と答えた。一方、この壱岐守への手紙の中で、「陛下」（これは「マジェスティ」と同義語である）という呼称をイギリス女王にささげ、大君には殿下を用いたことは、特筆大書すべき事実であった。［これは現代の俗諺にいう、「全体を示すことを逃していている[54]」ということだ］。

五代[55]と寺島[56]が私に会いに来た。その後で、二人はチーフと政治的問題について長い間話し合った。彼らはチーフに、三週間か一か月のうちに、京都で事が万端進み、政府も友好関係を結ぶために外国代表を京都に招待することになろう、と語った。彼らは京都にいる負傷者の手当てをするために外科医を都合付けてほしいと要請した。チーフはそれに答え、いかなる人間の場合でも、苦痛を和らげることはいつも嬉しいことだ。われわれの公使館付きの医官はすでに会津兵の傷の手当てをしており、他の人々の治療を拒むものではない。しかし、承諾するか否かは、備前事件について公使宛に送られる回答次第である、と言った。公使館を大坂に引き揚げる問題も論じられた。仏教寺院を公使館として提供して欲しかった。大坂城の裏手にある今の建物(57)はひどくガタがきているからだ。しかし、これはどうでも良かった問題である。ほんの一時的な建物だったからだ。五代と寺島はとても心配な様子だった。私が、そう私一人ですぐに来るように言っていた。（事実、私はどこでも行きたい所に行けるのだ。たとえば、望みさえすれば、明日でも京都には行けるのだ。）五代は江戸を攻撃するための軍艦を購入したかった。われわれが売り物の軍艦を持っているとは、笑止千万の話である。私が彼らに勧告したのは、すぐに通牒を諸外国に送り局外中立を要求することだった。そうすれば、徳川方で入手しようとしていたアメリカのストーンウォール号をアメリカ公使に要求して譲渡を差し止めることが出来るからである。また、徳川がフランスから入手しようとしている二隻の甲鉄艦も同様である。五代はさらに言葉を続け、出羽の国の上杉と佐竹の二大名が会津を懲らしめる任務に当たりたい新政府に願い出て、この願いは許された、と(58)。

翌日（一四日）、東久世からの通牒を彼らは持参した。そこに含まれていた文書は、東久世が伊達伊予守（宇和島）と三条実美（都落ちした貴族の一人）から受け取った指令、すなわち外国代表に下された備前事件の解決条件である、外国人に発砲を命じた士官を死刑にして謝罪する件を、ミカド政府の名を以て承認する、

(48)　河津祐邦。
(49)　以上、日記二月一一日。
(50)　旧幕府老中兼外国事務総裁、小笠原長行。
(51)　パークス。
(52)　一般にパリ万博と呼ばれる。
(53)　イギリス外務大臣。
(54)　「木を見て森を見ず」か。
(55)　五代才助、友厚。
(56)　寺島陶蔵、宗則。
(57)　東奉行所。
(58)　以上、日記二月一三日。

という指令書が入っていた(59)。公使たちは、この迅速な回答に満足の意を表した。猶予期間が終わる二四時間前に回答を受け取ることができたからだ。さらに公使たちは、詫び状と死刑執行の詳しい手配の通知はもう三、四日待つことにする、と言っていた。五代と寺島は、もし備前が士官の引き渡しを拒否するのなら、ミカドの軍隊が無理やり服従させるだろう、と言った。彼らはまた仁和寺宮からの書状を持参してきたが、それはミカドの名において諸条約とそれに付随する協定の一切を批准することと、仁和寺宮自ら外国事務総裁に就任し、伊達、三条、東久世がこれを補佐することを通知したものであった。他にも、イギリス政府とその臣民に対して厳正中立を要求する通知、他の諸外国の代表に対する同様の通知もあった。条約諸国に対するミカドの告示の複写も、まだそれをもらっていない公使たちにも手渡された。ウイリスを京都に派遣して負傷兵の治療に当たらせる要請も重ねて行われ、これをわれわれは了承した。ウイリスに同行したいという私の申し出も、すぐに了解された。

この日、長崎から報告(60)があった。長崎奉行河津伊豆守の退去は七日の夜に密かに行われ、長崎港に駐在する一三藩の大名の出先役人によって、翌日、暫定統治機関がつくられた。長崎の地方行政を肥前と筑前に任せたいと奉行が申し出たが、この両藩は他の藩の協力がないのなら責任を負い難いと言って、これを拒否したのである。すべての関税の下役人、通詞、それに長崎を守るために同地に招集された五〇〇人の軍兵は、暫定統治機構に引き継げられた。そのため、この港の事務は一日たりとも中断せずにすんだのである。数件の火事が起こったが、間もなく鎮火された(61)。

(59) サトウがこれを英訳。「ミカドは、備前藩の家来が犯した暴行に対し、外国代表が処罰を要求したことを全く正当なものと考え、処罰を科せるであろう」と。

(60) アストン覚書「二月四日から一〇日までの長崎の出来事」。

(61) 以上、日記二月一四日。

第二七章　初めての京都訪問

翌日（二月一五日）、京都行きの準備に追われた。一週間分の必需品の購入を終えた。宇和島の西園寺雪江が訪ねてきた。彼に大坂行きの軍艦に乗らないかと誘った。［その軍艦はウイリスと私を今度の旅の出発点である大坂に運んでくれることになっていた］。大山弥助［（注：のちの大山陸軍元帥で、一九〇四年から五年の日露戦争では、満州軍の総司令官だった）］という薩摩の男と、江戸で知り合っていたが、われわれの護衛の指揮官に命じられたことを告げに来た。(1)(2)［ヨーロッパの外科手術が負傷者の治療に本当に必要なものだということを、私が故国に送った手紙に書いたことから分かるように、日本人の外科医はどんな銃弾の傷も縫い合わせてしまうので、これが原因で患者が死んでしまうこともあるのだ。京都に行くのだと思うと、心穏やかでなかった。一八五九年の開港以来、この町は外国人を厳重に寄せ付けなかったからである。とくに今回は、大君の役人の言葉によれば、かつてはわれわれ外国人を入京させまいと躍起になった張本人から京都への招待を受けたのである］。

［サー・ハリーは今や意気揚々となり、気分も上々だった。もはや日本の役人との会見のおりにサー・ハリーが発する激しい言葉遣いを通訳することもなくなった。かつて彼のための通訳は苦痛な義務であっ

（1）以上、日記二月一五日。
（2）この日、サトウは東久世通禧を訪ね、「平戸海峡暗礁測量之事」を話し合う。

たが、今では愛のあるお仕事に変わった。成功というものは人を寛大にさせる。確かにサー・ハリーは成功を遂げたのだ。フランス公使[3]が日本を出発するので、彼が外交団の「長老」（フランス語）となった。他の彼の友人の公使たちは完全に一致して彼の指示に従った。彼の政策は採用しても間違いはないことが分かり始めたからである。彼の友人の公使たちを説得して、ミカドと大君の間の戦いに局外中立を宣言することに同意させたのも、もっぱらサー・ハリーの影響力によるものだ。日本のお金で購入されたアメリカの甲鉄艦ストーンウォール号の大君への引き渡しも、これで阻止されたのである。こうした宣言はロッシュ氏が横浜から出発した後に行われ、公使館書記のブラン男爵がフランス公使館を預かることになった[4]」。

二月一六日の朝の午前九時ころにわれわれは砲艦コックチェーファー号に乗って出発した。私の従者の野口、鉄という名の少年の門下生、私の護衛の一人の松下、ウイリスの忠実な従者の佐平が同船した。大坂の砂州の沖合で、薩摩の汽船キーンスー号ともう一隻の船が大部隊の兵士を陸揚げしていた。大坂に上陸すると、高松という焼けた薩摩屋敷の近くの仏教寺院を宿舎にすることを決めていた。われわれが腰を落ち着けるつかの間、使者がやって来た。木場伝内の秘書と称し、ウイリスに数人の熱病患者を診てもらいたいが、まだ川を上る舟を用意できていないから、大坂に二、三日滞在してもらいたいと言うのだ。われわれの答えはこうだ。ウイリスには熱病患者を治療する準備がなく、ただ負傷者のための治療器具を持って来ただけだ。[川上で最近戦いがあるまでは船がたくさんあったのだから]、大坂には同じく船が多いことと思う。岩下や寺島が早く早くとわれわれを急き立てながら、もう少し後でも良いとは訳が分からぬ。彼らはできるだけ早く、一日でも早く始めてほしいと言っていたのだ、と。そこで、使者は出て行き、大山弥助もその後に従った。彼らがまる一時間も戻って来なかったので、われわれは京都入りの許可が取り消されたと結論づけ、大坂で無駄な時間を過ごすよりも、神戸に戻ろうと決めた。午後四時になって、大山が戻ってきたが、伊地知正治という見苦しい不格好な老人を連れて来た。その男は薩摩の大将格の一人らしかった。彼はくどくどしい挨拶をわれわれに捧げた後で、木場の秘書が行ったのと同じような言い訳を、ぎこちない踊りのような身ぶり手ぶりをして、並べ立てた。これに対して、われわれは前と同じ返事を繰り返した。これに加えて、われわれを京都に迎えるのに都合が悪いのなら、われわれはすぐに神戸に引き帰ると言い添えた。この断固たる態度を示すと、伊地知はすぐにでも船を出す命令をする気になったようだ。その後、われわれは廃墟となった城を見に行った。城の正面の門に告知があり、「薩摩と長州の者以外は入るべからず」とあった。しかし、われわれは薩摩の人間を一人連れていたので、難なく城内に入った。門をくぐると、荒涼とした情景が目に入った。内堀にあった白壁のやぐらや塀は見る影もなかった。南の外塀にあった兵舎ややぐらもすっかり失われていた。ただ、右手の門の石垣のみが残った。われわれは巨石を積み上げた門を抜けて、本丸の中に入った。その巨大な石は、横四二フィート（一二・六メートル）縦一六フィート（四・八メートル）のものや、横三五フィート（一〇メートル）縦一八フィート（五・四メートル）のものもあった。本丸も石造りだけを残すのみであった。どこか古代ギリシアの、ティリンズ(5)の巨大な壁に似ていた。(6)その見事な宮殿自体はすでに姿を消している。半分焼けただれた瓦をかぶった平らな地面だけが、かつてそこに建物があったことを示すのみであった。天守閣《テンシ》の基盤に続く通路だけが完全に残っていた。われわれは頂上まで登って行った。石がそがれている場所は以前の大火災の痕跡であった。まわりの漆喰の壁だけは、火災のみならず、真下の巨大な火薬庫の爆発にも無事だった。この壁の四

（3）　ロッシュ。
（4）　パークスは二月一八日付で局外中立を宣言した。「下名ノ拙者（パークス）、職務ヲ以テ当国（日本）ニ於テ、ミカド陛下ト大君トノ間ニ戦端ヲ開キタルコトヲ告ゲ、而テ右双方ノ戦争ニ付、総テ英国ノ臣民ハ厳密公正ナル局外中立ヲ遵守スベキ旨ヲゲン」。
（5）　前ホメロス時代の宮殿の遺跡がある。
（6）　日記では、「スミスの古語辞典の挿絵で見た古代ギリシアの遺跡の面影があった」。

つの入り口から外への欄干に出ることが出来、そこから川の景色を眺められる。川には三本の橋が架かり、街を通り海へと川は流れ、湾のはるか向こうの丘などが一望に眺められる。その景色はこよなく良かった。反対側を見渡せば、そこかしこに川の流れが認識できるが、伏見から平野の間をくねくね流れている。城の内部は完膚なきまでに破壊されていた。数列ならんでいた倉庫だけは例外だった。火災の風上にあったので逃れることができたのだ。三重の同心円の石壁は、われわれが眺めている場所もその一つで、西洋のバベルの塔も上から見下ろせば、このような姿かたちだと思われた。有名な「黄金水」が湧き出る井戸を調べてみると、深さは一四〇フィート（四二メートル）だった。天守閣の下層の門からふたたび外に出てみると、火災を逃れた倉庫のまわりによろいとかぶとが山と積まれていた。その中にはすさまじい高熱で溶けて、不規則な金属のかたまりになったものもあった。また、枚挙にいとまがない火縄銃がうず高く積まれるなかで、数丁のライフル銃があった。イギリスの仮公使館の建物はどうなっているのか、興味津々だったが、破壊された玉造門から外へ出た。［仮公使館の焼け跡には］、ミットフォードと私が住んでいた家が残っているだけで、その他はすべて灰燼に帰した。さらに焼け残った家も暴徒によって完全に荒らされてしまった。修理など思いもよらぬことであった。思わずふさぎ込むような光景であった。

われわれの宿舎に戻ってみると、五代が来ていた。彼は百万言もの弁解をしながら、われわれを近くの家に案内した。この家はまだ人間の住まいとしてふさわしいものであった。明朝になるまでは、われわれが出発するわけにはいかない、と彼は説明した。彼の言ったことから推察すると、京都入りするための朝廷の許可書が出るのが遅れているのは、仁和寺宮が思いがけず京都に戻って来られたことが原因らしい。しかし、五代はすぐに使者を送って、明日の夕方にわれわれが京都に到着する前に、伏見で許可書を受けられるように手配した。この調整をわれわれが了解してから、サケと肴を注文し、六人の芸子が座敷に上がり、しばしの時を過ごした。(7)

二月一七日、朝の一〇時に、焼失した薩摩屋敷の下り階段から、われわれは屋形船に乗った。一行は七人で、愉快な友人の大山(8)や、他にわれわれを護衛するよう命じられた士官も入っていた。われわれは朝食を済ませたばかりだったが、サケや様々な料理が運ばれてきた。短い休憩をはさんでは、終日、宴会が繰り返された。この日の朝は素晴らしい天気だった。景色は前回の五月の時のようにとても良かった。あのときはウイリスとワーグマンと私が一緒に旅をしたのだ。話題は当然最近の戦いの事例に話が及んだ。徳川方は午後四時になるまで鳥羽街道で終日圧力をかけていた。午後四時になって、徳川方は薩摩の陣地の奪取にかかった。攻撃は小道（街道と称しているが、実に道幅は狭い）の中央に据えられた野砲と左手の三門の野砲から着実に行われた。かたや、やぶに潜んでいた砲兵隊が小銃で徳川方に火ぶたを切った。この予期せぬ応戦に遭って徳川方は混乱状態に陥った。彼らはたくさんの死傷者をその地に残したまま、慌てふためいて退却した。伏見にいた官軍(9)は、その場所から一マイル（一・六キロメートル）ほどの距離にある鳥羽方面の砲撃の音を耳にすると、奉行所の外に陣取っていた大君の軍隊を攻撃した。戦いは夜中まで続いた。大君方の士官が逃亡の模範を示したので、兵士たちもその誘惑に打ち勝つことができなかった。そのため、全軍が総崩れになった。淀から大坂まで続く街道には全く戦いらしいものはなかった。枚方では、伝習兵が乱入して町民の倉庫に逃げ込み、彼らが見つけた上等な着物で変装した。町民はこのこそ泥を追跡して、その中の六人を殺害した。

われわれは午後四時に枚方を通り過ぎたが、真夜中になって伏見の宿にたどり着いた。藤堂(10)は以前からの山崎の陣地を守り、加賀藩は橋本を占拠した。親愛なる吉井老人が宿舎でわれわれを歓迎するためにや

(7) 以上、日記二月一六日。
(8) 弥助、のち巌。
(9) 日記では「部隊」。
(10) 津藩。

って来た。かなり立派な着物を着て、ひげもきれいに剃っていた。こんな彼を長い間見たことがなかった[11]。次々とサケが出て、朝（二月一八日）の午前二時過ぎまで、われわれは語り合った。そんな遅くまで過ごしたが、この日の午前一〇時には出発の用意が整い、八八人もの護衛隊がわれわれの前後を守った。切棒駕籠という、大きなかごは、高位の人物のために「桐の棒」が使われている。これがわれわれに用意されたが、［身の丈六フィート三インチ（一メートル八七センチ）で体も大きい］ウイリスは、［身体を二つ折りにしてもかごの中に入ることが出来なかったので］、歩いて行くことにした。伏見をやや通り過ぎると、幅一五フィート（四・五メートル）の竹田街道に出た。それから堤防の上を進んだ。この堤防は川の氾濫を防ぐために築かれた。橋を渡って、京都の町に入った。道端の寺で、小松[12]と落ち合った。［彼はわれわれを伏見から追ってきたのだ］。午後一時に御所の裏手にある薩摩屋敷にほど近い仏教寺院の相国寺《ソーコクジ》に到着した。薩摩藩主の修理大夫[13]が信頼できる相談役の西郷を従えて、表敬訪問に来た。お互いの握手が済むと、藩主は扉のそばの長机の端の椅子に腰を掛けた。［かたや、われわれは相当威厳のある場所[14]にある長机のうしろの椅子に掛けた］。藩主の従者は、すべて床に座った。藩主はほんの少し挨拶の言葉を交わして、別れを告げた。［われわれは玄関まで彼を送って行った］。相国寺の境内は相当広く、樹木も素晴らしい。この寺自身も木造建築の見事な模範であり、儀式用の部屋は山水の水墨画が描かれた素晴らしい金地のふすまで仕切られている。格間のついた天井は一五フィートくらいの高さがあった。われわれ西洋人の便宜のために、長机と椅子が数脚用意されていた。［藩主が辞去されると］、すぐに贅沢なご馳走が運ばれて来た。［午後になると、ウイリスが負傷者の世話をするために出て行った］。かたや、私は護衛を一人連れて三条通りの本屋に向かった。私がその店にたどり着くまで、住民は私が外国人であるとは分からなかったらしい。私が琉球人ではないかと、子供が尋ねてきたくらいである。徳川の二条城は、小さな譜代大名が所有するあまたの要塞にくらべても、取るに足らないものだという感じがした。二条城は尾張の軍隊が占拠し、かつての京都守護職の会津の屋敷は少数の土佐の軍隊が借用している。この町を私と同行した男たちが、失礼にも私と晩餐を供にし、行儀の悪い振る舞いを見せた。彼らは、日本人の特色である丁寧な社交儀礼とはかけ離れた、彼らの言葉では「ヒラケタ」ことが文明化された証拠だと思っているようだ。(15)(16)

翌日（二月一九日）、私は西郷のもとに行き、備前事件の解決について事情を聴いた。西郷はこう答えた。日置帯刀は、当日かごに乗っていた家老であり、罪から逃れることは出来ない。彼は三つの藩のお預けになり、蟄居されることになるだろう。馬に乗っていた士官には死刑が執行されるだろう。ミカドの監査官（検視）が同席して、死刑が宣告され、宣告文の写しが外国代表に送り届けられるだろう。その後、宣告文と処刑の報告が国中に触れ回され、国民に知らされ、見せしめにされることだろう、と。さらに西郷は言う。ミカドの政府は日本国中を法令で秩序の維持が出来るよう努めるので、外国人が自らの手で法律を行使する必要がないようにするつもりである、と。私はこう回答した。この見解にはサー・ハリーも同意される。備前の暴行に関しては、ミカドから使者が派遣されると、われわれは確信している。そのため、サー・ハリーは、西宮の備前藩士に対し軍隊を派遣せよと迫る人々の懇願を食い止めているのだ。彼はミカドの政府に対し、この事件を一任することを良しとしているのだ、と。また、西郷は、条約を遵守するというミカドの声明の中に、「弊害の改革」といわれるのは、新政府が条約改正の提議をするという意味であると説明した。そこで、私はわれわれが改正して欲しいことを三点挙げた。第一は、外国公使の官舎が

(11)　以上、日記二月一七日。
(12)　薩摩藩家老小松帯刀。
(13)　島津忠義。
(14)　上座。
(15)　以上、日記二月一八日。
(16)　一八六八年二月一八日、イギリス公使パークスは日本滞在の自国民に対し中立宣言を公布。イギリスの関連法規の書類は一八七一年の秋にイギリス公使館でサトウから新政府役人に手渡された。

江戸に固定されていること（この国の政治が将来京都で行われることが当然考えられていたからである）。第二は、条約港の周囲一〇里（二四五マイル）以内に外国人が閉じ込められていること。第三に、日本全国に外国の通貨を通用させること、であった。この一〇里の制限を撤廃する一方で、公使か領事かいずれかの署名と、本人が出発する条約港の奉行の連署がある旅券を携帯させることを、旅行する本人に義務付けるものである。この最後の提案は、実は日本人自身[17]から出されたものである[18]。

この日の午後、私たちは薩摩藩主の訪問に対する答礼として出かけていった。昨日、私が訪問した間中、彼はめったに口を開かなかったが、ウイリスの言葉では、一八六六年にサー・ハリーが鹿児島に行ったときにも、同じようだった、とのことである。藩主が愚か者と思われないよう、外国人とは話をしない方がよいと、家老が入れ知恵をしたのであろう[19]。[あまり思いやりのある説明ではないが、ありそうなことだった]。午後は京都散策に費やした[20]。京都は[一八六四年の長州の御所襲撃[21]の際に火災に遭ったが]、まだ半分も復興されていない。

翌日（二月二〇日）、私は吉井と一緒に後藤を訪ね、備前事件について話し合った。後藤も西郷と同じようなことを言っていたが、はっきりした物言いではなかった。彼は、戦火が起こる前に槍を使った男が死刑になったと話した。その後、後藤は新しい政治体制について論じ、審議のための会議を開くのは諦めた、といった。理由は、大多数の人間はいつも愚かで、頑迷だからである。でも、やってみたらどうだ、と私は彼に助言した。もし議員が自分の頭に石の塊をぶつけるならば、その強い一撃で分別を学ぶであろう[22]。彼は、独裁的な支配を行うような英雄がいない場合、首相とこの国の賢明な人間で構成するジュンタを設けて政治を行おうと考えていたようだ。もちろん、彼は自分のことを「最も賢い男」（人傑《ジンケツ》）に含めていたようだ。こうした会話の間、後藤は、吉井だけでなく、たまたま訪問していた宇和島の西園寺も座をはずさせた。こんなに人を信用しない扱いを受けたことについて、吉井は後で私に愚痴を言っていた。備前事件の解決策を議論していたのだ、と言って彼をなだめた。二人が座に戻ってから、少々一般的な話をしたが、その話から誰が何になるのか目下のところは全く決まってないこと、各藩の首領の人たちが互いに手なずけがたい男たちだと思っていること、お互いの警戒心、とくに薩摩に対する警戒があるため、各藩の協力が得られずにいること、などを推測することが出来た。私は彼らに条約改正に役立つ示唆をあたえた。すなわち、外国人と日本人の間の係争問題を、被告人側の国籍の法律に従って解決するのではなく、混合法廷を設置することを提案したのだ。[23]私はまた桂（木戸）を訪ねたが、翌日まで会えなかった。[24]翌日（二月二一日）になると、彼はわれわれの宿舎に品川[25]という名前の長州海軍の代表を連れて来た。彼は以前何度も薩摩の人間として京都に住んでいた。吉井もやって来たが、ウイリスが病院から戻って来るまで、会話は弾まなかった。昼食の間も、日本人と外国人の間で起こる紛争を避ける最良の方法について熱のこもった議論が戦わされた。桂と私は、すでに議論が一致していた。日本政府は外国代表と手続きについて議論すべきこと、外国人が大名行列を横切るのは日本人からすれば犯罪であることを周知させると同時に、一方、日本人はこの場合武器を使用せずに外国人を逮捕し、それをその人の国籍の役人に引き渡すべきことを教えること、さらに大名行列が往来を通行する場合には、西洋人と日本人の混成警官隊を配置して、沿

(17) 日記では、西郷の提案。一〇里は二四・五マイル。
(18) 日英修好通商条約の第二、三、一〇条を議論。日英間の非公式の条約改正議論の最初か。サトウのパークス宛二月二五日付報告書にはこの件の記述なし。西郷側の記録によれば、⑴備前事件、⑵各国公使謁見、⑶徳川家征討宣言を各国に通知、の件が話し合われたとある。
(19) 以上、日記二月一九日。
(20) 日記では、西陣と北野天満宮を散策。
(21) 禁門の変。
(22) クーデタ後の軍事政権。
(23) 日英修好通商条約の第六条に「混合法廷」の規定。
(24) 以上、日記二月二〇日。
(25) 品川弥二郎。

道の警戒に当たらせる、ということであった。ウイリスはこの見解に異を唱え、外国人の乱暴者と日本人のごろつきとの間に平和を保ってゆく唯一の方法は、両者を隔離することであり、神戸の外側にその背後を迂回する公道を作るべきだと主張した。これに対する私の意見は、桂のものと一致していて、道路の変更は日本人と外国人の間の悪感情を増長させ、数人の外国人を殺害するよりたちが悪いこと、従来この国でわれわれが経験したことからすれば、小競り合いで日本人の目を開かせ、以前に増して外国人のすべてと親しくなるだろう、ということであった。事実、病気を長引かせて兆候が表れるのを待っていちいち治療するより、すぐに腐食薬[26]で焼いた方がよいと考えていたのである。この問題を解決することは出来なかったが、日本人の見解として以上のことを私は書き留めておいたのである。

その晩[27]、私は薩摩の大久保一蔵[28]を訪ねた。彼は内務局の参事官の一人であった。昨年、私は彼とお互いに進物を交換していたが、まだ会ったことはなかった。だから、私は彼と面識を得たかったのである。たんなる儀礼的な挨拶の交換にとどまらず、われわれは興味津々の会話を交わした。彼の言葉によると、七千人の歩兵が箱根方面に送られ、五千人の歩兵が中山道を進んでいる。薩摩と長州は戦いの遂行を決意し、参与（参事官）の間でも完全な意見の一致をみていた。越前や肥後も、最初は武力行使に反対していたが、今や諸藩と手を取り合って行動している。大垣の大名[29]は、会計局の参与の一人であり、最近まで徳川方の支持者であったが、江戸遠征を即時に派遣されることを希望する旨を表明したのである。おそらくミカドも自ら軍隊に参加されるだろうから、これで反乱軍も戦力がかなり弱体化するに相違ない。彼が教えてくれたのは、ロッシュ氏がフランスに帰ったことで、大君も服従の決意をするに違いない。もはや大君には物質的支援を頼める人が誰もいなくなってしまったのである。もし服従するなら、彼の生命は助かるであろうが、会津と桑名は藩主を失う羽目になるだろう。大坂で慶喜に腹心が書いた日記が発見された。その中で、先月末に京都に進軍するに至った見当違いな期待がはっきり書かれていた。他の藩は薩摩を快く思っておらず、長州さえも開戦派と和平派の二派に分かれている。後藤象二郎は将軍との妥協に傾いているし、朝廷は慶喜を京都に戻したがっている、と書かれていた。しかし、大久保はこう言った。慶喜はあまりにも焦りすぎていて、今では情勢が全く変わっている。以前は決めかねていた人間も、今や、幕府の弱体化を見透かし、徳川を打倒しようと先陣を争っている、と。大久保の求めに応じて、私が知っている限りのことを説明したのは、イギリスの議会制度に関連した行政府の機能、政党の存在、下院議員の選挙のことであった。備前事件はうまく解決の方向に進んでいると、大久保は言っていたが、彼の報告は西郷と後藤が私に語ったものと一致していた。(30) ところが、翌日（二月二二日）になると、チーフからとてもひねくれた手紙が届いた。備前事件は解決に近づいたとは思えない、大坂では外国代表を迎える準備が十分出来ていないので、一体自分が大坂へ行って良いものか分からずにいる、遅くとも二四日までにウイリスと私が帰還するようにと命じてあった。これで私はもう一日京都に滞在できるようになったが、ウイリスは二週間の滞在を当て込んでいたので、大いに予定が狂ってしまった。大久保が答礼にやって来た。吉井もいたので、私はこの機会にすぐに備前事件を解決する必要を力説した。彼らの答えは、われわれは外務局の者ではないが、後藤や東久世に会って、この旨を伝えておきましょう、ということだった。(31)「私はもう出発せねばならなかったが、ウイリスは後に残って、さらなる命令を待つことになった」。二三日に西郷が私に別れを告げに来て、紅白の大きな縮緬二巻と金地の錦織二巻を贈ってくれた。彼は、もう備前事件の最終決定を持参して帰って来ることはないだろう、と言っていた。西郷が帰ると、吉井がやって来た。吉井はこう述べた。サー・ハリーは遅れの理由を完全に理解してくれた。一週間の猶予をくれた。東久世か

(26)　硝酸銀やモルヒネなど患部の焼き治療に用いる薬。
(27)　日記によれば、二月二一日。
(28)　大久保利通。
(29)　戸田氏共。
(30)　以上、日記二月二一日。
(31)　以上、日記二月二二日。

らサー・ハリーに手紙が出されたが、たぶん行き違いになったようだ。最終的決定はおそらく明日か明後日には届くに違いない。伊達（宇和島）と後藤は明日大坂に下り、東久世は備前藩士の判決文が作成され次第、それを持参して後を追うことになろう、と。西郷と吉井の両人は、ウイリスにはもう五、六日滞在して欲しいと、懇願した。

戦報では、桑名の街も領内もミカドの使者に降伏したが、桑名藩士は、藩主が江戸にいて、慶喜と一緒にいるので、しっかり取り計らいが出来ない、と答えた。京都にいる誰もが、江戸の人々がおとなしく降伏せず、がんばって抵抗してほしいと願っていた。［なぜなら、西国諸藩は、みんな「戦いがしたくて、うずうずしている」からであった］。

午後の三時にそのため私は一人で出発した。いろいろな所[32]を見学して歩いたので、京都の街中から五条橋まで相当時間がかかってしまった。伏見に着いたのは暗くなってからだった。伏見で薩摩の留守居の大山の兄に出会ったが、そこで護衛隊長の野津がもらした言葉から、ここ一両日のうちに、江戸に向かって進軍する命令が出ることになっていることを知った。午後九時に、五〇石の平底船で大坂に向かった。その船は細長くて狭いうえに、粗莚《あらむしろ》の屋根を船に一方からもう一方へ渡した棒に垂木《たるき》を付けて支えていた。恐ろしいくらい乗り心地が悪く、混雑した時には、とくにひどかった[33]。われわれは翌朝（二月二四日）六時三〇分に目的地に到着した。私はそこから砲艦で兵庫に渡った。野津が言うのには、最近の戦いで逃げ切れず負傷した者の首を斬ったそうだ。このやり方は、捕虜の生命は助けることを決めた、というわれわれ[34]が聞いた話とは、全くかけ離れている。彼らの苦痛を取り除いてやったのだと言えば、実際話は別である[35]。

二月二九日の私の日記の記事によれば、伊達[36]が大坂からやって来た。到着すると、チーフからの招待を受けて、領事館に行き、昼食を共にした。それから、外国代表のミカド謁見のことについて話し合った[37]。ミカドは三月一三日ころに大坂に行幸するらしい。伊達が他の公使にも面会するというので、われわれはこの興味尽きない会談を打ち切らねばならなかった。夕方、私は伊達に会いに行った。その時の話では、ロッシュ氏は西郷、大久保、小松、後藤に面談を求めていたが、彼が京都の政治を動かす指導者が彼らであると理解したからである。この件は親愛なる伊達老人を大いに怒らせた。彼はこんなやり方で自分が無視されたことに腹を立て、ロッシュと彼の通訳を大嫌いだと言い放った。ロッシュは明朝伊達を訪問すると言ってきているので、私は大いに骨を折って、伊達を説得し、ロッシュの訪問を迎えるようにさせた。サー・ハリーの招待でイギリス軍艦オーシャン号に乗船することになっていたのを伊達に止めさせたのである。同じ日、私は井上聞多に会った。彼が話してくれたのは、長崎のフランス領事は暫定政権へ関税を支払うことを拒否し、薩摩と長州に対し戦争をも辞さないとしたのである。(38)［この無力な復讐の行動を高笑いしたものである］。

(32)　方広寺など。
(33)　以上、日記二月二三日。
(34)　以上、日記二月二四日。
(35)　二月二五日にサトウは二つの覚書を作成。「京都政府について」と「備前事件に関する西郷の情報」。二月二六日から二八日まで、サトウは日記を書いていない。一方、二六日から二八日まで『国史略』第三巻、二九日に『国史略』第四巻の読書ノートをつけている。後鳥羽天皇から後嵯峨天皇までの記事。
(36)　議定兼外国事務総督、伊達宗城。
(37)　『伊達宗城公御日記』には「先日王政服古之儀本國へ申通候故国書可差越其節ニ致度只私ニ御逢申上候而は略儀と申候」とサトウは発言。
(38)　以上、日記二月二九日。

第二八章　ハラキリ——京都でのミカド謁見交渉

翌日（三月一日）、伊達は外国代表に沢主水正《モンドノカミ》[1]を紹介した。［沢は一八六四年に都落ちした五人の公卿の一人で、この度長崎裁判所総督に就任した］。彼を警護してくれる予定の大村の大名と共に長崎に向かう途中だった。沢は、相当不気味な表情をしていて、極道面《ごくどうつら》とまでは言わないが、それでもみんなをひきつける人なつこいところがあった。［一、二年後、彼が外務卿になった時には］、われわれは彼をすっかり好きになっていた。大村丹後守[2]は、これが彼の称号だが、身体が弱く、活気がなさそうな男で、会見中は一言も話さず、外国人と話すことを恐れているようだった。沢の息子で、女性のような色白で、道楽好きらしい青年も、顔を見せていた。挨拶が終わると、三人は部屋を出て行った。われわれは、備前事件が責任者の士官[3]の首をはねて決着がつけられたことを知った。その日の朝、チーフは死刑の執行猶予を認めるべきか、あるいは刑罰を減刑すべきか、私に意見を聞いた。ミットフォードがフォン・ブラント[4]から聞いた話では、友人の公使たちはサー・ハリーがそんなことを考えていることを知っており、サー・ハリーがオランダ政務官ポルスブルック[5]を動かして、寛大な処分を言い出させたと考えていたそうである。しかし、ミットフォードと私は、寛大な処分は誤りであることで意見が一致し、私が主張した見解をサー・ハリーに回答した。その晩、伊達と沢がやって来て、チーフと夕食を共にした。彼が思いついたこの会合を、彼は友人の公使たちには秘密にしておいたが、その招待が受け入られると、すぐにこれが知られてしまった。夕食後、話し合いは長引き、夜中まで続いた。主要な話題は、懸案だったミカドの大坂行幸のことだった。

伊達の言葉では、行幸の目的は若き君主[6]に外の世界がどういうものであるか知らせ、合わせて大きなイギリスの軍艦を見せて、彼の心を開かせることにあると言うのだ。もし外国の外交官が大坂に滞在中なら、もちろん、謁見も許されるだろう、と彼は付け加えた。パークスは、ミカドとの謁見は各公使が別々ではなく、外交団全部がまとまって受ける方が良い、と言った。彼はすでに本国に新たな信任状を要請しており、謁見のおりには彼が上位になることを確信していたからであった。伊達がほのめかしたのは、首都は今の京都から大坂に移るかもしれないということで、京都は周囲を山に囲まれており、必需品を水路で輸送せねばならないからだ、と言った。私の考えでは、薩摩と長州は軍隊を進行させるために、ミカドの御身をその手中にし、次に必要に応じていつでも脱出できるようにするため、ミカドを海岸部に移したかったのだろう。このことは、ミカドが自ら親征されるという告示が発せられたという事実で確かになった。前の大君の運命に関する質問に答えて、伊達は、それは周囲の状況次第であり、誰にも予言はできない、と言った。大坂の人々は、先代のミカドの排外政策と長州の以前の攘夷思想を思い出し、朝廷と長州が政権を掌握して以来、外国人を擁護していた徳川が権力を失った以上、外国人はおしなべて不快な存在になるだろうと考えていた。これこそ民衆が各国公使館を破壊する理由であった。おそらく備前藩の人々も同じような考えに駆り立てられたのであろう。この最後の動機によって、われわれが死刑宣告を減刑することを拒否する根拠が一つ加わっただけである。

このころ、ロッシュ氏は神戸に戻り、友人の公使たちの大きな頭痛の種になっていた。公使たちはロッシュ氏が自分たちをだまして、自分の地位が空席になることを恐れ、彼の書記官を代理公使として神戸に

（1）参与兼外国事務総督、沢宣嘉。
（2）大村藩主大村純熙。
（3）滝善三郎。
（4）プロシア代理公使。
（5）総領事。
（6）明治天皇。

残して、同時に彼は江戸でフランス公使に収まるのだ、と考えた(7)。

翌日(三月二日)の午後、五代と伊藤が滝善三郎の命乞いにやって来たのには仰天した。滝は日置帯刀の家来で、外国人への発砲を兵士に命じた廉でハラキリを命じられていた。しかし、ミットフォードと私の心は変わらなかった。外国公使の間では長々と議論が繰り返され、三時間近くも続いていた。サー・ハリーは寛大な処分を主張したが、多数の公使は宣告通りの執行を指示していた(8)。夜の午後八時半になって、五代と伊藤が部屋に呼び出され、法律通り執行する他はない、とほんの数語で片づけられてしまった。午後九時になって、ミットフォードと私は、イギリス以外の公使館のそれぞれの代表者一人ずつと共に出かけた(9)。われわれは兵庫のセイフク寺(10)に案内され、午後一〇時の一五分前に到着した。頑強な警備が中庭にも控室にもなされていた。われわれは部屋に案内され、そこで四五分くらい畳に座っていなければならなかった。その間、死刑囚にどんな質問をするのかとか、われわれの名前も尋ねられた。午後一〇時半になって、寺の本堂に案内され、仏壇の前の台座の右側に腰を掛けるよう言われた(11)。それから、日本側の立会人七名、すなわち伊藤、中島作太郎、薩摩の歩兵隊長二名、長州の隊長二名(12)、それから備前藩の御目付一名(13)が着席した。一〇分ほど静かに座っていると、縁側伝いに足音が近づいて来るのが聞こえた。死刑囚は背の高い日本人で、紳士の風采と顔つきをして、介錯人とこれに従う一見して同じ役目をする二人と共に、左側から入って来た。滝は青の麻裃《あさかみしも》を身につけ、介錯人は陣羽織を着ていた。日本側の立会人の前に来てひれ伏すと、立会人も会釈を返した。それから同じ礼法がいく度も繰り返された。その後、死刑囚が仏壇の前の緋毛氈《ひもうせん》の台座に導かれた。彼は仏壇に向かい、遠くから一度、近くから一度拝礼をして、着座した。落ち着いてゆっくり考え、前に倒れる場合の最も都合の良い位置を選んで、彼は緋毛氈の上に座った。すると、黒衣にうすいねずみ色の裃を身につけた男が、紙に包んだ短刀を小さな白木に乗せ、一礼して、死刑囚の前にそれを置いた。滝は両手の中に小刀を持ち、それを額の上まで乗せ、ふたたび一礼して下に置いた。これは、贈り物を戴いて感謝の意を表す時の、日本人の通常の仕草である。それから、彼の声ははっきりしていたが、口調はだいぶ乱れていた。恐怖や動揺ではなく、自分の恥ずかしい行為を認めるのが気乗りしなかったからのようだ。二月四日の神戸で、逃げようとする外国人に対して不法にも発砲を命じた張本人こそ自分なのだ、この罪のために、自分のはらわたを引きはがすから、この場の皆さんは見届けてほしい、と言った。次に、彼は袖から両腕を引っ込めて、上着を脱ぎ、長い袖の端を両足の下に敷いて、身体が後ろに倒れないようにした。こうして、彼の身体はへその下まで本当の裸になった。それから、彼は右手に短刀の切っ先近くを握り、胸と腹の上を撫でてから、できるだけ深い所を小刀で差し込んで、右の脇腹まで引き寄せた。帯で彼の着物をしっかり締めていたので、彼の傷は見えなかった。これをやり終えて、彼はとても慎重に身体を前にかがめた。首はうまく刀が当たるように頭を仰向けにした。介錯人の一人は、さきほど死刑囚を連れてきて、二列に並んでいる立会人にお辞儀をさせた男だった。その男は、滝の左手のやや後方にうずくまっていたが、切腹が始まった、その瞬間に刀を空中に振り上げた。そして、急に立ち上がって一撃をくわえた。その音はまるで雷鳴のように聞こえた。首は畳の上に落ち、身体は前方に揺れながら倒れ伏した。〈動脈から血がどっとあふれ出し、血の池を作った。血管の勢いがすっかりなくなった時、すべてが終わった〉[14]。小さな白木の台と短刀が片付けられた。伊藤は一礼して前に進み、

(7)　以上、日記三月一日。
(8)　宣告に賛成はロッシュ（仏）、ファルケンバーグ（米）、ブラント（プロシア）、ラ・トゥール（伊）の四人、反対はパークス（英）、ポルスブロック（蘭）の二人で、助命嘆願を拒否。
(9)　クーリトン（米）、ハンデルフォー（仏）、クレントージス（蘭）、サベース（伊）、ハール（プロシア）。
(10)　永福寺。
(11)　新納軍八、小倉惣九郎。
(12)　深江多門、祖式金八郎。
(13)　岸本慶之助。
(14)　戦前版『維新日本外交秘録』の削除部分。

しっかり目撃しましたかとわれわれに尋ねた。確かに見届けました、と答えた。伊藤に続いた中島も一礼をした。数分が過ぎ、退出の用意をしてくださいと言われた。われわれは席を立ち、死体の前を通り過ぎ、日本人の立会人の間を抜けて、外に出た。われわれが領事館に戻ったのは、午後一二時であった。領事館ではサー・ハリーがわれわれの報告を待ち焦がれていた[15][16]。

［この死刑執行とその後に起こった堺での一一人の土佐藩士のハラキリの処刑を伝えるイギリスの新聞報道は、事実を大いにゆがめるものであった。横浜の「ザ・ジャパン・タイムズ」紙の経営者兼編集長のチャールズ・リッカビーには、この二つの事件について世論を惑わした責任がある。彼はミットフォードと私が立ち会った処刑の報告をでっちあげたが、それは全くの偽造だった。さらに、死刑執行にキリスト教徒が参列したのは不名誉なことで、もし日本人がこの「裁判による殺人」[17]に対し復讐を遂げるとしたら、彼らは他の誰よりも外国公使館の紳士たちを暗殺するだろう、と結んでいた。気分が悪い見世物だという理由で、ハラキリに出席したことを恥ずかしいというのなら、全力を尽くして実行させた、この刑罰の立ち合いにひるまなかったことを、自分はかえって誇りに思っている。ハラキリは不愉快な見世物ではなく、むしろ慎み深い、礼儀正しい儀式であり、イギリス人がよくロンドンのニューゲート刑務所[18]の前で大衆の娯楽のために催す恒例行事よりもはるかに立派なものだ。この備前藩の罪人の同郷の藩士は、われわれに向かって、この宣告は公平で、ためになるものだと告げた。堺での土佐藩士の事件について言うと、かつてこれほど公正に刑罰が科されたものはなかった。これらの日本人は悪気のない無防備の船員たちを皆殺しにしたのである。船員たちは少しも人を怒らせるようなことをしなかったのである。二〇人が死刑を宣告された。実に遺憾なのは、一一人の処刑が済んでしまった時に、ドゥ・プティ・トウアール大佐が処刑を中止する必要があると判決を下したのである。なぜなら、二〇人はみな同罪なので、一一人のフランス人の生命の一つだけを要求するのは、正義というよりもむしろ復讐のようなものである］。

数日後（三月五日）に、すべての公使は大坂に戻ってきた。われわれは［スタンホープ艦長指揮の］イギリス軍艦オーシャン号に乗って大坂に赴いた。［この軍艦は四千トンの装甲艦で、ウールウォッチ型の前装らせん砲を二六門搭載していた。ここに停泊している船舶を木っ端微塵にすることができる。われわれと一緒に、伊達とポルスブロックが同行し］、輸送船アドベンチャー号がわれわれの荷物を運んだ。［われわれが以前に一時的に住んでいた官舎は火災で焼失してしまったので、中寺町の寺院[19]に泊まった。幸運にも、一月にわれわれが引き払った後に、暴徒に盗まれたいくつかの家具を偶然見つけることができたのである。町の人たちは、われわれのことを「先日逃げた外国人」と覚えていたが、とても親切で、前の大君がこの町を占拠した時のような無礼な振る舞いはなかった。江戸から届いた報告によれば、徳川方では、前の大君にハラキリを強要するべきだとか、[20]主要な閣老を打ち首にすれば、官軍の気持ちをなだめることができると考えていた。われわれは、前の大君に対しては同情する面も確かにあったが、同時に憤慨するところもあった。たとえば、大坂で戦うものとわれわれを信じ込ませておきながら、内心では退却する決意を込めていたからだ。もし彼が本当のことを話してくれていたら、われわれも穏やかな気持ちで大坂に留まっていただろう。薩摩と長州との友情が十分に確信出来ていたからである］。

われわれはオーシャン号の小型ボートで外国人居留地に上陸した。第九連隊第二大隊の護衛に伴われて、われわれは街中を行進した。大坂にミカドがお出でになり、艦船を参観され、外国公使に謁見を許されるということが、現地では大きな話題になっていた。私としては、そんなことが起きないことを願っていた。

（15）以上、日記三月二日。
（16）三月三日、サトウは『国史略』第四巻の読書ノートをつける。後堀河天皇から後嵯峨天皇までの記事。
（17）The Japan Times' Overland Mail 紙、一八六八年三月一二日号、六三―六四頁参照。
（18）一九〇二年廃止。
（19）本覚寺。
（20）家臣の堀内蔵頭が切腹を勧めたが、慶喜はこれを拒否した。

もしミカド陛下が謁見をされるなら、それは京都がしかるべき場所である。さもなければ、その儀式は半ば意義を失うことになろう。午後、伊予守[21]と小松[22]がサー・ハリーを表敬訪問に来た。一八六四年のサー・ラザフォード・オールコック召還で、イギリスが奪われた外交的優位を立派に回復することが明らかにできた[23]。伊達と東久世が翌日（三月六日）外国代表たちを歴訪した時、彼らはイギリスを最後にまわったが、これは好都合だった。サー・ハリーは二人に懸案のミカドの謁見について語った。彼らも大坂よりも京都で行った方が良い結果が出ることは分かっていたが、それをすぐに約束できるだけの用意がなかった。アメリカ、プロシア、イタリアの代表は三日以内にここを出て行きたいと伊達に語った。日本側ではミカドの謁見の日まで彼らを引き留めようとしていたので、この発言にはかなりうろたえた。一方、チーフは、謁見はミカドが数隻の日本の汽船を参観に来られるのに付随したものに過ぎないから、出て行きたいと思っている三人の外国代表を引き留めるわけにはいかない、と伊達たちに言った。このチーフの意見を日本側も十分認めたのである。表面的には違う目的で大坂行幸中に陛下が謁見するというのでは、外国代表たちの威厳はかたなしになるだろう。私の考えでは、チーフが採った処置で、日本側が公使たちを京都に招聘するようになることを強く望んだのである。これによって、ミカド側の理論と計画は達成されるだろう。フォン・ブラントは、個人的見解では受け入れなくても、求められれば、公式の場所ではこれに応ずるであろうと言った。アメリカ公使も建前では同じ考えのようだ。サー・ハリーが提案したのは、ミカドが一日ですべての外交団を引見すること、信任状の提出があるまでは個別の謁見は許さないことであった。この提言はあっさり採用された[24]。

三月七日に重要な会議が開かれた。外国代表たちと日本人の高官、すなわち伊達、東久世、大坂の長官に就任した公卿の醍醐大納言[25]、尾張、越前、薩摩、長州、土佐、芸州、肥前、肥後、因州のそれぞれの家老、実際はすべて西国の大きな領地の貴人たちとの会議である。［刮目すべきことは、今や徳川方の敵になっている越前、備前、因州の諸侯が、徳川家創建者(26)の子孫であったことだ」。この会議は西本願寺という仏教寺院の大講堂で行われた。[日本の大臣たちが日本と諸外国との友好関係の増進を願望し、ここに参加している諸大名の代理人が心からミカドの外交政策を支持することを表明した後]、ミカドの謁見のために京都に行く公使たちのこと、外国と日本の貨幣交換のこと、大坂と兵庫（神戸）の外国人居留地の土地売却のことが議論された。ミカド謁見の日程決定の知らせが一両日中に京都からある通知があった。その決定があれば、公使たちは一日で京都に行き、翌日ミカドに謁見して、また大坂に戻ることができる。こうすれば、大坂を三日間だけ留守にするだけで済むのである。もちろん、ロッシュ氏は、こうした調整には絶対に反対だった。アメリカ公使のファン・ファルケンバーグやフォン・ブラント(27)やイタリア公使のデ・ラ・ツールは皇帝支持者にあまり深入りすることには気乗りしない様子だった。チーフはどのような場合でも招待を受けるつもりだが、できるだけその決意を表に出すまいとした。一方、ポルスブロック(28)は無関心を装っていた。ロッシュは絶対的な拒否を日本人の高官に伝えようとしたが、私が彼の通訳の塩田を監視していたおかげで、それは不首尾に終わった。結局、その決定は京都から来る書簡の内容次第となった。土佐のご老公の山内容堂が京都で病気が重くなった、との知らせが入った。ウイリスに診療を頼んできた。この求めにチーフはすぐに応じた。ウイリスはミットフォードを連れて、その日の晩に飛び出していった。(29)(30)

(21)　伊達宗城。
(22)　小松帯刀。
(23)　以上、日記三月五日。
(24)　以上、日記三月六日。
(25)　参与兼大坂裁判所総督、権大納言醍醐忠順。
(26)　徳川家康。
(27)　プロシア公使。
(28)　オランダ公使。
(29)　以上、日記三月七日。

私個人と阿波藩との親密な関係は、もうだいぶ続いていた。そのため、以前は江戸で、今は大坂で留守居役をしていた速水助右衛門が三月八日に私を訪ねて来ても、さほど驚くようなことではなかった。速水はクロスマン少佐に送る進物の絹布を持参した。これはクロスマン少佐が阿波守に贈った砲術の専門書に対する返礼であった。私が大変遺憾だったのは、あの友情にあふれる寛容な老紳士が[31]一月三〇日に亡くなったことを聞いたことだ。彼の息子であり後継者は[32]、服喪期間が明けるまで国元に留まっていたが、京都に上る途上に、大坂へ立ち寄ることになっている。速水は江戸の新聞の束をたくさん持って来た。「これらは結局ほとんど単なる噂話だった」。たとえば、板倉が他の老中と意見が合わず、ハラキリをして自殺したとか、譜代大名と旗本が慶喜自身にはらわたを抜き出させようとか、会津と桑名の藩主の首を斬って両家の断絶を逃れようとか話しているといったことであった。速水は、慶喜が私的生活（隠居）に入ることを許されたことをまだ聞いておらず、現在の状況ではこのような処置をあれこれ言うのはおかしなことだと考えていた。彼にとってみれば、慶喜の行いはあまりに卑しく、それほどの考慮をあたえることもできないのである。二月七日に若年寄の一人堀内蔵頭[33]がハラキリを行った。彼は慶喜に腹を召すよう勧め、自分も後を追うと言ったが、奮闘努力の甲斐もなかった[34]。すべての江戸の人々が内蔵頭を褒めそやし、慶喜は当然彼を見習うべきだと言い合っている。私の友人の弁では、幕府にはもはや戦意がないという。阿波藩は今ではミカド支持に回り、徳川を追討する遠征に加わっている。先日他の藩が外国代表に向かって行った声明を出したがっている。

午後になって、私は伊達のところに行き、公使たちの招聘について何か情報がないか聞いた。伊達が言うには、一一日に公使たちに出発してもらいたいが、謁見の日付は決まっていないので、招請状を送ることができないと答えた。私が伊達に勧めたのは、すぐにそれぞれの公使のところへ行き、彼らが京都に到着する翌日に謁見が行われる予定であり、私と東久世が手配方を求める書状を京都に出したので、その通りに行われることを、公使たちに告げることであった。そこで伊達は動き出し、いの一番にフランス公使に会うと、公使は彼を引き留め夕食を共にした(35)。しかし、ミカドの支配権の現実の証を見るまでは、京都には行かないと言った。伊達の答えは、たとえ幕府が以前の権力を完全に回復しようとも、ミカドは紛うことなく日本の君主であり、将軍はその代理人に過ぎないのだから、ミカドに謁見したからといって、何の屈辱ではないということである。その後、伊達はイタリア、プロシア、アメリカ、オランダの外国代表を訪ね回った。前者の三人は横浜に用事ができたと言って断ったが、オランダの代表はイギリス公使と同じ行動を取ろうと言った。そして、伊予守がわれわれのチーフのところに来た時、彼は招聘に応じたのである(36)。

(30) サトウは三月七日に『国史略』第四巻の読書ノートをつける。後深草天皇と亀山天皇の記事。
(31) 阿波守、蜂須賀斉裕。
(32) 茂韶《もちあき》が息子であり後継者。
(33) 外国総奉行、信濃須坂藩主堀直虎。
(34) 『続徳川実記』は、慶喜の名を出さず、幕議を批判したと、書いている。
(35) 『伊達宗城公御日記』に「薩道参ル公使ヨリ酉々より被申述候鉄船の事明後日十七日見物十時頃より出懸候様との事○上京之事モ弥十八日出立と治定の由申述候處然ハ各国公使へ報告相成度」とある。
(36) 以上、日記三月八日。次章にも続く。

第二九章　堺事件――フランス水兵殺害

運の悪いことに、ちょうどその時、小舟に乗って来たフランス人たちが堺で土佐の兵士に虐殺されたとの一報が入ってきた。謁見のために京都へ行く打ち合わせや希望が台なしになってしまったのである。二人がその場で死亡、行方不明が七人、負傷七人、無傷で難を逃れた者五人、という知らせだった。フランス公使館から伊達がちょうど帰ろうとした時に入った報告では、殺害されたのはたった一人のはずだった。備前の士官を処刑したことが何らの警告にもならなかったことは、誰の目にも明らかだった。混乱、落胆。希望は達成の間際でもろくも崩れ去ったのである。(1) 翌朝（三月九日）になっても、伊達や東久世のもとには何の知らせも来なかった。行方不明の水兵たちの引き渡しもないので、外国公使たちは自国の国旗の撤収を決意した。伊達と東久世の日本人の二人の高官はフランス公使を訪問し、心からの遺憾の意を伝えるつもりだったが、面会すら断られ、翌朝八時までに行方不明者の引き渡し要求を日本の官憲に書簡で差し出した。フランス、イタリア、プロシア、アメリカの代表は船に乗ってしまった。イギリスとオランダの外交担当者が陸上に残っただけだった。(2) ところが、一〇日の朝にはイギリスの国旗が正式に降ろされてしまった。サー・ハリーは、ラッセル・ロバートソンと私を副領事館に残し、ブラッドショウ中尉と第九連隊第二大隊の六人の兵士を付けて、オーシャン号に乗船してしまった。行方不明の七人の水兵の死体が発見され、これを知らせるために伊達と東久世がフランスの旗艦ベヌス号に赴いた。(3) ところが、不思議な大失敗をしてしまった。死体を容れた箱を最初にイギリスの輸送船アドベンチャー号で送ったが、同船ではイギリス公使館の「骨董品」を容れた箱と間違えてしまったのだ。どうして中身の正体が分かったのかは聞いていなかったが、午後の遅くになるまでフランスの旗艦に死体が届かなかったのである。帰り道で伊達に会ったが、フランス公使が平静を失わないでこの事件を処理したことを自分は大いに喜んでいると語った。(4)(5)(6) 翌日（三月一一日）、サー・ハリーが上陸して、ブラッドショウとその部下の兵士を連れて行った。伊達を訪ねて、こう話して来い、とサー・ハリーは私に命じた。つまり、外国代表たちは水兵の葬式の後で一緒に集まり、ミカドの政府に要求すべき賠償について話し合い、もしそれが満場一致だった場合には、日本側はその要求は妥当なものと心得てしかるべきである。その場合、ミカドの政府が行うべき最良の処置は要求にすぐ応じる事である。これに対し、ロッシュ氏の要求が正当さを超えるものなら、他の公使たちは彼と同調するのを拒むだろう。そして、日本政府はフランスや他の列強諸国の政府に提訴することもできる、というものであった。サー・ハリー個人としての意見は、土佐藩士の大多数は当然死罪を免れることはできず、彼は金銭的賠償も是認しないということだ。彼は私にこの指示をあたえた後、兵庫に赴き、殺害されたフランス人計一一名の葬儀に参列したのである。ロバートソンと私は、チーフの伝言を持って、伊達を訪ねた。われわれは任務を終えてから、小松と中井を連れて日本料理屋に行き、いつもの料理でもてなした。われわれは午後七時ころ帰宅したが、「夜もまだ早いので、ふと気晴らしを思いついた」。提灯を持った案内人の先導で、「楽しみをあたえてくれる花街に足を運び」、ある料亭(7)に入った。「そこは、あ

（1）　以上、日記三月八日。
（2）　以上、日記三月九日。
（3）　この直後、サトウは扇屋で東久世と面談。
（4）　以上、日記三月一〇日。
（5）　日記には「間違いなく、古ぎつね（ロッシュ）はこの機会に乗じて、とても穏健であることを見せびらかして、新政権に取り入ろうとするだろう」と続く。
（6）　この日、サトウは「外国御応接之儀」（太政官日誌第一号）を英訳。
（7）　越後町の丹波屋。

る外国人が土佐藩士に連れて行ってもらったことを私は知っていたのだ」。亭主は、外国人を店にあげると、自分の商売に障りができるから、町役人の了解を受けてほしい、と言ったのである。われわれが店の中にいると、二階から土佐藩士が降りてきて、彼らはわれわれを見るや刀を持って来いと言ったが、店の人々はこれを断り、男を追い出した。われわれを店に上げまいとしたのは、料亭の主人が土佐の客人を考慮して、われわれを厄介払いしたかったからだ。そこで、われわれは町の役所に行き、所望の許可書をもらって来たが、店主はまだ満足しなかった。われわれが店主と交渉をしていると、先ほどの土佐の男が刀を持って降りて来た。脅迫的な態度でわれわれの前に座り込み、お前たちは何者で、何をしに来たのだ、と詰問した。われわれはイギリスの役人だと答え、続いてこちらの要求を説明しようとしたところ、彼は言葉をさえぎって、お前らがここにいる権利があるのか、と激しくいぶかった。階下の騒ぎに気付いた仲間の一人が、この男を再び二階に連れて行き、女たちは持っていた刀を元の場所に隠した。その後、温厚な男(8)がやって来て、侘びの言葉を述べていると、あの無鉄砲な男が刀を抜いて、また二階から降りてきた。少なくともロバートソンにはそう見えたのだ。男の友人は急いでその男を取り押さえた。一階では乱闘が起こった。われわれは急いで店の入り口から往来に逃げ出した。店の亭主は提灯を持って、われわれを追いかけてきて、貴殿たちの案内人がいなくなったと言った。彼がどこにも見つからないので、この老人はわれわれを宿舎まで送って行く羽目になった。(9)

　ミットフォードとウイリスが一二日に京都から戻ってきた。ウイリスの京都滞在を許可したサー・ハリーの手紙が、途中で行き違いになったのだ。ウイリスが再び京都に戻れるよう手配してから、われわれはチーフに会いに行くためアドベンチャー号に乗った。われわれがこの船に乗っている間に、伊達と小松がフランス公使の要求をチーフに伝えた。それは、第一に今回の虐殺のすべての関係者の死刑執行（二人が語ったところでは、土佐藩士約二〇人、火かき棒で武装した町民二〇人）、第二に虐殺された人間の家族への賠償金一五万ドル、第三に大坂での外国事務局長（これは皇族の山階宮）の謝罪、第四に土佐の大名の山内土佐守の須崎（土佐の港）でのフランス軍艦上で陳謝、第五にすべての武装した土佐藩士の条約港と開港場からの追放、であった。これらはすべて了解された。その後、われわれは陸に引き返し、ウイリスを京都に戻させた。(10)

翌日（一二日）、われわれはイギリス軍艦アドベンチャー号で兵庫に移動した。すべての外交代表は、フランスの要求に応じるよう勧告する文書を日本政府に送った。ミカドからの使者としてお悔やみの言葉を携えた公卿の長谷三位《さんみ》(11)が到着した。長谷はその後で、サー・ハリーと面会し、この事件が解決したらミカドの謁見のために京都に行くべき件を打ち合わせた。ロシュ氏は日付を決めてはいなかったが、すべては一六日までに解決するだろうと日本当局も期待していた。ロッシュ氏は同じことをくどくど言っていたようだが、それはどこの外国代表にせよ自分一人で京都に行くのは悲しむべきことだ、ということだった。ロッシュが長谷にそんなようなことを言っていたことを知らせたのは小松だが、彼もこれはサー・ハリーに対する当てこすりだと考えていた。しかしながら、ポルスブロックも土佐の暴行事件が満足のいく解決ができたら、自分もすぐに京都に上ることを日本側に約束した。(12)翌日、(13)伊達は小松とともに六時に到着し、フランスの旗艦に行き、要求を受諾する旨の文書をロッシュに手渡した。第五の要求は単に土佐の軍隊を条約港と開港場に駐屯させないだけではなく、すべての土佐のサムライはいかなる身分を問わず一切条約港にも足を踏み入れさせない、という意味に理解された。これはあまりに厳しすぎると思われたので、修正されるだろうとわれわれは考えた。ロッシュとの会談を終えて、伊達はサー・ハリーに会いに行き、決

(8)　横井。
(9)　以上、日記三月一一日。
(10)　以上、日記三月一二日。
(11)　議定、長谷信篤。
(12)　以上、日記三月一三日。
(13)　日記では三月一五日。

定事項を伝えた。二人の士官と一八人の兵士が明日の午後二時に堺でハラキリを行い、同時に山階宮がロッシュを訪問して謝罪を行い、公使を京都に招聘するというものだった。また次の日の同じ時刻に、山階宮はイギリス軍艦オーシャン号にサー・ハリーを訪ねることになっていた。われわれは一九日に神戸を発って大坂に向かい、二〇日の夜に伏見に泊まり、その翌日に京都に入ることになっている。二二日には訪問客を受け入れ、二三日に謁見に臨むことになっている。これはまだ伊達との私的で秘密の打ち合わせに過ぎない。山階宮が正式な招聘状を送られてから、公表されるのである。[14][この計画に従って]、かつてはミカドの第一王子で外国事務局督の山階宮が一八日に神戸に来て、サー・ハリーとポルスブロックを訪ねた。われわれは山階宮から聞いたのだが、ロッシュは殺害されたフランス人の人数分の生命を要求するだけに留め、加害者二〇人のうち九人の命乞いをしたこと（左記に注あり）、伊達からサー・ハリーが京都への招聘を受ける見込みだと知るや、ロッシュは京都に行く決意を固めたことを知った。高階宮は、われわれが見覚えのある他の公卿と同じ衣装を身につけていた。紫の絹のローブ（狩衣）をつけ、頭上には小さい黒塗りのひだのある帽子をのせていた。宮のお年は五〇歳ほどで、短いあごひげと口ひげをたくわえていた。その歯は以前黒く染めていた跡が目についた。宮は東久世、その子息、毛利淡路守の子息毛利平六郎を従えていた。この若者の毛利平六郎は、三条実美の子息と中御門の子息と一緒にイギリスに行くことになっている。彼らの話では、ミカドは今月の末ころに大坂に下られ、江戸の一件が片付くまで滞在される予定である。[15]慶喜からは彼の親戚である越前を通じて謝罪状が送られてきた。ただし、満足のゆくものではなかったので、[征討作戦は続けられることになるだろう]。

（注）この表現は正確ではない。われわれが後に知った事実とは、殺害された水兵が所属していた艦船のデュプレクス号の指揮官ドゥ・プティ・トアール大佐が、フランス海軍上席士官に命ぜられて、彼の部下と処刑に立ち会った。ところが、処刑がすべて終わる

のは日没後になりそうで、上陸した部下たちの帰艦が遅くなると思われた。そこで、一一人目が処刑されたところで手を挙げた。一命を取り留めた九人はそのためにかえって心が深く傷ついたことを後で知らされた。日本のサムライ精神を考えれば、これは何も不思議ではない。死刑を執行された男たちの愛国的な辞世の句は後に日本国民の間に広く詠まれた。その中のいくつかを英語に翻訳すると次のようになる。

風に散る露となる身は厭はねど　心にかかる国の行末
我もまた神の御国の種なれば　猶いさぎよき今日の思ひ出
皇国の御為となりて身命を　捨つるいまは胸の涼しき
かけまくも君の御為と一すぢに　思ひ迷はぬ敷島の道
塵泥《ちりひじ》のよしかかるとも武士《もののふ》の　底の心は汲む人ぞ汲む
人こころ曇りがちなる世の中に　清き心の道ひらきせん
身命はかくなるものと打捨てて　とどめほしきは名のみなりけり
時ありて咲きちるとても桜花　何か惜しまん大和魂
魂をここにとどめて日の本の　猛《たけ》き心を四方に示さむ

（以上、『殉難後草拾遺』より）

(14)　以上、日記三月一五日。

(15)　以上、日記三月一八日。

第三〇章　京都——ミカドに謁見

三月一九日、イギリス公使館の全員がイギリス軍艦アドベンチャー号で大坂に渡った。私の日本人護衛は後に残していくことにした。彼らを京都に連れて行くのは面倒だし、たぶん徳川の家来なので、四六時中、生命の危険があった。われわれ一行は副領事館で休眠し、[1]翌日（三月二〇日）、馬で伏見まで向かった。警護の者は、小松[2]と二人の肥前藩の士官だった。その一人は中牟田と名乗ったが、近ごろ鍋島藩が入手したユージェニー号の船長だった。騎馬の一団はサー・ハリー、ブラッドショウ中尉、私、それから公使館の騎馬警護兵だった。道中はほとんど並み足で進んだが、道路の状況がかなり良かったからだ。しかし、淀の橋が最近の戦いで焼け落ちてしまったので、木津川を越えるだけでもかなり難儀だった。木津川はこのあたりで淀川に注いでいる。午後六時ころに伏見に着いた。われわれのために用意された快適な場所は仏教寺院の客間だった。その寺院では肥前の士官がよく面倒をみてくれた。われわれ一行の残りは、第九連隊第二大隊の歩兵護衛隊とともに、船でやって来た。午後三時に出発し、夜通し移動していた。[3]彼らは翌朝（三月二一日）だんだんと伏見に到着した。一〇時ころに全員が伏見を出発できるようになった。行程の最初の半分は肥前藩士が警護に当たり、その後、尾張の兵士がこれに加わった。ここで後藤に出合い、愉快な小柄の友人の中井も出迎えてくれた。京都の通りは見物人でごった返していたが、彼らは全く整然と見守っていた。東山のふもとの誠に立派な仏教寺院の知恩院がわれわれの宿舎として用意された。護衛は肥後、阿波、尾張の兵士が当たっていた。尾張の役人はわれわれをもてなす役目を担っているが、動きが遅く、外国人のことを全く知らないので、何が必要なのかも分からなかった。われわれにあてがわれた部屋は、見事な装飾が施されていた。前年徳島で見たような(4)、封建貴族の大邸宅と同じ形式だった。島津大隅守(5)（薩摩藩主の父）が初めて京都を訪れた時、何度かこの部屋を使った。部屋でゆっくりしていると、たくさんの皿に盛られた日本料理の大ごちそうが運ばれてきた。もちろん、われわれの料理人を連れて来て、料理道具も持参した。ほとんどの者が日本料理に慣れていなかったからである。土佐の容堂公にはウイリスが治療に当たっていたが、危険な状態を脱して、快方に向かっている、との報告があった(6)。

三月二二日はチーフのあいさつ回りで明け暮れた。尾張の人はわれわれのかごとかごかきを用意するのに三時間もかかった。われわれは最初に山階宮を訪れた。宮はとても愛想が良く、陽気な人で、不潔なあごひげを剃り、歯も正しいやり方で黒く染めた。直衣《のうし》という衣装を身につけ、前よりやや小さい黒塗りの烏帽子《えぼし》をかぶっていた。その時の会話は、イギリス公使が京都に来ることになったのは喜びに堪えない、といったものだった。宮の邸宅を出た直後、仁和寺宮を通行させるために、われわれは道端に足止めされた。この宮は馬の背に乗り、太り気味で、顔は浅黒く、唇の厚い、若々しい男で、頭髪はやっと伸びてきたばかりだった。最近まで、彼が仏教の聖職にあったからだ。次の訪問場所は三条のところだった。彼は大納言にごく最近になって復位したばかりで、青白い顔をした、ひ弱そうで小柄な三三歳の男だった。彼はとても格式ばった言い方で、京都で外国公使とお会いすることは、朝廷のすべての人々にとって幸せだと述べた。三条の屋敷を出て、九門として知られる囲い塀を通り、御所を過ぎた。御所は土台を厚さ四フイートの見事な漆喰がぬられた塀で囲まれ、仏教寺院のような門もあり、とても手際よく葺かれた小さな

（1）以上、日記三月一九日。
（2）孟春丸。
（3）以上、日記三月二〇日。
（4）本書上巻第二一章三〇七―三一五頁参照。
（5）島津久光。
（6）以上、日記三月二一日。

屋根もついていた。岩倉をつぎに訪れたが、彼のかりそめの住まいは御所の西側の公卿門の手前と向かい側にあった。彼は厳しい顔つきで、やや年老いた男だが、ざっくばらんな話し方をする。彼がチーフに事実だと語ったのは、ミカドと公卿はこれまで外国人を忌み嫌っていて、攘夷を唱えたが、一方幕府は「開国」に賛成していたことである。ところが、今や全く事態が一変した。彼らはイギリスに格別の感謝を示した。ミカドが元首であることを最初に認識した国だからである。伊藤の話では、われわれが彼の邸宅を出た後、岩倉は伊藤に向かって、外国人に対する朝廷の以前の姿勢をあけすけに話してしまったことを相手が不快に思ったのではないかと気をもんでいた。われわれはそれから肥前屋敷に行って、王子に会った。年のころは二四歳くらいの顔立ちの良い若者だった。彼は外国事務局に採用されたが、公務に力を発揮するとは思えなかった。伊達と東久世は、われわれが訪ねた時は、幸い留守だった。われわれは長州の世子の長門守にも訪問したが、キング提督が長州で撮った写真[7]とよく似ていたので、すぐ彼に気がついた。他の邸宅では椅子を用意してくれたが、ここでは日本式の床に座らねばならなかった。帰ろうとして立ち上がった時に、両ひざの関節を伸ばすのに苦労した。われわれは長門守と心温かい親善を話し合い、以前からの友情を祝福し合った。知恩院に戻ってみると、伊達と伊藤が来ていた。彼らは明日行われる謁見の詳細を打ち合わせた。彼らが心配しているのは、ミカドが公使たちにお声がけするのが困難なのではないかということである。ミカドは御所の親しい人以外にはこれまで口をきいたことがないし、一〇日前に初めて大名に謁見を許したばかりだからである。われわれは最終的に次のような合意に達した。つまり、まず陛下のお言葉を文書にする。それを陛下が暗唱する。それから、その文書を山階宮に手渡す。山階宮はそれを読み上げ、翻訳するために伊藤に渡す。この文書は最終的にはサー・ハリーが手元に留める。それから、サー・ハリーは、通訳を務める伊藤を通じて、ミカドに直接答辞をのべる、というものだ。謁見の陪席を許された公使館員はミットフォードだけだった。彼が唯一イギリスの皇室に出入りが許されていたからであった。彼は山階宮に紹介され、ミカドは彼に「クロウ」という言葉をかける。これを意訳すると、「お会いできてうれしい」となる。謁見が行われる紫宸殿は、彼らが語ったところでは、奥行き二八ヤード（二五・二メートル）、間口三〇ヤード（二七メートル）の大広間であり、板張りの床で、ミカドの高座と天蓋があり、それより低めの高座が公使たちのために特別に用意される。日本側がわれわれに語気強く説明したが、大名が謁見を許される場合でも、むきだしの板張りにひざまずかねばならない。三人の公使、ロッシュ、サー・ハリー、ポルスブロックは控えの間に集めさせられ、それからミカドの御前に案内されることになっていた。(8)

［狂信的な愛国主義者の手で襲撃を受ける番が、今やわれわれに回ってきた。われわれは君主の権利をいつも弁護してきたのであるが、自らは襲撃から守ることが出来なかった］。

三月二三日の午後一時にわれわれは知恩院から御所に向かうことになっていた。行列を先導したのはピーコック警視と中井が指揮した騎馬騎兵隊だが、その後にサー・ハリー、後藤、私、ブラッドショウ中尉、それから第九連隊第二大隊の分遣隊、さらにかごの中にいるウイリス、J・J・エンスリー、ミットフォード（騎馬が許されないので）、そしてわれわれに付いてきた五人の海軍士官が続いた。知恩院の正門の向かい側の新門前縄手通りの端まで行って、騎兵護衛兵の最後の列が角を右に曲がると、二人の男が通りの向こう側から急に飛び出し、刀を抜いて人馬を襲い、行列を走りぬけ、やみくもにめった切りにした。(9)中井はそれが通り過ぎるのを見て、馬から飛び降りて、右手の男と刃を交えたが、相手は相当手ごわかった。(10)もみ合っていると、彼の足に長いだぶだぶの袴がまとわり、彼は後に倒れた。敵は中井の頭をたたき斬ろ

（7）畳。
（8）以上、日記三月二二日。
（9）三枝蓊、朱雀操（本名は林田衛太郎）。
（10）林田衛太郎、元京都代官の家来。

うとしたが、彼は間一髪刀をかわし、ほんの頭皮に傷を負っただけで済んだ。同時に刀の切っ先を男の胸に突き刺した。これに男がひるんで、中井に背を向けたとき、後藤の一太刀を肩の下側に浴び、そのまま地面にひれ伏した。そこに中井が飛び上がって、男の首を叩き切った。その間に、左手の軍隊が引き返し、その中の数人がもう一人の悪漢を追いかけた。その悪漢は通りにめがけて走ってきたが、サー・ハリーと私はまだその通りを抜け出していなかった。私は何が起きているのかやっと分かったばかりだった。茫然自失してしまった。その男が私のそばを通り過ぎた時、私の心に浮かんだ防御策は、馬の向きを変え、男の一撃を避けることだった。後から考えると、九死に一生を得たのである。と言うのも、馬は鼻の先に軽い傷を受け、私の膝の前にあたる馬の肩が一、二インチ傷つけられていたのである。私は平静を取り戻すと、行列の先頭に向かって馬を走らせた。私がサー・ハリーを見つめると、特命全権大使の目にも鮮やかな制服をまとい、悠々と十字路の真ん中で馬に揺られていた。その傍にはピーコック警視が鞍上していた。周囲には見物の日本人が黒山の人だかりだった。行列を先導した日本人の歩兵は三〇〇人の肥後藩士で、彼らは初めからしんがりを務める歩兵とともに、その行列には現れなかった。しかし、われわれの日本人の馬丁は全く冷静な態度で、ずっと離れなかった。私の後方では、第九連隊第二大隊の歩兵警護隊が左側を向いていた。暴漢はこれに体当たりして、先頭にいた一人を傷つけ、重傷を負わせた。しかし、ここで彼の疾走も終わった。なぜなら、一人の兵士が片足を突き出して暴漢をつまずかせ、もう一人が銃剣で男を突き刺した。それでも、その男はなんとか列の後ろまで逃げたが、そこにあったミットフォードのかごに行く手をさえぎられ、とある家の庭に倒れ込んだが、刀は外に落としてしまった。それをブラッドショウに見つけられ、頭部をピストルで撃たれた。しかし、銃弾は下のあごの付け根に当たったままで、骨には貫通していなかった。このため、男は庭に倒れて、ほとんど人事不省に陥った。われわれの負傷者はあまりに多いので、このまま行列が御所に向かうわけにはいかなかった。われわれの護衛九人(11)、第九連隊第二大隊の護衛兵一人、[12]それに中井、サー・ハリーの日本人馬丁が負傷した。そのため、われわれは従者をかき集めて、かごを担がせた。本来のかごの運搬人がどこかへ逃げてしまったからだ。その後は無事に宿舎まで戻ることができた。負傷者を調べてみると、たくさん流血はしたものの、傷は生命に関わるほどのものではなかった。膝に傷を負った男と、もう一人の男が今にも手首が取れそうなのが、最悪の事例だった。ほんとうに幸いだったのは、ウイリスという経験豊富な外科医がわれわれと一緒にいたことであった。逮捕された襲撃者は仏教僧侶[13]らしかった。少なくとも、頭髪は剃られていた。三条の家来[14]の助けを借りて、われわれはこの男を取り調べた。男は大いに後悔を表し、自分の首を斬って、罪を日本国民に知らせるために公衆の面前にさらしてくれと言った。男の傷をウイリスが手当てをしてから、彼の身を留置場に十分気をつけて預けた。中井はもう一人の男[15]の首を持って来て、戦利品として手桶の中にいれ、自分の傍に置いた。身の毛のよだつような恐ろしい光景だった。〈頭蓋骨の左側の、恐ろしい三角形の傷から、脳味噌がはみ出していた[16]〉。右のあごにも傷があったが、これは明らかに警護兵の刀で加えられたものである[17]。

「私の日記には五月半ばまで全く記載がない[18]。京都でわれわれの身に降りかかったこの出来事を語った

(11)　ハーディング、ダフィ、キングストン、ハットン、アバデーン、ウッド、グリーン、メーソン、コール。

(12)　ディヴァイス。イギリス人女性旅行家イザベラ・バード『日本紀行』第三信一八七八年五月二四日付に「イギリス公使館の護衛兵ディヴァイスが迎えにきた。彼は一八六八年三月、サー・H・パークスが初めてミカドに謁見に行く途中、京都の町中で襲撃を受けた際、斬りつけられて重傷を負った護衛兵の一人だ」とある。

(13)　三枝蓊。

(14)　マルオカ・ゴロウ。

(15)　朱雀《すざく》操《みさお》。

(16)　『維新日本外交秘録』削除部分。

(17)　以上、日記三月二三日。

(18)　一八六八年三月二四日から五月一四日まで、サトウは日記を書いていない。

両親への手紙も今では存在していない。この事件の詳細を語ったミットフォードの父親への報告は「タイムズ」紙に掲載された[19]。チーフが事件の全貌を報告した三月二五日付の公信書類は「機密文書」の一冊に収録されたが、未だに公刊されていない[20]。またリーデスデール卿[21]の『回想録』第二巻の四四九ページも参照のこと。公文書を基にした簡潔な語りは、F・O・アダムズ『日本の歴史』第二巻で読むことができる。京都滞在中は、チーフと日本人高官との通訳や文書の翻訳で忙しい日々をすごしていたので、日記をつけることまで思いが行かなかった。本章を書き上げるために、当時記録を残しておかなかった、五〇年も前に起きた事件を、私の記憶に頼るだけでは材料が不十分である」。

「この狂信的なイギリス公使襲撃は、公使が勤王派の思いやりのある友人だっただけに、午後四時ころにその一報を受け取った朝廷に極度の狼狽を生じさせたことは、容易に想像できた。フランス公使とオランダ外務事務官は時間通りに御所に到着した。その御所で彼らの友人の公使たちの到着を待っていた。ところが、イギリス公使が姿を現わさないので、謁見を切り上げた。謁見の間を退出しようとしたとき、彼らはサー・ハリーが襲撃されたことを知らせる書状が届いた。夕方の午後六時ころ、徳大寺[22]、越前宰相[23]、東久世、伊達、肥前藩主[24]が何はさておき宮中からサー・ハリーの許に駆けつけ、ミカドの深い憂慮を伝えた。公使は、ミカドの政府にこの事件の処理を一任すると答えた。自分よりもミカドに対してゆゆしき暴行をはたらいたと解釈した。政府は日本の君主の名誉の正当さを立証する方法を心得ているはずだと確信した。日本側がこの事件に深い同情と憂慮の念を明らかにしたので、この犯罪の重大さを分からせるためにサー・ハリーからいさめる必要はないことが示された。彼らはサー・ハリーの身の安全を守るための用心が足りなかったことを自らとがめ、特別の計らいでミカドが京都に招いた外国代表に対して暴行事件が起きてしまったことを全く不名誉なことと遺憾に思った。サー・ハリーは、もちろん日本側の謝罪は文書で表すよう言い添え、彼が以前から政府の様々な人たちに伝えていた主張を繰り返した。つまり、外国人を殺害する目的で襲撃を実行したサムライに対して、自らの手で自刃することを許さず、不名誉な死刑を科す法律を制定する必要を訴えたのである。たとえば、堺でフランス人水兵を殺害した一一人の男の場合のように。サー・ハリーがさらに力説したのは、ミカドの政府が公の布告を出して、陛下が外国列強との友好関係の増進を本当に望んでいることを周知させるべきことだった。外国人に対する敵愾心の根絶こそ政府の義務である。この敵愾心のために多くの人々が犠牲になって倒れ、この外国人襲撃がミカドへのご奉公だとする階級が持っている誤った考えによって育成されたものだ、とも語った。それに応じて、謝罪文書が翌日届けられた。同時に、罪人のサムライとしての身分を剝奪し、斬首刑に処すことの宣告文を手渡した。三条、岩倉、徳大寺、東久世、その他の大臣が出向いて、遺憾の意を表し、布告をあらゆる町や村の目抜き通りの高札場に貼り付けることを約束した。また彼らは外国人の負傷者が死んだ場合や、仕事をすることが出来なくなって生計の手段が奪われた場合に、それにふさわしい保証をすることを申し出た」。

［こうして事件は満足な形で解決したので、チーフはミカドの謁見を承諾し、三月二六日にこれが実行された。もちろん、二三日のときのように盛大には行われなかった。騎馬騎兵隊の大多数が重傷のため都合がつかなかったからである。その代わり、きわめて厳重な警備が一行の街路通行の安全のために実施されたのである。以前に調整されていたように、公使館の館員のうち、ミットフォードだけが列席したので

(19) 一八六八年五月二〇日号。F・V・ディキンズ著・高梨健吉訳『パークス伝』第六章、八六―九二頁。
(20) 現在ではイギリス外務省文書 F. O. 410/7 pp. 142-143 に公開されている。
(21) ミットフォード。長岡祥三訳『英国外交官の見た幕末維新』一五九―一六〇頁参照。
(22) 議定徳大寺実則。
(23) 松平慶永。
(24) 鍋島茂実。

ある。公使とミットフォードは北側の端の階段で紫宸殿に上がり、南側の入り口から殿中に入り、謁見が終了すると、退出して南側の端の階段から降りた。残りの公使館員、ウイリスや私やその他の一行は謁見の間の脇から中庭を通り過ぎて、公使たちが戻ってきたところで、一緒に合流した。ミカドは初めて口を開いたのであるが、そのスピーチは次のようなものであった」。

「「朕は貴国の君主の健勝を願う。両国の交際がますます友好的で永久不変なものになることを希望する。朕が深く後悔していることは、今月二三日に御所に向かう行列に不幸な事件が起き、この式が延期されたことである。それゆえ、今日貴殿とお会いできたことは、大いなる喜びである(25)」」。

「これに対する公使の答辞はつぎの通りである」。

「「女王陛下は健勝にてあらせられます。貴殿下のお尋ねと友好の証をわが政府に報告することは、私の大いなる喜びであります。一国の外交関係の状態は、必ずやその国の国内の安定と発展に負うところが大きいのであります。貴殿下は最善の方策を採りつつあります。それは陛下の領土全体にわたる強力な一般的な政府を確立することで、また他国が普遍的に認める国際法の制度を採用することで、永久的な基盤の上に日本の外交関係をおくことです。今月二三日の私に対する襲撃について、陛下が率先して言及された態度に私は深く感動いたします。また、あの不幸な出来事に閣下の大臣たちの尽力に感謝いたします。この事件の記憶は、陛下が本日私におあたえくれました丁重なもてなしによって、拭い去られることでありましょう(26)」」。

「外国代表たちは翌日（三月二七日）京都を離れた。三枝蓊《さえぐさしげる》(27)は二三日にわが方の弓とやりで捕らえられ、この日の朝に死刑に処された。三人の未遂の共謀者(28)が永久追放(29)の宣言を受けたが、われわれは彼らの有罪には全く納得できなかった。もし彼らの有罪が証明されたなら、同じ刑に処されるべきであろう。しかし、チーフはこの点を強要しなかった」。

「チーフの希望としては、私を京都に留まらせ、朝廷との連絡役にさせようとしたが、その目的ならミットフォードを残した方が良いと、私は彼に説得した。二つの動機が私を駆り立てたのだ。私としては江戸で新たに入手した家に帰りたかったし、イギリスの議会制度のことならミットフォードの方が良く知っていたからである。イギリスの議会制度は京都のサムライの指導者、とくに後藤象二郎には、きわめて興味深い問題であった。というのは、日本の新しい政府の基礎に代議制度を置くことが、彼らの希望だったからである」(30)(31)(32)。

(25) 原文「去ル三十日貴公使参朝途中不慮之儀出来禮式延引遺憾之至ニ候今日改テ参朝満足ニ存候」。

(26) サトウは三月二六日に「ミカドの布告文」を英訳し、Japan Herald 紙に掲載。

(27) 大和浄蓮寺僧、真洞。

(28) 川上邦之助、松林織之助、大村貞助。

(29) 隠岐国に流罪。

(30) ミットフォードの言葉（『英国外交官の見た幕末維新』）。

「この当時は私の生涯を通じて、一番仕事がきつい時期であった。パークス公使には通訳を一人は割愛できる余裕があったので、日本の役人からの要請に応えて、私を大坂での仕事のために残したのである」。

(31) 三月二八日の『伊達宗城公御日記』には「於（長）崎プロイセン之者切害セるト昨日サトー話候由東久世の談也」とある。

(32) サトウは三月二八日に日本側が書いた「京都でのイギリス公使襲撃に関する報告」を英訳し、イギリス外務省に報告。三月下旬には「三職八局」（太政官日誌第二号）、「外国公使の記事」（太政官日誌第一号）、「外国公使謁見の詳細」（太政官日誌第四号）、「仏蘭西公使と和蘭公使のミカドへのスピーチ」（同）、「ミカドの大名へのお言葉」（同）を英訳。上記の翻訳は四月一八日に公使パークスがイギリス外務省のハモンド事務次官に送られた。同月二〇日には Japan Herald 紙に掲載された。

第三一章　江戸帰還、大坂で新たに公使信任状を奉呈

［三月三一日に私はチーフと一緒に横浜に戻って来た。四月一日には江戸に出て、同地の情勢を探った。私は野口と六名の日本人の護衛を一緒に連れて行った。護衛たちを私の家[1]の門のそばの建物に泊まらせた[2]。私の主な情報入手先は勝安房守である。彼は徳川海軍の責任者だった。表立った行動を控えて、暗くなってから私は勝を訪ねることにしていた。官軍の部隊の先鋒はすでに江戸の近くまで到着していた。前進部隊は品川、新宿、板橋に達していた。徳川方の江戸の部隊はすでに解隊していたが、残存部隊が官軍と甲州道中や木曽道中で小競り合いを起こしていたので、官軍の到着が一両日遅れていた。薩摩と長州の少数部隊が江戸の街中をわがもの顔に闊歩《かっぽ》していた。小さな薩摩屋敷がイギリス公使館の近くにあったが、同藩の小数兵士が三月七日に住み始めた。大総督の有栖川宮はまだ沼津にいるとの噂だった。沼津は箱根峠の頂上から西方に半日の行程にあった。慶喜は引退して、上野の徳川家の御霊屋《おたまや》で暮らしていた。家臣や武装警備隊に布告を出して、臣下をミカドに服従させようとあらゆる手段を尽くしていた。すでに三月四日という早い段階で声明を出し、前将軍はミカドがいかなる命令を出されても服従する決意であり、官軍に対して全く抵抗しないことを明らかにした。会津藩主と彼の家臣たちは、江戸のすべての藩屋敷を引き払って、奥州の若松の国元に引き込んでしまった。最近まで江戸に住居を構えていたほとんどすべての大名が自国に戻るか、ミカドに忠誠を誓うため京都に上った。旗本、つまり徳川の家臣で大名のその下の地位にある人々も、日を追うごとに、それに倣っていった。江戸の町民は慶喜に下された要求のことは知ら

ず、昨年一二月に薩摩屋敷が焼き打ちされた時に受けた災難が心に掛かり、大火災が起きることを懸念していた。ある者は自分の家財道具を運び出したが、店舗はまだ開いていたし、動揺はまだ全体には及んでいなかった。江戸湾の台場は四月四日に官軍の手に落ちていたが、町方に向けられていた砲台は降ろされた。これは八日の情報だった。(3) 一二日に、私が三日間滞在するために江戸に出てみると、街は静寂に包まれていた。(4) 慶喜に申し下される条件が受け入れ可能なものと思われたからのようだ。勝は、今や徳川軍の総司令官になっていたが、自分と大久保一翁(5)が交渉責任者となっている、と私に語った。相手方は、西郷が、未だ駿府に留まっている官軍総司令長官の有栖川宮の代理人を務めていた。慶喜になされた要求は、すべての武器と軍用品、すべての軍艦と汽船を引き渡し、江戸城から立ち退いて、伏見の戦いで先頭に立って扇動指揮した士官たちを死刑に処せ、というものであった。これらの要求を呑むならば、ミカドは前将軍に対し寛大な処置を示すであろうというものであった。この「寛大な処置」という言葉に含まれる、さらなる条件とは何かが、勝と西郷の交渉の主題であった。その交渉は品川の屋敷(6)で行われた。勝は、主君の生命が助かり、大勢の家臣団を扶養するのに十分な財源が確保できれば、いかなる取り決めにも喜ん

(1) 上高輪伊皿子町。
(2) 内外新報第一号に「高輪接遇所英館滞在「サトウ」四月三日第一時頃横濱表へ船ニて帰れり」の記事。
(3) サトウは八日、報告書「江戸のミカドの軍隊」を執筆。五日と六日、『国史略』の読書ノートをつける。後醍醐天皇の記事。七日、大英博物館に古書を送る。一〇日、「薩摩藩大久保市蔵の建白（大坂遷都論）」（内外新聞第七号）を英訳。
(4) 一三日、サトウは勝海舟と面談。「英人サトウ来訪。当節の我が所置、宜しき旨、話これあり」（勝海舟日記）。一四日のパークスのイギリス外務省ハモンド宛文書には「勝との連絡を取るため、サトウを一一日に江戸に派遣しました。この添付の覚書でお示しすることは、彼はこれに成功し、現状は良い見通しとなったことである。西郷が（一八日に）京都から戻って来たら、もっと決定的な確証を得ることになろう」とある。一四日、サトウは西郷・勝会談の報告書を執筆。
(5) 大久保忠寛、元若年寄兼国内事務扱。
(6) 芝・田町の薩摩屋敷。

で同意すると言った。勝は西郷に向かって、条件が寛容なものでないとすると、武力で抵抗することもありうる、とほのめかした。慶喜も汽船と軍用品はできれば確保しておきたかったので、この一件に関してミカドに宛てた嘆願書を提出していた。西郷は、この嘆願書と勝の口頭の提案を携え、有栖川宮の御前で提示するために、駿府に戻って行った。駿府からさらに、彼は京都に上り、一八日までには引き返すつもりであった。勝は、慶喜の生命を守るためなら戦いも厭わずと言い、ミカドに汚名を着せ、内戦を長引かせる要求は、西郷の才覚で必ずや阻止されると確信していると述べた。サー・ハリー・パークスのミカド政府への影響力を行使して、このような大惨事を未然に防いでほしいと、勝はサー・ハリーに嘆願した。この件ではチーフも何度も力を尽くし、とくに四月二八日に西郷がサー・ハリーを訪ねてきた時には、彼は西郷に向かって、慶喜と彼の家臣に対する厳しい処分、とくに個人的な断罪を行うなら、西欧列強諸国の世論が新政府の信望を傷つけることになろう。西郷は、前将軍の生命を求めることはないだろう言い、彼をそそのかして京都に部隊を進めようとした者にも同様の寛大な処置がはかられることを希望した。慶喜は未だ上野の寺院にこもり、慶喜の以前の家臣は彼から厳重な謹慎を命じられていたが、その数人が密かに脱走した。勝が名を挙げた者の中には、前外国事務総裁の小笠原、「古きつね」と呼んでいた平山、われわれが大好きな役人の塚原、勘定奉行の小栗上野介がいた。勝が私に語った最も注目すべき話は、前将軍の閣老とロッシュ氏の二月の会談で、ロッシュ氏が強く抗戦を迫り、フランス軍事顧問団の士官たちも箱根峠の要塞化やその他の戦いを仕掛ける方策をしつこく進言した。いろいろ考え合わせると、勝は自分と大久保一翁が二人の生命を狙う徳川方の過激派から逃れることさえできれば、事態を円満に収めることが出来るだろう、と言っていた」[7][8]。

「この時までに、官軍の海軍第一分遣隊は陸上を前進する陸軍に協力するために到着していた。戦闘が始まる様子が少しもなかったが、平和的に解決がなされたとしても、江戸の繁栄にとっては不利益なものになるだろう。商人や店主が所望の品物を納めていた大名たちが今や国元に帰ってしまったので、江戸の人口も思っていた通り減少して行った。江戸が衰退に向かうことは悲しいことだった。江戸は極東の最も素晴らしい都会の一つだからだ。江戸には立派な公共施設はないものの、街の位置が海辺にあるので、大名たちの悦楽の花園が水辺に幾重にも連なっていた。江戸城は立派で大きな濠を巡らし、巨大な城壁を構えていた。絵にもかけない美しさの松並木が日陰をつくり、街自体にも田園地帯があまたあり、すべてが偉大な印象を生みだしていた。江戸の街の面積は広大なものであった。城の規模が大きいため、役人の屋敷の数が相当あり、きれいに砂利が敷き詰められた立派な大通りが交わっている。商業地域の規模は大坂の町よりも実際小さかった」。

［新聞はある程度官報の性格を持ち、最近やっと京都と江戸で刊行が始まった。興味深い政治的文書が相当数含まれていた。私はその文書をチーフの情報のために翻訳していた(9)。以前は、大名屋敷に住んでいる友人を通じて入手する手書き文書に頼らざるを得なかった。その上、供給量も限られていた。われわれが手に入れた文書は、必ずしも当てになるものではなかった。偽物の覚書、声明、書簡が山のようにあった。政治的動乱期にある国にはよくあることだ。そのころの噂では、首都が京都から大坂に移るらしかった。われわれはその計画を歓迎した。京都に外国公使館を設置するのは、とても不便だからである。京都

(7)　このころサトウは幕府派遣のイギリス留学生の処遇について協議。幕府は一八六九年二月の帰国を命じる。

(8)　サトウは四月二三日、二九日、三〇日に『国史略』第四巻の読書ノートをつける。後醍醐天皇の記事。

(9)　サトウは四月二三日に「越前、土佐、長門、薩摩、安芸、細川の建白」（太政官日誌第三号）、同日「田中土佐らの嘆願書」（中外新聞第一〇号）、四月下旬「五ケ条の誓文」（太政官日誌第五号）、同「高札」（太政官日誌第六号）、同「中根雪江の建白」（太政官日誌第八号）、同「井上石見建言一通」（太政官日誌第一〇号）、同「三月二十五日」（太政官日誌第八号）、同「京都御觸書」（中外新聞第一一号）、五月五日「仙台侯の建白書」（中外新聞第一三号）を英訳。

は奥まった場所にあり、日用品の供給地からは離れており、冬の底冷えする寒さ、夏の焼けつくような暑さが前提にあるのだ。海に近い大坂でさえ、七月、八月の気候はわれわれには全く耐え難かった。誰もが知るように、結局、江戸が政治の中心地となり、町の名前も東京と改称された」。

［この時期、半分江戸にいて情報収集に務め、半分横浜で文書を翻訳し報告書を作成していた(10)。パンや牛肉は江戸では手に入らなかった(11)。私にはヨーロッパ風の台所を整える余裕はなかった。そこで、わが家の近くの評判の良い日本料理の店から食事を出前してもらっていたものだ。そうこうしているうちに、まるで昔から食べつけていたかのように、日本料理が大好きになってきた」。

［一八六七年一一月末という早い時期に、サー・ハリーはスタンレー卿(12)にミカドに奉呈する信任状の送付を要請していた。時を移すことなく、信任状は郵送され、一八六八年三月末にはサー・ハリーの手元に届いていた。ところが、五月中旬まで横浜は平穏な状況ではなかったので、同地を離れる余裕がなかったのである。そのころまでには、シドニー・ロコックとその家族が帰国してしまい、後任としてフランシス・オティウェル・アダムズが着任した」。五月一五日、われわれ、サー・ハリー、アダムズ、年長の通訳見習のJ・J・クイン、そして私は、提督の快速船セラミス号で横浜を出発した(13)。翌日（一六日）午後、われわれは大島港(14)に碇を下ろした。そこはその名を冠した大島と紀伊地方の最南端地点(15)の間にあった。陸地の細長い場所には小さな村があり、とても汚く、悪臭を放つ、迷路のような場所だった。きれいに樹木がはえた小山に囲まれてはいたが。われわれが村を歩いてみると、驚いて雉が飛び立った。夕刻になって、錨を上げ(16)、翌朝（一七日）の九時に兵庫に到着した。イギリス軍艦のオーシャン号とゼブラ号がすでに同港に入港していた。紀伊水道に向かう途中で、サー・ハリー・ケッペル提督の旗艦のイギリス軍艦ロドニー号の近くを通過した。これらの艦船は大坂沖に集合するところだった。日本の正当な主権者にヨーロッパの国の主権者からの最初の書状、すなわち信任状の奉呈式に「花」（フランス語）を添えるためである。

われわれは正午ころ大坂の砂州に到着した。アダムズ、クイン、それに私は荷物を持って上陸した。(17) チーフは一八日になるまで上陸しなかった。［その日、チーフのために砲台から祝砲が放たれた。それからは、イギリス公使の信任状の奉呈とか、公使館員や大勢の海軍士官の謁見など諸々の手配に忙殺された。(18)(19) われわれは副領事館を宿舎にしたが、砂州の沖合に停泊している艦隊との連絡を取りやすくするためであった。(20) 二二日が奉呈式と決まった。そこで、信任状を日本語に翻訳し、出席する士官の人数を決定しなければならなかった。私も出席せねばならず、大いに頭痛の種になった。それというのも、私は外交官の制服を持っていなかったからだ。チーフは私に前を紐ボタンで留めた青いサージの同僚のジャケットと、両サイドに金色のレースがついた古いズボンを貸してくれた。しかし、私はそれらを押し入れにしまって、地味な夜会服を着て宮中に出かけた］。サー・ハリーが上陸すると間もなく、後藤と伊達が訪ねてきた。後藤は

(10)　サトウは一八六八年五月五日付『中外新聞』第一三号に次の記事を掲載。「英人サトウ曰、新聞紙は成る丈事実をよく糺して実説を載する様にすべし。其故は天下の人民に信用せらるる物なれば其関係小ならざるを以てなり。大久保氏の建白、会津藩の嘆願書など出したる最も佳なり。吾既に英文に訳して新聞局（Japan Herald 紙）に贈れり。是れ日本の事情を外国人にも広く知らしめんが為なり」と。

(11)　高輪・車町の万清。本書上巻第一七章二二八頁、下巻第二三章二頁参照。

(12)　イギリス外務大臣。

(13)　以上、日記五月一五日。

(14)　串本か。

(15)　潮岬。

(16)　以上、日記五月一六日。

(17)　以上、日記五月一七日。

(18)　『伊達宗城公御日記』には五月一八日に公使館にてパークス、サトウ、伊達宗城、大隈が面談したことを記述。キリスト教徒の問題を論ず。

(19)　五月一九日、サトウは木戸孝允と昨日と同じ件をイギリス公使館で議論。翌日、サトウはミットフォードと木戸を訪ねる。

(20)　サトウは一八六八年五月一八日と一九日に『国史略』の読書ノートをつける。後醍醐天皇、後村上天皇の記事。一九日で『国史略』の読書ノートは中断。一八七一年二月から再開。

あの三月二三日に京都でわれわれを守って奮戦してくれた二人のサムライの一人だった。サー・ハリーは伊達を相手に、最近発布されたキリスト教に関する布告について議論した。それは昔の禁令を復活させたものだったが、その条件はいくぶん緩やかになっていた。伊達はその言葉尻には不快なところがあることを認めた。大坂や兵庫の制札には不愉快な言葉を出さないと言った。彼はその表現を変えようと努力した。翻訳すると、「邪悪な」とか「ひどく有害な」とかの表現である。(21)しかし、キリスト教の禁制条項を削除することは全く不可能だろうと語った。サー・ハリーは宗教に対する寛容は文明の証であると反論し、われわれに向かって声をひそめて、女王陛下の奉呈状こそ、それを説明すべき絶好の機会であると言った。その後、私は中井とこの問題について長く話し合い、法令では特にはキリスト教と名指しはせず、単に「ひどく有害な宗派」の禁制、という一般的なものとすべきであると提案した。日本政府がこの法令を完全に廃止する意思がないことは明らかである。なぜなら、これは長崎のローマン・カソリック宣教師に行動の自由を認めることになるからである。宣教師はすでにキリスト教に改宗する積極的態度が嫌われているのである。けれども、サー・ハリーは翌日に三条、伊達、木戸と会うことになり、できれば、この問題を解決しようと思ったのである。しかし、中井が私に警告したのは、これは政府の首脳でさえ確実に約束できることではないということだった。彼の言葉では、政府の首脳でさえも絶対的ではないのだ。(22)(23)［そこで、一九日に、西本願寺(24)で協議が行われた。その席には外国事務局督の山階宮も出席された。その他、すでに言及した人々や、それ以外の数人も列席した。キリスト教に対する敵意が今なお激しく、庶民の考えからすると、魔法か妖術に結び付いているものだ、という理由から、日本側は禁制を擁護した。これが事実であることは私も知っている。かつて私はある日本人から「切支丹」の教義を教えてくれとせがまれたことがある。この日本人は、切支丹に帰依すれば、自分が家を不在にしている時に妻が何をしているか分かるようになるのだと頭から信じていた。しかし、日本側もキリスト教を「邪宗門」と書いたことの誤りは認めてくれた。そして、この言葉を改めることを申し出た。このことを何も公表しなかったということは、宗教的寛容と同等であること、つまり日本人の言い方では「黙認」したことになるのである。それだからこそ、日本側は何もしないのである。二四日に、サー・ハリーはこの課題について前回の閣僚と議論を繰り返したが、今度はこれに岩倉が加わった。肥前の若きサムライの大隈八太郎(25)には、以前には会ったことがないと思うが、自分は聖書や「草原本《プレーアリ・ブック》」(26)を読んでいるから、この件についてすべて知っていると、われわれに大見栄を切ったのも、多分この時である。彼は長崎のアメリカ人宣教師ヴァーベック博士(27)の弟子だったようだ。サー・ハリーはこの一件の急送文書の写しと日本語訳を彼らに渡した。その文書はスタンレー卿(28)からのものであった。他の外国の外交官も同じやり方を行ったが、こうした共同抗議もあまり成果をもたらさなかった。処分はひるまず実施された。主に長崎に近い浦上村から老若男女四千人をほかの地方に追放する処分であった」。

［イギリス公使の信任状の奉呈式は二二日に行われた。ケッペル提督はこの朝上陸した。旗艦のヘニージ艦長、オーシャン号のスタンホープ艦長、砲艦指揮官のポーラッド中佐とカー少佐、サラミス号のピュージー指揮官、その秘書のウイリアム・リスク、司令官付き副官ガーニアーを従えていた。彼らは副領事館でわれわれと落ち合った。イギリス公使館の一行はチーフ、アダムズ、ミットフォード、私であった。ミットフォードは二等書記官に任命されたばかりであった(29)。われわれの行列は、イギリス軍艦ロドニー号

(21)　邪宗門。
(22)　以上、日記五月一八日。
(23)　サトウは五月一九日から七月二八日まで日記をつけていない。
(24)　東本願寺。
(25)　のち重信。
(26)　「祈祷書《プレイヤーブック》」を誤って発音したのをからかっている。
(27)　通称、フルベッキ。
(28)　イギリス外務大臣。
(29)　三月七日任命。

の海兵隊員一〇〇人、同オーシャン号から同数の海兵隊員、われわれが手足を十分伸ばせる一二台のかご、徒歩の公使館警護兵四人、われわれの前後を守る二隊の日本兵であった。われわれは時間通り午後一時に謁見式が行われる西本願寺(30)に到着した。ミカドが大坂に現れたわけは、江戸の謀叛者の徳川の首長を討伐するために京都を出発した征討軍の総帥の地位にあったからだ。それゆえ、ミカドは仏教寺院のような宿泊施設で寝起きをすることを余儀なくされたのだ。仏教寺院はミカドの地位には全くふさわしいものではなかった。われわれは控えの間に案内された。そこは謁見の間の一部を屏風で仕切っただけのものであった。中央には金の布のカバーを掛けたテーブルが置かれている。これがその場所で唯一豪華なものと言えた。その片側にわれわれは着席した。向かい側に外交事務の日本側の閣僚が座った。お茶と木製のお盆に盛られた砂糖菓子で元気が回復した。三〇分ほど待っていると、外交事務の長官が部屋に現れ、こうした場合につきものの丁重な挨拶が述べられた。また数分たつと、すべての用意が整ったとの知らせがあり、第二、第三の高官がわれわれを先導して、玉座の間に案内した。これはかなりの大きな広間だった。両側には天井を支える木の柱が列をなして並んでいた。一番奥の高座にはミカドが座っている。黒く漆が塗られた柱で支えられた天蓋の下には、すだれが目一杯高い所まで巻きあげられていた。われわれは二列になって広間の中央に進んだ。右側の列は、提督を先頭にして海軍の士官たち、左側の列には公使を先頭に公使館員たちだった。全員三回お辞儀をした。最初は広間の中央に進んだ時、二回目は高座の下で、三回目は高座に上ってからであった。その高座には、われわれ全員がゆったり並べるだけの広さがあった。われわれが頭を下げ始めると、ミカドは天蓋の下で起立をした。外国事務局督と他の高官が玉座の両側でひざまずいた」。

「玉座の左右には、小型の木製の獅子像が据えられていた。これはすこぶる古びたもので、日本国民に大いに慕われている。玉座の後方には、大勢の朝廷の役人が二列に並んでいた。彼らは小さな黒い帽子をかぶり、色とりどりの豪華な錦の礼服を着ていた。ミカドが起立をしたので、目の部分を含めて顔の上部が隠れて見えなくなったが、動くたびに顔全体が見えた。〈ミカドの顔色は白かったが、たぶんわざとそうしているのだろう。口の格好は良くない。医者が言うには、あごが突き出ているからだろう。しかし、顔の輪郭は良かった。眉毛は剃ってあった。その一インチ上に描き眉をしていた〉[31]。衣装は、後に垂れた長い黒のゆったりとした肩衣に、マントのような白の上着、それにたっぷりとした長ズボンであった。式はつぎのような進行で行われた。公使はミカドの右側の前方に立ち、公使の後ろに公使館員が先任順位で控え、左側に提督とその専属士官、さらにその他の官軍士官が続いていた。サー・ハリーは挨拶の言葉を述べたが、それは暗記したものだった。挨拶を受けるミカドと顔をつき合わせているので、いかにも滑稽だった。それから、今回、通訳の役割を免除されている伊藤が、その日本語の翻訳文を読み上げ[32]、われわれは全員頭を下げていた。〈サー・ハリーは前に進み出て、イギリス女王の信任状[33]をミカドに手渡した。ミカドは明らかにはにかんで、おどおどしている風であった。山階宮の助けを借りなければならなかった。山階宮の役目はミカドから信任状を受け取ることだった。その後、陛下は勅語の言葉を忘れ、左に控えていた者から一言聞いて、どうやらこうやら最初の一節を口に出すことが出来たのである。とっさに伊藤がすでに用意してあった英語の翻訳文を読み上げたのであった〉[34]。それから、サー・ハリーはミカドにわれわれを順番に紹介し、次に提督を紹介した。その提督は部下たちを謁見させた。ミカドは、提督指揮下の

(30) 東本願寺大坂別院。
(31) 『維新日本外交秘録』削除部分。
(32) 「今日謹テ参朝セシハ先般貴国政府変革有シコトヲ聞知シ、我皇帝ヨリ早速書翰ヲ呈シ、日本天皇陛下之幸福高寿ヲ祈リ且両国人民為ニ親睦交誼永久ナランコトヲ希望スルニ依テナリ。天皇陛下其心意ヲ諒察シ給ヒ、外国ノ交誼益懇信ナランコトヲ奉願也」。
(33) サトウ、日本語文をつける。『明治天皇紀第一』、六八七頁参照。
(34) 『維新日本外交秘録』削除部分。

艦隊の無事を祈ると述べられた。謁見が終わると、われわれは控室に戻って行った。部屋を出る時にお辞儀をした。すべてが粗相なく済んだので、互いに祝福し合った。夕方、伊達の所へ行って食事を共にした。伊達はヨーロッパの流儀に近いやり方で料理したごちそうをふるまってくれた[35]。翌日（二三日）、祝砲を放って、イギリス女王の誕生日の前祝をした。日本人貴族が大勢ロドニー号の艦上にやって来て、提督と昼食を共にした。山階宮がイギリス女王の健康を祝って乾杯することを提案し、すべての出席者が心からこれに応じた。来賓の大部分は知識のある人たちだったので、その振る舞いも見事だった。ただし、長州藩主は、私を隣の席に座らせようとして聞かず、大きな赤子のような振る舞いで、シャンペンの程度をわきまえず飲み干していた。ところで、日本の諸侯たちが低能なのは、そういう結果になるよう教育されてきたのだから、彼らを責めることはできないのだ。ミカドの母方の叔父の息子はヨーロッパの猫を見たいと言い、また、もう一人の大官は黒人を見たいと言い出し、彼らの無理難題を叶えてやるのに本当に苦労した。外国事務局督[36]はもちろん祝砲を撃つべき人だが、できるだけ火薬を使わないでほしいと言った。その爆音で耳を傷めるといけないと言うのである。最大の呼び物は、ロドニー号の軍楽隊であった。軍楽隊は提督の来賓を喜ばせるために、たくさん賑やかな音楽を演奏した。また、オーシャン号の楽団指揮者は行進曲と日本人がよく知っている祝歌を演奏して大喝采を博した。これらの曲はミカドに捧げたものであった。会議が翌日（二四日）（日曜日にもかかわらず）開かれた。いろいろな議題があったが、とりわけキリスト教問題が議論され、延々六時間にも及んだ。私にとっては、英語から日本語へ、はたまた日本語から英語へ通訳し続ける六時間であったのだ[37]。そのため、二五日が来たことで、私はいささか救われたような気がした。この日にセラミス号に乗船して、横浜に帰ることになったからだ[38]。ミカドは二八日に大坂を出発し、京都へ戻られた。前大君が降伏したので、そうした方が正しいと判断されたのである」。

（35）『伊達宗城公御日記』には「第七字（時）過英公使とアトミラル船将三人ミットホルトサトウ来至酒宴皆々大悦四時《よつどき》（午後一〇時）過帰る」とある。

（36）山階宮。

（37）『伊達宗城公御日記』には「長崎浦上之切支丹宗門の者寛大ニ処置有之度趣本国政府より懇信の場ヲ以申越候書面サトウ読訳ス」とある。

（38）「もしほ草」によれば、パークスとサトウは五月二五日に大坂を出帆し、五月二七日に横浜に帰着した。

第三二章　いろいろな事件——水戸の政争

［アダムズと私は横浜の一等書記官の家で一緒に生活を始めた。ただし、江戸で借りていた日本式の屋敷をそのまま維持していた。多くの日々をその屋敷で暮らし、世の中の成り行きを見守っていた。時々横浜に戻って、チーフに報告し、手紙でも報告していた。そのころ京都で出版されていた公報(1)や江戸で刊行が始まったばかりの民間新聞(2)の翻訳をするので、とても忙しかった。それらの記事の中で、私が最も興味を持ったものは、四月二七日に慶喜が受け入れた条件と、これに対して慶喜が五月三日に水戸に隠居すること、亀之助（田安）を徳川家の当主にすることを受け入れた記事であった(3)。江戸城は官軍が接収し、薩摩、長州などの諸藩の軍隊が市中をわがもの顔に動き回っていた(4)。六月二三日に、私はアダムズと一緒に江戸で三日間滞在した(5)。江戸の新聞に面白い記事を見つけた。その記事はおそらく作り話だろう。その一つは、知恩院の家来が書いたものである。知恩院は三月にイギリス公使館員が一時的に宿泊した場所である。その家来は、外国人の追放はたぶん実現できないであろうが、外国人を黙らせて、ずっと服従させるために、陸軍の編成を入念に着手せよ、というものであった。その男はミカドが外国の外交代表に謁見を許すことに不賛成を唱えた(6)。もう一つの新聞には、長州の「非正規軍(7)」の意見を代表するものとして、謁見を許すことに抗議文が載っていた。外国人にそのような友好的態度を取っていると、「外国人を追放する」時節が到来した時に、ミカドに国民が奉仕しようと気持ちを妨げることになるからである(8)。私がこうした記事のことを友人の勝に話すと、答えはこうであった。五月の末ころ廷臣（公卿）と地方貴族（大名）

の会議が開かれ、公卿は今こそ外国人を追放する絶好の機会がやって来たとの意見を述べた。外国人が長崎でキリスト教を広めようとしていることこそ、追放の正当な理由となるだろうとも言っていた。これに対して大名は沈黙し、ミカドに御意を伺ったところ、公卿の提案に意を留めなかった。勝の言ったことは、正確な情報ではなかった。ただし、五月一四日に大坂の本願寺[9]で、ミカドを支持する政府要人と大名が陛下の御前に呼びつけられたのは、事実だった。長崎に近い浦上村でキリスト教が盛んになっていることも全員に知らされた。ミカドはこの出来事について最善の方策を行うための見解を一同に求めた。一同の返答が政府の機関紙に載ったことは当然であった。伊達はミットフォードにこの一件のさわりを語り、この会議の目的が攘夷政策に訴えるかどうかを議論することではないと論じた。われわれが正確な事実を得るのは難しかった[10]。おそらく勝や伊達のような地位にある日本人でさえ、同じような難しさを体験したのであろう。さりながら、こうした記録が公になったとは私は考えていない。このことの中にはなかったことにしたほうが良いような性格のものだった、とするのも尤《もっと》もなことだった。わずか六歳の年端のゆかない少年の亀之助[11]の正式な叙任が六月一九日に行われた。徳川家の主要人物が、翌日、彼の許を訪れ、祝い

(1) 太政官日誌。
(2) 中外新聞、江湖新聞など。
(3) 「四月一九日江戸ヨリ報告ノ件々」(『太政官日誌』第一一号)、サトウ Japan Herald 紙一八六八年五月三〇日号に英訳か。
(4) 六月一二日、同月二三日、サトウは東久世と面談。
(5) アダムズ『日本の歴史』によれば、イギリス軍艦スナップ号で江戸到着。ワーグマンも同行。六月二五日、東久世が「西村八郎取調処置違之旨」をサトウに書く。サトウは六月二七日に江戸訪問の覚書をパークスに提出。
(6) サトウ英訳「成宮家の重臣某の建白書」(『内外新聞外篇』巻之十、一八六八年六月四日号)。
(7) 奇兵隊か。
(8) サトウ英訳「三月某日長州騎兵隊建白三か条」(『内外新報』第二三号、一八六八年六月一五日付)。
(9) 東本願寺大坂別院か。

の言葉を述べた。徳川家に残される領地と場所の範囲は、まだ決定されていなかった。勝が私に語ったところでは、三条[12]は一三日に江戸に到着しているが、南方や西方からの増援部隊が到着するまでは、これらの点に関する決定を公表しないのだそうだ。勝はまた少なくとも彼が了解する、大君政府のこれまでの収入の統計資料を見せてくれた。ミカド政府がその収入を没収して収益を引き出そうとしても全く不可能であった。ミカド政府は資金不足のため崩壊の危機にあったのだ。東久世[13]はそのころ江戸にいたが、私に述べたのは、ミカドに反抗して武器を持って戦っている一部の藩が完全に服従をするまでは、徳川家のあたえられる収入は決定しない、ということだった[14]。戦いは、越後の新潟周辺や会津近傍で激しく続けられていた。私自身は六月二五日にかなりの数の南方軍隊が江戸に入ってくるのを見かけた。これは徳川方の期待、つまり官軍が弱体化しているとか、西国諸藩、とくに肥後藩が実際の支援とまではいかなくとも、徳川方に同情しているとかいうことと、実際には矛盾することだった」。

［六月二三日、ついにロッシュ氏が横浜を去った。その後任はウートレー氏だった。ロッシュ氏は帰国の途上で大坂と長崎に立ち寄るつもりだった。ロッシュ氏の政策は、ミカドに対抗して将軍を支援するという観点では、完全に失敗だったと証明された。とはいえ、横須賀の造船所の工事にフランス人技術者を派遣し、フランス軍事顧問団を招聘したことは確かに成功だった。この事業は新政府が成立した数年後も続いていたのである[15][16]」。

［野口には兄[17]と弟[18]がいた。弟は慶喜が水戸に隠退した後、上野の霊廟にはせ参じ、徳川方に加わった[19]。その時から、彼らはそこに夜な夜な出没して、時々官軍兵士を暗殺した。ついには、官軍は彼らの本拠地を襲撃することを決め、七月四日の早朝、戦いが始まった。その戦いで、外濠と上野の大門[20]との間の相当広い市街が焼失し、上野山内の中央にある大寺院[21]の建物も灰燼に帰した。代々の将軍の墓所は被害を受けなかった。輪王寺宮は門跡の資格でそこの寺院に住んでいた親王なので、徳川方の抵抗派は彼をミカドの

位に就けようと考えていたが、その日の終わりころに生存者によって、その地を去った。戦いが始まったのは朝の午前八時で、夕方の午後五時には終わった。この事件の間中、私はずっと横浜にいた[22][23]。私が最後に江戸を訪れたのは六月末だった。その月の初め、ウイリスと私は数日間一緒に江戸にいた。その数日間、

(10)　このころサトウは『崎陽茶話　邪教始末』を英訳し、六月一二日に完成させている。原本の表題に「慶応四年戊辰五月」とあり、刊行直後に入手したらしい。六月一二日の『伊達宗城公御日記』には、サトウの書簡を引用し「会（会津藩主）モ伏罪寺院ニ謹慎伏水の役（鳥羽伏見の戦い）首長之者処厳科候よし」とある。Japan Herald 紙第三〇号を翻訳した中外新聞巻十六に次の記事がある。「此程夜間窃に兵器を上陸し又船積する者有之候由、以後右様のもの有之候へば、條約面に従ひ厳重に召捕可申、日本役人より申越し候」。この役人（東久世中将・肥前侍従）の達書（一八六八年六月一二日付）をサトウが英訳。

(11)　田安家徳川慶頼の子、家達。

(12)　関東監察使兼輔相。

(13)　神奈川裁判所総督。

(14)　六月二〇日、「筑前守御渡御書付」（『日々新聞』第五輯）と「陸軍編制」（『太政官日誌』第一六号）をサトウは英訳。六月二三日、サトウは Japan Herald 紙に東久世中将「日本役人より達書」（『中外新聞』外篇巻之十六）を英訳。英語原文なし。

(15)　サトウは六月二九日に「横濱在留外国人より柳河氏へ贈れる書簡」（『中外新聞』第三四号）を発表。「此節閑暇に有之、日本語學専ら相心掛け居候間、幸に中外新聞を抜き讀習ひ候へば、日本文章と方今の時勢とを同時に了解いたし候故、殊之外重宝に御座候」と。

(16)　The Japan Punch 誌一八六八年六月号は「イギリスの対日外交の中心人物　江戸に出かけ　江戸から帰る」という諷刺画を掲載。サトウと想定される。横浜から船で江戸に向かい、帰路の船には中外新聞や江湖新聞が積み込む。

(17)　成元。

(18)　留三郎。

(19)　留三郎は彰義隊に加わり上野で戦死。

(20)　黒門か。

(21)　寛永寺。

(22)　サトウは七月初めごろから、二日、五日、七日～一〇日、一三日、一八日、二三日、二四日、二七日に中国の白話小説『好逑伝』の読書ノートをつけはじめる。『好逑伝』は、鉄中玉と水泳心との義侠とロマンスをメインテーマとし、一八世紀以前の康熙年間の成立とされる。

彼は薩摩のみならず土佐、長州、備前といった他の藩の負傷者の手当をした。備前藩士は東禅寺に駐屯していたが、そこは以前イギリス公使館があった寺院である。ウイリスは報告書を書き、備前藩士が自分を丁重に受け入れ手厚く処遇してくれたことを報じている。これは彼らが外国人に対して全く敵意を持たず、滝善三郎の刑死も去る二月の神戸での外国人襲撃事件の当然の報いだと考えている証拠であった。これらの負傷者の状況は嘆かわしいものだった。当時の日本には経験豊かな外科医がおらず、射撃の傷の手当てもかなり素人臭いものだった。刀傷を受けた者はごくまれだった。その後、何人かさらに急を要する患者は、ウイリスの見立てで、横浜に送られた(24)(25)。七月末ころには、陸軍病院にあてられた建物には一七六人の患者がいた。前政権の時代には、その建物は漢学を教えていた学校であった。患者の三分の二は薩摩藩士で、長州と土佐の兵士は合わせて四分の一だった。そのうちの四〇人は最近の上野の戦いで負傷した。他は江戸北方の会津への遠征で傷を受けた者たちだった。ウイリスの骨折りはとても有難がられた。一〇月には、越後で戦っている軍隊にもう一度手を貸してくれないかとイギリス公使に依頼があった。この交渉は以下の事情で容易に進んだ。ウイリスは現在江戸の副領事になっていたが、外国人のための江戸の開港開市が遅れたため、その地位にまだ就任できていなかったからだ。ウイリスの横浜での仕事はJ・B・シッドルに交代した。シッドルは一月初めに公使館の医官に任命されていた(26)」。

七月二九日に私はアダムズと江戸に出て、四日間に大隈、勝、小松を訪ねた(27)。［これらの重要人物との会談の結果については、私のチーフに報告したに間違いないが(28)、私の手元には、その記録は残っていない。それ以外の、キリスト教排斥の小冊子(29)や、各種の政治文書を日本語から英訳したものがたくさんあった(30)(31)(32)」。八月一七日には、私は単身で再び江戸に出かけた(33)。翌日（一八日）、大隈を訪ねたが(34)、病床にあり、体調もよろしくない。彼から聞いた話では、一三日に日光の近くの今市で戦闘が始まった。官軍が勝利を得て、さらに七五マイル先の会津に進軍中である。八日に越後を出発した使者が報告したところによれば、新潟はまだ会津藩士の手中にある。官軍が長岡を占領した後も、なお戦闘は続いており、両軍とも損害は大きい。官軍は地歩を固めて、さらなる増援を期待している。援軍が来ると同時に、白河と秋田からの支援部隊が来れば、会津の拠点である会津若松まで進軍することが可能である。肥前藩主は大隈自身の支配者で

(23) 七月七日、サトウはJapan Herald紙第三三二号に「日本魂の論」を投稿。翻訳が七月一三日付中外新聞第四〇号に転載。英語原文はなし。九日、横浜外国人居留地のイギリス海軍病院と隣地のプロシア商人ガウラルトとの土地争いを調整するため、サトウは井関斎右エ門に書簡を認める。同日、別手組交代と公使館付帯刀人の市中往来の件でもサトウは同人に書簡を送る。

(24) 七月六日の『伊達宗城公御日記』には、サトウ書簡を引き「勝安房より知恩宮家来建白と申内に於京都公家大名を被集評議の処公家外国人ヲ本国へ帰スがよきと申者多く又参内抔不宜と云出候処諸侯ハ帰スニ不及参内も可然と申候よし」とある。

(25) 七月一一日にサトウは東久世と面談。「外国人為取締番所取立番兵之事」を論ず。同月一七日にも東久世と「海軍病院地処」の件で面談か。

(26) 七月、サトウ「越後表ヨリ報知賊徒書類」、「会津嘆願書」、「仙米両藩恭嘆願書」、「右報知ニ付仙米両藩幷奥羽北越諸藩へ御達写」(『太政官日誌』第二三号)を英訳。七月二〇日、横浜の新道修繕の件でサトウは井関斎右衛門と寺島宗則に書簡を出す。

(27) 以上、日記七月二九日〜八月四日。

(28) サトウは八月四日に「七月三〇日、三一日の日記」をイギリス公使館に提出。

(29) サトウは八月七日に『護国新論』を英訳。慶応四年六月六日(一八六八年七月二五日)付『中外新聞』第四四号に『護国新論』の広告。原本刊行直後に英訳。

(30) 八月七日、サトウは東久世に面談し、明日イギリス公使館で「大坂居留地之事」で集会の旨を告げる。

(31) サトウは八月八日、「津田眞一郎眞道の建白書」(『中外新聞』第二七号)を英訳し、Japan Herald紙に発表。一八日、「三月九日辰刻太政官へ行幸」(『太政官日誌』第五号)を英訳し、Japan Heraldに発表。中旬、『外蕃通書』第二七冊(「伊祇利須呈書」など)を英訳。

(32) サトウは八月四日、一一日、一四日、一五日に『好逑伝』の読書ノートをつける。

(33) 以上、日記八月一七日。

(34) 当時、彼は新橋の茶屋の信楽に滞在。

あるが、今市がある下野まで進軍した自藩の部隊から、藩主が自ら敵と対峙するよう求められたが、彼の顧問官（家老）に出陣を思いとどまらされた。［この年に初頭から、さまざまな法令が制定され、それが次々に発布された。そのころ、私は六月付発行の法令集の最新版を翻訳中だった。[35]それにはアメリカの政治理論の影響が示されていた。大隈と彼と同じ藩の副島はフルベッキ博士の弟子であることは少しも疑わないが、それらの法令制定に相当な役割を果たしていた。「太政官（すなわち政府）の権力と権限は立法、行政、司法の三つの要素からなる」ということがある条文に書いてある。ほかの条文には「すべての官吏は四年の任期をもって交代する。官吏は投票により、票の多数によって任命される。政府官吏の第一期の任期がきたら、現在の官吏の半数は二年の任期を伸ばし、公務に支障がないようにする」と規定されている。この規定によって、「猟官運動」が繰り返されるように思えた。大隈の説明によれば」、「行政」はアメリカ合衆国の憲法のいう「大統領とその相談役から構成する」行政部門を見本としている。［だが、神道宗教[37]、会計、軍務、外務の各省が首位にあることは事実だった。言うまでもなく、この政府文書[38]は、伊藤が考案した一八八九年の現憲法[39]のはるか前にとって替えられたのである」。その後、勝のところに行った。彼が言うには、駿府（今は静岡と呼ばれている）は二日前に正式に徳川家に引き渡されたが、［事実関係を言うと、この土地は以前から徳川家の領地の一部だったのだ］。彼は棚から覚書を出して見せてくれた。その覚書は数年前に彼が諸藩の有能人材の名前を書き留めておいたものだ。その大半の人物はすでに亡くなっていた。薩摩と長州の人々が最多数である。［徳川家の人々はとても少なかった。薩摩、長州、土佐の旧友は生存者の部類に入っていた］。私が勝の家にいた時[40]、妻木中務[41]が訪ねてきた。彼は二か月前に私にご馳走してくれた。その妻木は数日前に水戸から戻ってきたが、慶喜を水戸に連れて行ったのだ。慶喜は水戸で和歌を詠んで有閑の時を過ごしている。政府の官職にお声掛かりのあることなど期待していない。［もし慶喜が本当にそんなことを心に抱いたとしたら、これは全く彼自身にとって恥ずべきことだ。慶喜は勝に心のこもった言葉を寄せてきたが、これを妻木は私の前で伝えるのをはばかっているように見えた。しかし、その言葉とは、血気にはやる徳川の若侍におどされていると聞いた、勝の身の安全を気遣う忠告に過ぎなかったのだ。彼は五〇〇人の水戸藩士が会津に加わるために出奔したと言った。勝と妻木の話し合いの結論は、現在の政治状況には何ら憂慮すべきことはないということで一致した。徳川家の人々は、亀之助の下で、勝が役職に就くことを望んでいた。しかし、勝にはその気はなかった」。私は勝にイギリスに関する悪感情を一般の日本人から聞いたことがあるかを尋ねた。彼の答えは、それはすでに過去のことであり、サー・ハリーが将軍の閣老に長州征伐の中止を勧告して以来のことだ、と語った。この悪感情はロッシュによって助長されたことは間違いない。[ロッシュは老中たちに、イギリス政府に海軍の教官を借用しないと、イギリスは大名側を援助するだろうと告げたのである。そのために、幕府はイギリスの友好的申し出に信義を欠くことになり、開陽丸を回航する際にわざわざオランダ人を雇うことになったのである。この開陽丸は長崎のグラバー商会が肥後藩主の注文によりイギリスで建造された軍艦である。この軍艦は後にミカドの支持者の所有となった」。私が小松と中井から聞いた話では、官軍は開陽丸で八月五日か六日あたりに平潟[42]に上陸し、同地で仙台藩士と徳川の浪人の混成軍を打ち破ったという。このことは、妻木の話で裏が取れた[43][44]。一九日に日本橋まで歩いて行った。[日本橋は江戸の中心にあり、諸街道の里程測定の起点である」。そこから居留地に建てられた巨大なホテル[45]に行った。[この築地ホテル館は徳川

(35)　一八六八年。
(36)　さしあたり、サトウは六月に「官員録」（太政官日誌第二一号）を英訳。
(37)　神祇。
(38)　官制。
(39)　大日本帝国憲法。
(40)　江戸・赤坂田町か。
(41)　旧幕府大目付。
(42)　会津との国境の常陸の港。茨城県北茨城市。
(43)　以上、日記八月一八日。

政府が監督して建てられた外国人の宿泊を目的としたものである。このあたりの商業地区はとても賑わっており」、街路は混雑していたが、とくに官軍のサムライたちが跋扈《ばっこ》していた(46)。「しかし、城下の大名屋敷の周辺は死んだ町のようで活気がない」。二〇日、前外国奉行の川勝近江(47)の訪問を受けた。彼の話では、駿府の城はほとんど廃墟同然で、徳川の家臣たちを受け入れる家屋は全くない。彼はミカドの家来（朝臣）になりたがっていた。彼の家系はもともと徳川家に仕えていたわけではなく、徳川家よりもっと古い家柄であった。彼としては教育関係の長官になれれば満足だった。前の横浜奉行(48)をしていた水野若狭（良之）と、もう一人の徳川の家臣の杉浦武三郎は官軍政府に雇われ、江戸の外国人居留地に関する一切の仕事を処理することになる、とのことだった。慶喜の弟で今なおフランスにいる民部大輔は水戸前藩主の跡目を継ぐことになり、帰国することになった。水戸前藩主は慶喜がちょうど隠居生活に入ろうとした時に他界した。約一三〇人の旗本は二月に京都に上り、ミカドに服従したことで、自分の土地を維持することを保証された。川勝はこうしたやり方をしなかったため、すべてを失ってしまったことを後悔している。徳川家は七〇万石の領地を保持することになった。これで相当の多数の家臣を養っていくことができようが、以前より御家人として徳川家に仕えていた三万人は全部残すわけにはいかないだろう(49)。「私の日本人の護衛は、数年前に外国公使館の警護と護衛のために編成された別手組であった。この別手組のうち三〇〇人は従来の目的のために一団として維持されることになったが、みなミカドの臣下になりたかった」。

二一日、小松と中井が私を訪ねてきた。彼らが語るところでは、軍隊は平潟を経て奥州の棚倉に送られ完全な勝利を得たが、さらに早急に増援がされるだろう。事実、われわれがこうして話をしているうちにも、五〇〇人の薩摩兵がわが家(50)のそばを通って海岸通りの街道(51)を行進して行った。北方に船で行くためである。木戸は江戸の事件を報告するために京都に向かったが、間もなく帰ってくるはずだ。ミカドを江戸に移動させるために、きわめて保守的な廷臣たちを説得するには、強い圧力をかけることが必要だと、彼らは考えていた。その日の午後、また大隈を訪ねたが、まだ体調が思わしくない。[彼は、ふつうの肥前藩士のようには、打ち解けて話すことは好まなかった]。彼のところから、私は中井の家へまわった。中井は私に公文書の草稿を見せてくれた。その草稿は後藤が前年一〇月に前政府を倒すためのものであった。それはこれまで公表されたものとはやや異なり、フランス人とイギリス人の語学教師を招き、イギリスから軍事教官を招聘し、大君を廃止し、徳川家を他の藩と同格に引き下げる、という内容だった。疑惑が生まれるのを避けるため再考の結果、全文削除することになった。[その疑惑とは、後藤と彼の政治的協力者が外国人をえこひいきするとか、譜代や旗本の敵意を引き起こすといったことであった]。中井は東久世から三条への手紙の下書きを持って来た。これには、官軍に対する会津の抵抗力が強まっている諸原因として、外国船が新潟に碇を下ろして、武器と弾薬を反乱軍に供給していると書いてあった。また、東久世はこの情報を外国代表に伝えたところ、彼らは武器や弾薬の供給は停止させると答えた、と書いてあった。それは誤りに違いない、と私は中井に指摘した。公使たちは局外中立を宣言しただけで、実施については無関係である。もし日本の役人がこの武器と弾薬の取引を止めさせたいのなら、外国代表に新潟港の閉鎖を通告し、軍艦を港内に碇泊させて、陸上との連絡を遮断すればよい、と語った。[このことは、中井にとって、かなりなじみの薄い考えに思えたに違いない。しかし、国際法は当時の日本には全く目新し

(44)　サトウはパークスに八月一八日、二〇日、二三日、二四日、二六日に政治情勢に関する報告書を送る。高梨健吉訳『パークス伝』第六章に引用される。
(45)　築地ホテル館、一八六八年八月ごろ開業、一八七二年四月火災のため焼失。
(46)　以上、日記八月一九日。
(47)　川勝広道、近江守。
(48)　神奈川奉行か。
(49)　以上、日記八月二〇日。
(50)　高輪。
(51)　東海道。

い体験であった」。中井はまた長崎のキリスト教徒の処分について、小松が京都に出す予定の手紙の原稿を見せてくれた。それには最近サー・ハリーに吹き込まれた議論を用いて、もう少し軽い処分にしてはどうかと書いてあった。(52)(53)

翌日(二二日)、私はまた中井に会いに行った。彼と一緒に井上石見(54)という、とても愉快な薩摩の男に出会った。彼は蝦夷島の資源開発にすこぶる興味を持っていた。彼は蝦夷を日本の植民地とし、ゲルトナーというドイツ人の指導の下、ヨーロッパの農法を導入することを計画していた。(55)清水谷という二五歳くらいの若き公卿が箱館の知事になるはずで、自分は彼に英語を習わせようと思っている、と井上は言った。われわれは何も忖度することなく、各方面の指導的人物の人物評価を行った。私がそれとなく言ったのは、東久世の身分は良いが、ヨーロッパに使節として派遣するべき最上の代表ではないことだった。伊達や岩倉はたまた肥前の閑叟あたりが良いと考えた。井上は岩倉には暇がないと言った。井上の話で最も重要で興味ある提案は、ミカドを江戸に移動させ、そこを首都にすることだった。(56)これをしなければ、北方諸藩の反乱を鎮めることはできないからだ。その後、井上と小松の両名とともに川べりの料亭(57)で談笑したが、私が新潟封鎖を提案したところ、二人ともこれに賛成してくれた。(58)(59)

二三日、私は小松と中井と会食したが、これは大久保に会うためであった。[大久保は薩摩の政治家で、今年の初めに京都から大坂に遷都することを提案した。江戸を政府の中心地とし、地名を東京(東の都)に変えることの最終決定に、大久保の働きかけがあったことは、間違いない」。大久保はかなり口数の少ない性格だった。彼が唯一教えてくれた情報は、伊達が仙台に行き、伊達家とその分家の当主にあたる大名を説得して、会津への支援を止めさせることになっているということだった。小松は前政府が雇用したイギリス海軍の教官についていろいろ話したが、明らかに解雇を望んでいた。私は彼らを解雇するよう勧めた。なぜならば、内戦の時期にイギリスは中立宣言をして、こうした者たちの雇用の防止を表明しながら、なおその職に留めておくことを主張するのは正当ではないからである。(60)［小松が私に語ったのは、彼らの計画は権限を持っている士官はそのまま任務に就かせ、下士官や水兵はイギリスに送り返すというものだった］。

［これより二か月前のことだった。数人の肥後藩士が私を訪ねて来て、これから北方の津軽へ向かうと言った。彼らは封建制度以外のものは日本では不可能だと主張した。今になって知ったのは、肥後藩が密かに若松に使者を送って、会津藩と西南諸藩と和解を成立させようと努力したこと、これに対して会津藩は、事態はすべて手遅れで、問題を武力によって解決するしかないと答えたことを知った。その使者が私に会いに来ている人物と同じように私には思えた。その時の人々が心に抱いていた考えと似ていたからだ］。

［三月公布の官制と入れ替わった六月の政体書の翻訳(61)は、私にとって難儀な仕事だった。第二番目の部門(62)の最良の英語名を決めかねたからである。帝国院（Imperial Council）、枢密院（Privy Council）、内閣（Cabinet）に相当するものかもしれない。この部門の役人は二人の首相(63)（prime ministers）に所属する秘書官だけ

(52)　以上、日記八月二一日。
(53)　サトウは八月二一日に『好逑伝』の読書ノートをつける。
(54)　井上長秋、近衛家家士、討幕を画策。
(55)　サトウは一八六八年四月に「議所ニテ差出候見込書二通（中根雪江、井上石見）」（太政官日誌第八号）、「井上石見建言一通」（太政官日誌第一〇号）を英訳。内容はともに蝦夷地開発。
(56)　隅田川。
(57)　今戸橋のダイヒチ。
(58)　以上、日記八月二二日。
(59)　サトウは八月二一日に「佐野藩西村鼎京都にて太政官判事局へ差出たる建白書」を英訳し、Japan Herald 紙に発表。
(60)　以上、日記八月二三日。
(61)　サトウ、「日本の政治組織、政体書」（太政官日誌第二四号）を英訳。
(62)　議定か。
(63)　輔相。三条実美と岩倉具視。

で、実際の行政権をもっているわけではない。実際の行政はこの名付け難い第二番目の部門と、その下にある四つの部門とに分かれているらしかった(64)。これが大久保の説明である。しかし、この政体は最終的なものでないことはかなり明白である。それ自身に変化すべき要素が内包されているように私には見えた。高貴の家柄のお飾りの人物で占められている官職があまりにも多く、実際の仕事は彼らの下っ端が行っているのだ。昔からの階級と優先権は事実上廃止されたので、廷臣（公卿）と地方貴族（大名）は役人名簿から除かねばならないと、私は考えざるを得なかった。官庁の長官の地位を占めるべき人物は彼らの中には一人も見当たらず、それにも関わらず、これらの官職は貴族階級の者だけで占められ、平民は誰も選ばれなかった(65)」。

八月二五日、私はチーフの指示で、一〇月一日の江戸開市、江戸に行く外国人の不条理な旅券規則の廃止、水路に浮標《ブイ》を設置するために必要な海軍教官一名の決定を中井と交渉した。「この交渉は一日がかりだった」。前大君政府は外国人訪問者の宿泊のための大型ホテル(66)の建築を決定していた。「所有者はこの築地ホテル館を貸し付けたかったのだが、外国人は誰もこうした建物の経営を自分の責任で引き受けることはしなかった」。そこで、横浜から人を雇って、「宿泊者の勘定書を作成させ、彼らに必要な酒や食料品を購入させるよう」私は所有者に勧めた。

「官軍が諸隊を集合させ、連合して会津攻撃を行うことは明らかだった」。中井の言うように、いま出征中の軍隊が会津を鎮圧できなければ、彼らの成功は覚束ない。ディスパッチ号というアメリカの小型帆船を三千ドルで借りたが、平潟に兵士を運ぶためのものである。八月二五日に、私は二〇〇人の兵士が品川に行進していくのを見たが、そこで北方に向かう船に乗り込むのである。二二日に長州の大部隊が到着して、泉岳寺が宿泊場所に当てられた(67)。「その泉岳寺は四七人の信義に厚い浪人が埋葬されている。薩摩藩士の中原猶介は通例薩摩の提督と信じられていたが、実際は砲兵士官であった。彼は砲兵四個中隊を率いて越後に派遣され、彼に大きな期待がかけられていた」(68)。

八月二六日、私は勝に会いに行った。彼は大いに安堵した様子だったが、前日に小松の訪問を受けていたからである。彼の言葉では、駿府の城は一八日に徳川家の当主の手に戻ったが、徳川にあてがわれた領地は、前の領主に立ち退けない事情があり、まだ引き継がれてはいない。そのため、現在利用できるのは八万石の土地に過ぎないというのだ。勝は「もちろん、六歳の幼君の後見人としてだが」、この亀之助のために望んでいたのは、普請の費用や膨大な数の家臣たちを養う費用がかからないことだった。勝が言うことには、徳川艦隊を指揮している榎本和泉(69)の旗艦開陽丸は、徳川家から食糧の供給を受けていたのである。榎本は、別名釜次郎としても知られ、オランダで訓練を受けた海軍士官だった。

私が勝に尋ねたのは、故人の水戸のご老公の息子は亡くなったのか、はたまた民部大輔のことを思ってその息子が跡継ぎを辞退したのか、ということだった。このことについて、勝は水戸の政争について語り始めた。この政争は外国人からすると多年頭を悩ますものだった。

「水戸のご老公」とみんなから呼ばれてきた斉昭《ノリアキラ》(70)は、治紀《はるとし》の末子で幼名（俗名）を敬三郎といった。彼の兄の斉脩《なりのぶ》が相続人で、弟である敬三郎の分け前はたった二〇〇石だった。敬三郎は耳が遠いので人と交わることを嫌い、領内を歩き回って、彼の肌で下々の実情を知ることに努めた。後年彼を有名にした質素倹約の習慣は、間違いなくこの時期に培われた。父の治紀が死ぬと、敬三郎の兄斉脩が跡目を継いだ。ところが、その兄も間もなく亡くなり、藩主の地位が空白になった。そのころまでに、水戸藩では次第に二つ

(64)　神祇、会計、軍務、外国。
(65)　サトウは八月二五日に「政体書」の翻訳をイギリス公使館に提出。
(66)　築地ホテル館。
(67)　以上、日記八月二五日。
(68)　サトウは八月二五日に『好逑伝』の読書ノートをつける。
(69)　旧幕府海軍副総裁、榎本武揚。
(70)　なりあき。

の派閥が形成されていた。その一つの派閥(71)は大日本史の著者(72)の古くからの京都政策を支持していた。もう一つの派閥(73)は敬三郎を怖れ江戸の幕閣と手を結んでいた。そのころ、最近まで御老中（幕閣）の一員であった水野和泉守の父である水野越前守が辣腕《らつわん》を発揮していた。後者はその後将軍家から養子を迎え、敬三郎の主張を無視していた。ところが、前藩主の遺書が見つかり、それには血統の権利を尊重して、弟の敬三郎に跡目を継がせることが明記されていた。この遺書は天狗連として知られる強力な一派に支持された。そして、敬三郎が水戸の藩主となった。これは一八三四年のことで、斉昭が三〇歳の時のことであった。

新藩主はそのころの贅沢三昧の習慣を改めるため、必要と思われるある種の改革を実行しようとした。この目的のため、水戸家の当主は江戸に居住しなければならないという、昔ながらの規則の緩和に成功した。この試みは意外に容易に達成された。自分自身の着物や生活を質素にすることで、御老中の虚飾や贅沢をたしなめようとして、彼らの不快を買ったのである。彼は国元に戻り、自ら藩政を監督する必要があるとの口実で、当時の日本で唯一のやり方で軍隊を教練することに専念した。彼は公然とミカドの優越と西洋諸国との交流禁止（勤王攘夷）を唱えた。また彼が目を付けた蘭学者を領国内に招き、西洋科学の源泉を出来る限り知ろうとした。また、途方もない労力を払って、古い蘭書の絵図を頼りに、フリゲート艦の建造を行った。この軍艦は外国人保護のため長いこと横浜に係留されていたが、彼自身は解体されたとばかり信じていた。彼のこうした動向はすぐに江戸に報告された。老中に報告されたことは、兵士の訓練と軍艦の建造は伝統的な水戸の政策(74)を実行するための準備に他ならず、藩主は謀叛を企んでいることだった。一八四四年、このために斉昭は無理やり隠居させられたのである。彼は当時まだ少年に過ぎなかった、自分の息子、すなわち先代の藩主(75)に跡目を譲った。

一八五一年にオランダの軍艦が長崎に出現し、江戸の人々は相当仰天した(76)。長崎のオランダ人はどんどん手に負えなくなり、オランダの軍艦はイギリス人の単なるお先棒に過ぎないとされた。その当時、イギリス人はいかなる暴力も辞さない海賊国家という悪評を立てられていた。次々と起きた事件は、日本が力ずくでヨーロッパ諸国と交渉することは危険だということを、将軍の政府に思い知らせた。ペリー提督とその艦隊の来航は、老中の警戒心をいや増した。老中は世間の声に押されて、水戸のご老公を江戸に招き、再び彼を評議への参加を認めさせた。

一八五八年に将軍の家定が他界した。水戸のご老公は自分の七番目の息子を将軍職に継がせたかった。その息子は一橋家(77)の相続人になっていたので、将軍の後継者たるべき正当な地位にあった。その時代は井伊掃部頭(78)が権力を発揮していた。井伊直弼と紀州家(79)の間で後継者は紀州家から出すという事前の了解があったかどうかは定かではないが、紀州家がすぐに応ずることは井伊には分かっていた。井伊の影響力がとても強かったので、水戸老公は無理やり二回目の隠居生活に入らせた。さらに、越前、土佐、宇和島といった水戸の主張を支持する者たちには息子に大名職を譲らせ、隠居させたのである。井伊掃部頭が二年後に水戸藩士に暗殺されたのも、こうした理由からであった。

他の勢力が西国から動き出した。京都政策と外国人追放(80)を薩摩と長州が熱心に掲げた。そこで、両藩と水戸の天狗連との間で連携が生まれた。天狗連(81)は京都で内戦が起きたことを聞くや、すぐに藩主の城下に

(71)　尊皇派。
(72)　徳川光圀。
(73)　佐幕派。
(74)　尊王攘夷。
(75)　徳川慶篤。
(76)　詳細不明。鈴木大《まさる》『近代年表』には嘉永四（一八五一）年七月に「蘭人長崎ニテ英人米人交易ヲ請フ」とあり、また翌年七月に「蘭人長崎ニテ米人明年軍船ニテ来リ交易ヲ請ヘシ寛ニセザレハ兵端ヲ開クヘキ旨上言ス」とある。ペリー来航の予告か。
(77)　御三卿の一つ。
(78)　彦根藩主井伊直弼。
(79)　御三家の一つ。
(80)　尊王攘夷。

集合して、藩の伝統的政策の実施を迫った。しかし、この決起は不首尾に終わったので、彼らは常陸の筑波山で反旗を翻した。何度か激しい戦いが繰り広げられたが、将軍の軍隊によって駆逐された。加賀の山中での彼らの最期はあまりに有名な物語である。[82] 武田耕雲斎[83]はまわりの人々に推されて武力闘争に加わり、彼は同志七〇〇人と敦賀で打ち首にされた。天狗連の生き残りは京都に逃れ、当時京都に居てまだ一橋を名乗っていた前大君の慶喜が、彼らの面倒を見たのである。ところが、去る一月の革命[84]で今や局面が全く打って変わり、この人々は耕雲斎の孫の武田金次郎を頭として郷里の水戸に帰って行った。彼らが「奸《かん》党《とう》」（裏切者）と呼んでいた政敵は、天狗連が勤王派の支援を受けているので、自分たちには勝ち目がなく、危険に満ちた少数派になっていることを知り、五〇〇人ばかりの者が越後に落ち延びて行った。天狗連は昔の守護者の恩に報いるために、今の相続人を排除して、慶喜の弟である民部大輔を藩主に迎えることを決め、使者をパリに派遣し民部大輔を日本に連れ戻すことにしたのである。

その日[88]（二六日）、肥後藩主の弟の長岡[85]が大勢の家来を引き連れて、海路で到着した。[86][87] そして、二九日には阿波藩主が六〇〇人の家来を賑々しく引き連れ、華々しく繰り出してきた。[89] 二八日に私は小松、井上石見、それから宇和島の若い方の松根と宴会[90]をした。[91]［同席の一人がサケを浴びるように飲み、床に酔いつぶれ、寝入ってしまった。三〇分すると、この男は目を覚ましたが、全くしらふになったので、再び飲み始めた］。[92][93][94][95]

［九月八日から一〇月一七日まで、アダムズと私は雲をつかむような当てのない旅に出た。蝦夷の北岸を占領中だというロシア人を捜索する旅である。この旅行中にわれわれが乗ったイギリス軍艦ラットラー号が宗谷湾で難破した。[96] だが、この一件は日本の政治的推移とは関係のないことだから、われわれの体験を語ることで紙面を割くことは必要ないであろう。われわれはプティ・トウアール大佐のフランスの帆装艦《コルベット》ヂュプレクス号に救助された］。[97][98][99][100]

(81) 天狗党。
(82) 天狗党の乱。
(83) 武田正生。
(84) 一月三日の王政復古。
(85) 長岡良之助、護美。
(86) 以上、日記八月二六日。
(87) サトウは八月二七日に『好逑伝』の読書ノートをつける。
(88) 蜂須賀茂韶。
(89) 以上、日記八月二八日。
(90) 新橋近くの水月楼。
(91) 以上、日記八月二八日。サトウは日付に乱れ。
(92) 九月一日、サトウは東久世と面談。明日九時よりフランス公使館で「米穀輸出」で集会の旨を告げる。
(93) サトウは九月に「詔書」（太政官日誌第四九号）を英訳し、Japan Herald に発表。同じころ、「通用停止之丁銀」（太政官日誌第五二号）と内外新聞（大坂）第九を英訳。一〇月一日、「八月十六日賀陽宮へ御沙汰写」（太政官日誌第五八号）を、五日、「八月廿日御布告写」（太政官日誌第六二号）を英訳。
(94) サトウは八月三一日から九月七日、同月九日から一一日まで日記をつけていない。
(95) サトウは九月一日と三日に『好逑伝』の読書ノートをつける。
(96) 九月二四日。サトウ文書 PRO30/33 23/2 参照。
(97) 一〇月一九日、サトウはパークスと東久世を訪ね、「蝦夷地ニて英船難破」の件でお礼を述べる。一一月二日、イギリス・アメリカ・フランス・オランダの領事館の地所に関する書類のやり取りで、サトウは寺島宗則と書簡を交換。一二月三〇日まで交渉。
(98) サトウは『回想録』執筆中の一九一九年一二月二〇日と二一日に宗谷湾での難破の一件の新聞記事を読んでいる。
(99) サトウは一八六九年一〇月一八日から一一月五日まで日記をつけていない。
(100) サトウは一〇月某日、同月二八日、一一月二日、四日に『好逑伝』の読書ノートをつける。

第三三章　会津若松占領とミカドの江戸行幸

一一月六日はミカドの誕生日にあたるので、盛大な祝賀の宴が行われた。第一〇連隊第二大隊の観兵式が横浜で挙行され、サー・ハリーは［すでに右大臣に昇進していた］三条をこの席に招いた。外国艦隊は神奈川砲台と同調して、ロイアル・サルート(1)を発射し、一同は湾を見下ろす私の家の二階のベランダからそれを眺めた。三条の他には長岡良之助、東久世、万里小路(2)もいた。昼食を公使の公館で共に食べ、名誉の剣がイギリスから後藤と中井に献呈された。［パークス公使遭難事件の三月二三日の勇敢な行為を称えるためである］。中井はすぐにその剣を自分の腰に差し、金レースの帽子を頭にかぶって、見せびらかした。彼自身も大喜びだったが、仲間たちも大いにはしゃいでいた。たまたま横浜の競馬の二日目にあたっていたので、みんなで競馬場に繰り出そう、ということになった。三条と東久世は白い前垂れをつけて、黒い漆塗りの紙帽子(3)をかぶっていたので、競馬場行きは辞退した。私は万里小路と中井と馬で行ったが、彼らはだいぶはしゃいでいた。帰館してから、私は中井を部屋に招いて、お茶をふるまった。［このお返しに、彼はいくつか情報を教えてくれた］。官軍が若松城の外を占領したこと、内堀と城はまだ相手方の守備隊の手中にあること、ミカドの江戸到着は一一月二七日ころになることである(4)。

翌日（七日）、私は江戸に向かった。横須賀造船所所有の日本の汽船に乗って、三条、東久世、長岡そして中井と行ったのである(5)。中井が出帆の時間を間違えたので、税関で彼らを待たせてしまい、騎馬の使者が私を迎えに来る始末であった。私が急いで駆けつけると、彼らは悠々とタバコをふかせて座っていた。

私が謝ると、彼らはそんな必要はないと言った。ヨーロッパの人々とはかなりの違いではないか。(6)

八日、ミットフォードと私は勝を訪ねに行った。彼の妻は駿府に行ってしまったが、彼は残って、徳川家の「雑用」（味噌摺《ミソズリ》）を片付けていた。彼は一一万石の清水の土地を手に入れたがっていた。土地と俸禄を失った家臣を養うためである。約束されていた奥州の土地の代わりに、三河の一部と遠州の全国があたえられることになっていた。ところが、今まで土地の権利を持っていた大名が、まだ所有権を手放さないのだ。慶喜は亀之助よりさきに駿府に行ってしまった。勝はまた一〇月四日の夜に徳川艦隊が江戸の停泊地を出航した時、フランスの軍事教官の一人のブリュネも開陽丸に乗って行った話をした。われわれは、これはウソだと思った。［この男がフランス陸軍で昇進したばかりだということを知っていたからである。ところが、それは事実であることが分かった。ブリュネはもうひとりの士官のカーサヌーヴとその他の数人のフランス人と一緒だった］。

われわれは中井にも会いに行った。中井は築地ホテル館から最高級の食事を届けさせた。一〇月二九日に若松城の本丸が官軍に占領された、と彼は言った。彼は木戸からの手紙を受け取っているが、ミカドの江戸行幸の実現には問題ないとのことだった。そして、われわれの帰宅の道すがら、すでに陛下の江戸到着を予期して、道路の改装、橋の改築はもとより、以前にはなかった見張り門があちらこちらの道路わきに作られていた。(7)

［私の別手組の一人の］佐野幾之助が挨拶にやってきた。朝廷から選ばれて、外国人の江戸での警護の

（1）イギリス王室の慶事の儀礼空砲。
（2）大総督府参謀、万里小路通房。
（3）黒烏帽子。
（4）以上、日記一一月六日。
（5）東久世の日記には「七字（時）横浜出帆サトウ同伴、十二字（時）築地着船」とある。
（6）以上、日記一一月七日。
（7）以上、日記一一月八日。

ために残ることになったのである。私に付いていた一六人の者は、すべて今の仕事に専念することになった。佐野の言葉では、清水の土地は勝が言ったような目的で徳川家にあたえられることになった。今日（一一月九日）は、徳川の家臣がミカドの政府に出仕をしたい者が名乗りを上げる最終日だった。場合によっては、彼らの収入は半分くらいになってしまうが、以前よりも懐具合が良くなる者もいる。なぜならば、彼らの手当ては、表面的には減少しても、低い価格で設定された現金の代わりに、安いお米の配給があるからだ。その夜、ミットフォードと私は長岡と一緒に、イギリス公使館から近い白金の肥後屋敷で食事をした。東久世や中井や他のお客もいた。[8] 築地ホテル館から取り寄せた洋式の食事で晩餐をした。その屋敷は絵のように美しい二階建ての家屋で、庭の中に建てられていたが、そこの長屋越しに見える港の方向の景色は素晴らしかった。庭園には見事な樹木と手入れの整った植え込みがあった。細川自身も同席したが、かなりの肥満で愛想がよく、とても小さな目をして、「ハエを取る」、つまり口を開けている癖がある。[9] 一〇日に私は横浜に戻った。[10][11][12][13]

一一月一六日のすべての外国代表と東久世、寺島との会談で、日本側の高官は若松城が一一月六日に官軍に落ちたことを知らせた。会津藩主父子（松平容保、その子喜徳）は礼服を着て、「降伏《コーフク》」という言葉を刻んだ大きな家紋入りの旗を持った家来を露払いにして、同じく礼服を着てちょんまげを剃った守備隊を従えて、包囲軍の野営地を訪れ軍門に下った。城と所有していた武器のすべてを引き渡し、藩主父子は若松の仏教寺院で厳重な隔離（謹慎《キンシン》）の身になった。〔官軍の幕僚長（軍監《グンカン》）の〕中村半次郎[14]は、城と城内のすべての物品を受け取りに行って、涙を流したという。この話を聞いて、何人かの外国代表の顔色が失われたのを見て、われわれは愉快になった。〔外国代表の何人[15]かは、会津が必死に抗戦して官軍を破り、イギリス公使館の政策を挫折させることを期待していたからである〕。今やこの心ときめく出来事は終わりを告げ、東北諸藩がすみやかに降伏することを期待しても大丈夫だった。[16] 〔肥前藩が詳しく伝えた一一月一六日付で刊行された「京都の官報[17]」の報告によれば、会津の守備隊にはサムライ階級の兵士七六四人、下級階級の兵士一六〇九人、負傷者五七〇人、他の領国からの脱藩者（ロウニン）四六二人、女性と子供六三九人、役人一九九人、一般人六四六人、藩主父子の関係者四二人、運搬役四二人から成っていたという。防戦中に死んだ男の数については、記録がない[18]」。一一月一九日、ヂュプレクス号の艦上でドゥ・プティ・トゥアールと朝食をいただいてから、スタンホープ艦長、画家のワーグマン、シドル博士と江戸に向かった。アダムズとウイリアム・マーシャルは陸路で江戸に行った。江戸に着くと、すぐにシドルはタケダ・シンゲンという日本人医師につかまり、［下谷地区の］藤堂屋敷に設けられた陸軍病院に連れて行かれた[19]。二一日、アダムズ、ミットフォード、マーシャル、ワーグマンは吉原に行って、金瓶楼で豪華な食事をした。この料亭の一部は洋風好みの日本人のためにヨーロッパ様式で作られていた[20]。［この吉原地区

（8）東久世の日記には「サトウ・ミットホルト肥後邸にて食事」とある。
（9）以上、日記一一月九日。
（10）以上、日記一一月一〇日。
（11）サトウは一一月一〇日と一五日に『好逑伝』の読書ノートをつける。
（12）サトウは一一月一一日から一五日まで日記をつけていない。
（13）このころ、ミットフォードは「江戸湾を見下ろす門良院の小さな寺の中にある御伽噺のような家に急いで戻った。かなりの量になりつつあった『昔の日本の物語』をこつこつと書きためる暇もあった。物語そのものはたいして難しくなかったが、注釈や補遺を書くための典拠を調べたり、雑多な情報を集めるのに、かなりの労力を要した。パークス公使は、もし本を出版するなら、補遺や注釈は重要な部分だと、いつも言っていた」、長岡祥三訳。
（14）のち桐野利秋。
（15）フランス、プロシアほか。
（16）以上、日記一一月一六日。
（17）「九月朔日肥前藩ニ御沙汰書」（太政官日誌第七三号）。サトウはこれを英訳し、一一月下旬に Japan Herald 紙に発表。
（18）サトウは一一月一七日、一八日は日記をつけていない。
（19）以上、日記一一月一九日。
（20）以上、日記一一月二一日。

にヨーロッパ人の入場を認めたことは、これまで外国人を妬《ねた》んで立ち入れなかったことを考えれば、腹を割った、友好関係のあけぼのとして、外国人に歓迎された」。次の日（二二日）の晩、私は自分の家で大宴会を催した。神明前(21)からゲイシャが三人(22)、タイコモチ（道化師）が二人(23)やって来た。われわれは真夜中まで陽気に騒ぎまくった。タイコモチは、江戸に向かう外国人と護衛が川崎の船着場までやって来たが、案の定、番屋の役人に引き留められる、という筋書きの道化芝居を演じた。私の護衛もいくつかの面白い芝居をやって、彼ら自身も満足した。階段の上にある部屋に上ってくるのを許された家人たちも大喜びだった。チーフから手紙が届いた。ミカドの通過（二七日に江戸到着の予定）を見たいので、［泉岳寺前の］以前のイギリス公使館(24)の門前に観客席を設置してほしいこと、そのために東久世と私（サトウ）が二四日に横浜にぜひ来てほしい、という文面だった。私の返事はこうだ。日本人の作法からすれば、そのような場合に、観覧席を設けることはできない相談である。また私に代わって誰か通訳をする者が残らなければ、シドル一人を江戸に残すことは出来ない、といったものである(25)。そこで、翌日（二三日）、ワーグマンと私はシドルに会いに行ったが、藤堂屋敷は今や普通の病院に変わっていた。薩摩の医師の石神(26)という老人に会った。［彼は老フォン・シーボルト男爵の娘と結婚したが(27)、とても元気な人だった］。昼食後、われわれは石神と他の医師仲間と一緒に上野に行った。［七月四日に起きた戦いの跡に出かけ調査するためである］。ところが、門はわれわれの面前で閉められてしまった。見張り番を相手に一時間も辛抱強く掛け合ったが、とうとう許しも得られなかった。私たちよりも、われわれに同行した日本人の方がもっと迷惑だったことだと思う。木戸は弾丸で穴だらけになっていた。七月に起きた戦いがいかに激しいものであったかは、これで明らかだった。

この夜、われわれは病院に泊まった。石神ともう一人の山下(28)という医師と楽しい夜を過ごした(29)。翌朝（二四日）はすこぶる寒かったが、われわれは医師たちと病棟をまわった。大名屋敷（御殿）の広間は、すべて病棟に改装され、鉄製の寝台と毛布の布団も備えてあった。とても元気な小年がいて、［たぶん太鼓の奏者だろうが」、彼は片足を切断されていた。その後、われわれは長州出身の貴族風の小柄な外科医に注目した。彼は両袖をしわくちゃにして、きゃしゃな腕の関節までたくし上げていた。正午に野津の二人の兄弟の七衛門(30)と七次(31)がやって来た。中井との約束があるのにも関わらず、彼らはワーグマンと私を説き伏せて吉原に行くことになった。シダルは「ガリシア風ブドウ調合酒」（ラテン語）を造った。これを飲んでから、われわれは冒険の旅に出た。恐ろしく寒い日だった。「信州の浅間山と他の山々の雪の峰から平野に西北の強風が直接吹き降ろすのである」。吉原は田んぼの真ん中にあり、かなりの広さを有していた。長い土手のはずれにある、狭い門をくぐって入るようになっていた。この門を過ぎると、ややむさ苦しい料亭の二階に案内された。薩摩藩士がひんぱんに出入りしているという。ゲイシャはもちろん呼ばれ、陽気にサケの杯が回された。たそがれに金瓶楼に行こうということになった。そこは洋風のつもりで造られた、いかがわしい建物であった。そこには数分いただけで、最初に入った料亭に戻った。その家で、さらに飲んで、踊って、「何個《ナンコ》」遊びに興じた。「この遊びは、一本の木の箸を六本に折って、双方が三本ずつ受け取る。一人が片方の手のひらに思いついた数だけ握り、自分の手のひらと相手の手のひらの中にある合計を当てるものである。自分がうまく当てれば、当てられた相手が負けで、サケを飲まなければならな

(21)　現在の港区の大門。
(22)　コナツ、ダイキチ、コチョウ。本書下巻第二三章三頁注(11)の、いわゆる新橋芸者の同僚か。
(23)　サノスケ、カザン。
(24)　高輪接遇所。
(25)　以上、日記一一月二二日。
(26)　石神良策。
(27)　シーボルトの娘の楠本いねの結婚相手は備前の医師の石井宗謙。
(28)　弘平か。
(29)　以上、日記一一月二三日。
(30)　鎮雄。
(31)　道貫。

い。今度は負けた方が挑戦できる。なるほど、これは確かに手っ取り早く酩酊する方法である」。この料亭にしばらく腰を落ち着けていると、石神からの使いの者がやって来て、別の料亭で待っているから、もう一度飲み直そうと言うのだ。われわれは彼を尋ねて川岸の有明楼に行った。その料亭で大いに歌い、踊り、飲んで、「また「何個」遊びを始め、十分に遊んでから」、三人のゲイシャを連れて、舟で病院[32]まで戻った[33]。翌日（二五日）の午後、芸術家[34]と私はシドルに別れを告げ、中井の家まで歩いて行った。だが、彼は不在だった。そこで、お茶を飲みに築地ホテル館に行った。ホテルの庭で腰を落ち着かせたが、建物が見苦しいので憂うつになった。お茶五杯とマニラ両切り巻きたばこ一束に、経営者が一ドルを請求したので、われわれを給仕した日本人少年まで驚いて腰を抜かした。この少年にもとてつもない請求に思われたのだ。「葉巻は二〇セントほどだから、お茶一杯が一六セントということになる」。高輪の拙宅に帰ってみると、ジャパンタイムズ紙の経営者兼編集者のリカビーが、次の日の祝賀行事を見るために、船で横浜から到着したばかりだった[35]。

一八六八年一一月二六日、午前一〇時ころミカドは江戸に入られた[36]。品川で一泊されていたのだ[37]。ミットフォード、芸術家のワーグマン、リカビー、そして私は広場からミカドの行列を見た。その広場は、以前はサー・ハリー・パークスの官邸に用いられ、今は外交関係の住居に改装された建物[38]の新しい門の前にできたばかりであった。行進の外見は素晴らしいとは言い難かった。もじゃもじゃ髪と下品に西洋を真似た服装の、ものすごく不潔な兵士のために、廷臣の服装から受ける東洋風の効果が台なしになっているからである。ミカドの黒い漆塗りのかご（鳳輦《ほうれん》）は、われわれには興味深く斬新であった。鳳輦が近づくにつれて、群衆が押し黙ったのは、まことに素晴らしかった。伊達老公は、鳳輦と実際にミカドが乗っておられた屋根付きの椅子[39]との間を、馬に乗り、われわれに向かって親しげな態度で会釈した。「リカビーは数日後のジャパンタイムズ紙に、この行事の一部始終を立派な新聞記事にして発表した[40]」。午後、リカビーと私は海晏寺《かいあんじ》まで歩いて行った。これは品川の仏教寺院で、カエデのとても可愛い植え込みが有名である。そこからすぐ近くにある、川崎屋という料亭に行った。サケを飲んで、昨夜、ここに泊まった備前侯のことを話題にして、女性たちと冗談を言い合った。この料亭は西国の部隊で一杯だった。だが、彼らはわれわれのことにほとんど気づいていなかった。事実、われわれが道で出会った人々もわれわれのことを何とも思っていなかった。(41)［私が江戸の街角を歩く時にはいつも、私の会津のサムライの野口と四人から六人の別手組がいつも私の身の回りの警護をしたのである(42)］。

二八日、サー・ハリーと［香港のヴィクトリア］主教のオルフォード博士が江戸にやって来た。二人は新しい高輪接遇所で伊達と東久世から洋食の饗宴を受けた。町田(43)とモーリ(44)という薩摩の若者も同席した。両人はイギリスに滞在したことがあり、英語を話すが、後者(45)はたった二一歳だが、とくによくできる。(46)

(32) 和泉橋の藤堂屋敷。
(33) 以上、日記一一月二四日。
(34) ワーグマン。
(35) 以上、日記一一月二五日。
(36) 江戸城を皇居とし、東京城と改める。
(37) ミカドは、前日神奈川出発、川崎で昼休み、梅屋敷で少憩、午後二時に品川到着。
(38) 高輪接遇所。『東京市史稿』には「高輪泉岳寺境内（東・車町、西・泉岳寺、南・如来寺、北・泉岳寺）山地土取跡、接遇所御取建ニ付、町地差上候」とある。ウイリスは「やっと相当な家に住まうようになりました。私たちはついに臨時公使館に入居したのです。全員の家具設備のあるひろびろとした大きな建物で、この点では寺院とまったく異なります」と書いた。サトウと勝海舟の出会いは、この高輪接遇所建設交渉であった。本書上巻第一九章二七三頁注（9）参照。
(39) 輿。
(40) Japan Times Overland Mail 紙一八六八年一二月二日付「ミカドの江戸入り」。
(41) 以上、日記一一月二六日。
(42) サトウは一二月二七日に内外新聞（大坂）の記事を英訳。明石のキリスト教徒の動向。
(43) 町田民部。
(44) 森有礼、議事体裁取調御用掛。
(45) 森有礼は一八四七年生まれで、このとき二一歳。

翌日（二九日）、ミットフォードと私は中井に会いに行った。その場所で町田と肥前のサムライ山口範蔵(47)に出会った。山口は庄内から帰ってきたばかりの男を連れてきた。男の話では、庄内藩が今月の四日に降伏したが、二人の外国人、すなわちアメリカ人とイギリス人が箱館からやって来て、その様子を監視していた。中井は、江戸から東京府《とうけい》に変わった、この町の地方政庁の役人で、辞職を申し出ていた。府知事(48)が自分や他の役人に信用を置かず、少数のあさましい商人の苦情を取り上げて、決めたことをひっくり返すからだという(49)。

ワーグマンと私は三〇日に横浜に出かけた。生麦村［（ここでリチャードソンが一八六二年に殺害された）］まで歩いて行って、そこで外国人居留地まで船で渡った。品川の川崎屋で、野津七左衛門と伊集院に出会った。また、吉原に一緒に行った仲間の黒羽藩士二人と宇都宮藩士一人も一緒だった。薩摩の野津と伊集院は国元に帰るところだった。サケや日本料理をたらふく飲んだり食べたりした。田舎なまりの日本語で大いに話し合った。さらに、梅屋敷、つまり梅林に出かけた。［江戸と川崎の船着場の中間にある、この至って楽しい茶屋に立ち寄るのが、当時の流行になっていたからである］。ここでわれわれは大山に会った。彼は他の人のように鹿児島に帰るところだった。内戦もほぼ終わったからである。われわれは互いに杯を酌み交わし、それから大山が泊まる川崎の旅館まで一緒に歩いた。この街道(50)には国元に帰る薩摩藩士と駿府に行く徳川の人々であふれていた。ある噂が広まっていた。薩摩と肥後の間でいさかいが起き、肥後が有馬と筑前と結託して、大藩の薩摩を襲撃しようとしている。この結果、薩摩の部隊が機先を制するため急きょ出動しようとしている、というものだ。別の流言飛語をフランス公使館がかなり信じているが、それは、会津が降伏したのは、薩摩の部隊を東北地方から撤退させる方便にすぎない。ミカドが江戸へ移られるというのが条件であった。ところが、薩摩の戦士だけでなく、他の藩の者も帰国していくので、これらの話はすぐに信用されなくなった(51)(52)。一二月三日、私は江戸に戻った。神奈川から途中まではかご（ふっうのかご）で、川崎からは徒歩だった。梅屋敷の梅林で、水野チナミに会った。彼は下田から急いで駆けつけてきた。彼は下田でイギリス軍艦マニラ号から降りたのだ。そこには横浜の前奉行もいた。去年、この人は立派なかご（長棒）で大きな行列で、走りながら「下にいろ」（ひざまづけ）と叫ぶ歩兵を立てていたものだ。今では、一人も家来をつけず、きたなく安っぽい貸かごで旅をしているのだ(53)。「それでも、たいそう機嫌が良いようだ。そのころの私は英和会話辞典(54)の編纂と日本語の小説(55)を読むことで、沢山の時間を過ごしていた」。四日にいつもの病院(56)に行ってみると、シドルが忙しく立ち働いていた。越後からの負傷者が到着し始めたからだ。ウイリスは越後から若松に行って、会津の負傷者の世話をしていた。会津が降伏した時には、城の中に六〇〇人近くの負傷者がいたそうだ。勝が江戸を去る前に、私に新しい子馬の「伏見」を贈ってくれた。とても乗り心地が良かった。街路にたくさんいた官軍は、私が被っている黒く細長いシルクハットを羨ましくも感心して見ていた(57)。五日にも病院に行って、一泊した。石神と山下も一緒だ。彼らは前田杏斎のことで激しく苦情を訴えていた。前田は病院長に就任したが、患者たちが彼の首を斬ると言って脅しているのだ。彼は街で二頭立ての馬車を乗り回して遊び惚け、自分の仕事を果たしていなかったのだ。非難は当然起こった。「豚の耳からは絹の財布は作れない(58)」のであり、ヨーロッパ人の

---

(46) 以上、日記一一月二八日。
(47) 外国官判事。
(48) 東京府知事烏《からす》丸《ま》光徳《みつえ》。
(49) 以上、日記一一月二九日。
(50) 東海道。
(51) 以上、日記一一月三〇日。
(52) サトウは一二月一日と二日は日記をつけていない。
(53) 以上、日記一二月三日。
(54) 『会話篇』。まえがきによると、サトウは一八六七年から一八六八年までに練習問題の章の五分の四を書き上げた。
(55) サトウはこのころ中国の小説『好逑伝』の読書ノートをつけているが、「日本語の小説」については詳細は不詳。
(56) 藤堂屋敷。
(57) 以上、日記一二月四日。

外科医の地位は日本人の生半可な薬剤師にはあたえられないのである。[59][60]

一二月九日、私は町田と会食するために築地ホテル館へ行った。こういう席には欠かせぬ中井はもちろん、大久保や吉井も来ていた。吉井は一二月一日に若松を出てきたのである。ウイリスは若松で負傷者の手当てをしていたが、会津側でも少なくとも二千人はいると言っていた。越後も会津も雪深かった。庄内も制圧され、[61]今では日本国中が平和な状況になった。こうした事態は、反勤皇派はもちろん外交官や商人には面白くないことであった。［一八六七年八月のイギリス軍艦］イカルス号の二人の水兵を殺害した犯人が発見されたという情報が入った。犯人は筑前出身者で、その一味は全員で九人ということだ。これは、もちろん、土佐の人々には歓迎すべき情報であった。不思議だったのは、一月にキング提督をもてなしてくれた筑前侯の家臣が、そんな理不尽な罪を犯したことであった。［「金札《きんさつ》」として知られる新規発行の紙幣には議論が百出した］。このことで国民が大騒ぎをしているのは明らかだった。[62]金杉村（名主）の内田（勘左衛門）が数日前に私に会いに来たが、税金の支払いにこの紙幣を受け取ってもらえぬことが、紙幣が自由に流通しない唯一の原因だと言っていた。中井は、税金を紙幣では納められないということは正しくはないと否定した。しかし、彼は結局、適切な銀行制度の設立が必要だが、［それは硬貨や金の貯蓄量を担保として］紙幣を発行する権限を三井にあたえようとするものだった。[63]［これはミカド政府にとって、生死に関わる重大問題であった。徳川の金庫には一銭のお金もなく、ミカドはいつも将軍の閣老からきわめて少ない支給を受けていただけなのであった］。

(58) イギリスのことわざ、粗悪な材料から良い物はできない。
(59) 以上、日記一二月五日。
(60) サトウは一二月六日から八日まで日記をつけていない。
(61) サトウは一八六八年一二月に「庄内藩の降伏」（『太政官日誌』第一一二号）を英訳。
(62) サトウは九月に「通用停止之丁銀」（太政官日誌第五二号）を英訳。
(63) 以上、日記一二月九日。

第三四章　榎本が脱走した徳川の軍艦で蝦夷を攻略

一二月一一日、町田[1]がやって来て、箱館からの情報を教えてくれた。徳川の海賊が開陽丸とその同行船と箱館の港から上陸した。［彼らが海賊と呼ばれたのは、降伏を拒んで、一〇月四日江戸湾から脱出したからである。反逆者たちは、一八六六年に派遣されたフランス軍事顧問団の一員に指導されていた。フランス士官たちは、反逆者たちが江戸湾から脱出した時から、行動を共にしていた。この士官たちが、公使が声明した中立宣言に違反して、また、フランスと友好関係を結んでいる日本の君主の主権に背いて反逆軍に参加したことは、フランス公使館のとても頭の痛い問題であった］。箱館の近くで戦闘があって、多数の官軍が死亡し負傷した。ところが、横浜の外国新聞[2]は、箱館港から約一五マイルの地点でミカドの部隊が勝利したと伝えた。領事からの至急便によると、反逆軍の方がはるかに優勢だった。[3]［外国人居留民は大いに不安になった。領事[4]はこう書いた。「敵が近づいて来たら、われわれは丘の方に隠れよう。敵がさらに迫って来たら、丘の上に登ろう。しかし、最後の所まで追い詰められたら、われわれには頼れるものがない。常識外の力を信ずるのみである」］。中井が一三日にやって来て、新紙幣[5]のことやら、それによって生じる外国人との紛争について語った。紙幣の流通に賛成するトマス・グラバーの意見が引き合いに

（1）　民部、外国官判事。
（2）　Japan Times Overland Mail 紙一八六八年一二月一六日付。
（3）　以上、日記一二月一一日。
（4）　箱館領事ユースデンからパークス宛一八六八年一二月一三日付文書。
（5）　太政官札。

出されたが、中井自身にしてみれば、一介の商人が商売上当然この問題に関心はあるにしても、通貨問題の権威と見なすことは、同意しかねたのである。この紙幣は軍隊に対して発行されたのであって、兵士が小売店の店主や往来の行商に支払いをするときに、無理やり受け取らせていたのである。しかし、この制度は長続きしなかった。[この紙幣が一般人の間では通貨として通用しなかったからである]。われわれは外国交際の関係の現状についても話し合った。中井が認めていることは、日本人には外国人に対する昔からの不信感が今なおあり、外国代表たちは必要悪だと我慢しているのであって、喜んでいるわけではない、ということであった。外交官が横浜に住んでいることをミカドの政府が手放しで喜んでいるわけではなく、何事も外交官から意見を聞いてみようなどとは一瞬たりとも思ったことはないのである。事実、外国代表は大名の現地代理人（留守居）と同格くらいにしか見なされず、事が起きた場合に、ミカドの命令をいつでも受けられるように、外国政府が日本に派遣しておく出先の代理人くらいにしか思っていないのだ。外国代表にも少しはこうした状況に至った責任がある。横浜の立派な建物、快適な生活、全体的な見栄えは、江戸の一時しのぎの危険な生活に較べれば好ましいものに違いない。しかし、懸案の国際関係を見聞することにかけては、香港に駐在していることとあまり変わらなかったのである(6)。

ある日（一五日）、金杉(7)の名主(8)と三、四人の従者と一緒に飯倉町(9)の金剛大夫(10)の古典劇場(11)に行き、能と狂言(12)を観劇した。三並虎次郎《みなみとらじろう》も観客の中にいた。この人物は会津のサムライで、今年の四月に同郷人の広沢とともに私に会いに来た。その時、私は広沢と日本の政治、とくにイギリス公使館の果たした役割について大いに論じあった。外国人がこの種の演劇興行に居合わせたのは、これが最初であった。能は悲劇とか歴史劇のようなものであり、狂言はどたばた喜劇である。幕や背景はなく、舞台衣装はすべて時代がかっている。舞台は約二四平方フィートである。左手の長い通路(13)で舞台と楽屋がつながっている。楽屋から役者が登場する。能は二百番ある。謡《うたい》として知られる台本の印刷版は、わずかな値段で買い求められる。ゆっくりとした朗読風に謳われるが、横笛や小太鼓の音楽、というより不協和音の伴奏がついている。管弦楽隊が古めかしい衣装を着け、舞台の後方の折りたたみ椅子(14)にかけていた。私が最も面白いと思った狂言は、「末広《すえひろがり》」だった。「モーゼス・プリムローズばりの」男が傘(15)を買うために京都へ使いに出され、商人にだまされて一本の傘に五〇〇両を払う羽目になった、というものである。また「叔母酒《おばがさけ》」という狂言がある。ある男が、金持ちだがけちん坊で年老いた叔母(16)に、サケを飲ませろとせがんだが、だめだった。そこで、鬼の仮面をかぶって、叔母を脅して服従させた。サケをしまっている貯蔵室に案内させ、男はサケをたらふく飲んだ。そして、自分の方を見たら、お前を食べてしまうぞと脅した。「恐ろしや。召使の生命は助けて下されまし」と叔母は叫んだ。ところが、飲んだくれて、眠りこけてしまった鬼が悪党の甥だと分かると、叔母は怒りだした話であるが、抱腹絶倒の面白さだった。能は理解できなかった。となりの席の日本の貴婦人から台本を借りて、内容をたどることができた。演題は「鉢木《はちのき》」だった。佐野源左衛門（常世）は御恩の領地を没収されてしまったが、ある夜、一人の仏教僧侶(17)をもてなした。僧侶に提供する食物(18)も、部屋を暖める薪もないので、佐野は自分が大切にしていた梅と桜と松の木の盆栽を切り倒して、その枝を燃やして、火をつくった。このお礼として、この高僧は鎌倉殿に交渉して、佐野の没収された土地

---

(6)　以上、日記一二月一三日。
(7)　現在の港区芝、金杉橋あたり。
(8)　内田勘左衛門。
(9)　現在の港区東麻布。
(10)　唯一。
(11)　金剛能楽堂。
(12)　富次郎。
(13)　橋掛り。
(14)　床几《しょうぎ》。
(15)　がんらい末広とは傘ではなく扇のこと。
(16)　酒屋を経営。
(17)　実は執権北条時頼。
(18)　粟の飯を出す。

を返却してやる、という話である。当時、金剛大夫[20]の他に三人の能役者がいた。観世大夫[21]、宝生大夫[22]、金春大夫[23]である。観客のほとんどはサムライ階級のものであった[24]。

会津侯父子が一二月一五日に江戸郊外の千住に連れてこられた。松平肥後[25]（現在は、すべての他の謀叛人のように、守という称号は剝奪《はくだつ》された）は因州[26]にお預けの身となり、若狭[27]は筑前（福岡）だった。仁和寺宮は、越後と奥州で官軍の総裁として戦ったが、一七日に江戸に到着する予定であった。そして、一六日かその前後[28]に外国代表に対して公式に平和の復活が通達された。われわれがデュプレックス号で連れ帰られた時に、宗谷に仕方なく残して来たイギリス軍艦ラットラー号の大砲と軍備品がミカド政府に提供されることになり、彼らに納められた。これは大久保と吉井から聞いた話だが、彼らとは中井の家で一六日に会った。

箱館のイギリスとフランスの国民を保護するために、サテライト号とヴェヌス号が、一四日に同地へ急きょ派遣された。イギリス公使館書記官のアダムズがサテライト号に乗っていた。「アダムズの『日本の歴史』第二巻[29]に、彼が同地で見聞、行動した報告が掲載されている」。一二月五日までは、この場所で逃亡した徳川海軍から攻撃を受ける心配はなかったのである。

私の昔の習字の師匠の手塚[30]が私を訪ねて来て、彼の藩[31]についての次のような数字を見せてくれた。藩主の名前は仙石讃岐守で、彼は三万石の領地を支配している。この大名の実際の収入は米一万六千石である。そのうちの八千石が家臣の知行地になっている。四千石は大名の個人の世帯の維持に用いられ、さらに同額が行政上の費用にあてられる。後者には、役人の給料、江戸参府の旅費、戦場の兵士や武器などの費用が含まれている。この藩のサムライの家族は六〇世帯には及ばない。家老や用人に関する制度は、他の藩の場合と同じである。太政官日誌第五号で公布された法令[32]に従って、官職世襲の古くさい慣習は廃止され、それに代わって、成績によって立身出世する制度が確立された。こうした新しい制度を実施するためには、家臣の世襲の知行地を均等にしなければならない、と手塚は考えていた[33]。

一八日に私が横浜に帰ると、予想していたことではあるが、箱館は脱出した徳川の軍艦に占拠され、一方、清水谷(34)は彼の部下を引き連れて同地を脱走したという情報が入った。イギリスの箱館領事(35)は、そうだとは思うが、肝をつぶすほど深刻に驚いた。現場にサテライト号(36)が急行していたが、焼け石に水だった(37)。

一二月二一日、重大な会議が横浜の公使館で開かれた。チーフと伊達、東久世、小松、木戸、町田、それに池部五位（九州の柳川藩士）が集まった。日本側が最初に求めたのは、山口範蔵(38)が反乱軍の首領と交渉するために、イギリス軍艦に彼を乗せて箱館まで送ってくれるよう、サー・ハリーに手配をお願いしたいということだった。チーフは私に懸念を語った。それは、あまりこの一件に深入りすると、ミカドの政府の熱心な支持者であるかのように世論が思うからである。チーフが日本側に進言したのは、急使を送るのではなく、普通の使者に交渉のための書面を持たせ、青森から海峡を渡って箱館まで行ってはどうか、と言うことだった。日本側はチーフが要求を受け入れないと分かるや、チーフの提案に黙って従ったが、そ

(19) 盆栽にちなんだ梅田、桜井、松井田の土地も追加。
(20) 唯一氏成、「土蜘蛛」の千筋を考案。
(21) 三十郎清孝。徳川に従い、駿府に下り、生活苦に陥る。
(22) 九郎知栄、一八六九年英王子来日時、「羽衣」を舞う。「明治の三名人」の一人。
(23) 八郎広成、維新期の生活苦を経て、金春流を再興。
(24) 以上、日記一二月一五日。
(25) 父の松平容保。
(26) 鳥取。
(27) 養子の喜徳《のぶのり》。
(28) 日記では「五日ほど前」とあり、一二月一〇日あたりか。
(29) 同書第二巻第一五、一六章。
(30) 日記では、手塚タイスケ。
(31) 出石藩。藩主は仙石久利。
(32) 五ケ条の誓文。
(33) 以上、日記一二月一六日。
(34) 清水谷公考、箱館府知事。
(35) ユースデン。
(36) アダムズが乗船。
(37) 以上、日記一二月一八日。
(38) 山口尚芳、外国官判事。

の気乗りしない態度からすると、彼の指示に従うかどうか分からない。大きな議論になったのは、キリスト教問題であった。この問題に関する日本側に言い分は、とても納得できる。サー・ハリーの言い分も同様である。ところが、間の悪いことに、チーフは木戸の議論に対し怒り出し、とてつもなくひどい暴言をはいたのである。それは私がここで再現できるものではない(39)。結局、日本側は、ミカドの思し召しによりキリスト教への転向者に寛大な処置をとることを伝える覚書を外国代表に送ることを約束した(40)。翌日(二二日)、池部が私の所にやって来て、太政官紙幣の理論を説明した(41)。ところが、私には彼の言っていることがほとんど理解できなかった。それから、他の話題、とくにキリスト教の問題に移った。この老人は、キリスト教の教義の崇拝者であるばかりか、自分は信者であることを告白した。その日の午後、チーフと私は伊達の訪問の返礼として、横浜郊外の戸部にある以前の奉行の役宅だった伊達の家に行ってきた。長官と伊達はキリスト教問題と議員代表制に関して、とりわけ長い話し合いをした。サー・ハリーは将来の日本の首都について伊達からそれとなく聞き出そうとした。「それは京都なのか、大坂なのか、はたまた江戸(東京《とうけい》、東京)なのか。もちろん、われわれは今年の初めに大久保一蔵がこの問題について書いたもの(42)を読んでいたのである」。伊達老公はチーフに向かって、とても丁寧に「さり気なく突っ込んだ」。昨日の暴言について、あれは会話が熱を帯びてくると、はた目からは口論が続いているように見えるが、実はそうではなく、ただ話し手が真剣なだけなのだ。誰でも自分の意見は腹蔵なく述べたいものなのだ、と言った。チーフはそれに応えて、自分が激高したことをとても後悔している、日本人が自分たちに不利になることを行おうとしているのを見かねただけだ、と言った。これについて、伊達は相手に怒られる(腹を立ててもらう)ことは、時には良いことなのだ、と述べた。チーフは、この伊達の言葉で「考えさせられた」ようだ。われわれが馬車で帰館する道すがら、突然彼は切り出した。「昨日、私がやや激高して話さなかったら、日本人は他の外国代表に対してキリスト教のことを話さなかったと思う」といった。私は「たしかに、そうかもしれません。でも、あなたは木戸の気分を害したと思います。彼はすぐに話を切り上げて、黙ってしまったではないですか」と答えた。パークスは「君はそう思ったかね。彼の感情を害したとすれば、残念だ」と言った。それから、私は言った。「腹蔵なく言わせてもらえますと、特殊な場合にはああいう言い方も効果があるかもしれませんが、あれではあなたと会談をするのを、日本人は怖がってしまいます」と。その後、チーフは明日の朝食に木戸を呼びたいと言って、彼にできるだけ丁寧な招待状を書いて送るよう、私に頼んだのであった。(43)(44)

(39)　日記では「日本側を馬鹿者と呼び、自分が信じている宗教を「邪宗」と呼ぶミカドは尊敬できないと言った」とある。

(40)　以上、日記一二月二一日。

(41)　『木戸孝允日記』には「池邊今日サトーに面会楮幣（太政官紙幣）の事を談す彼（サトウ）大に了解するに似たり」とある。

(42)　サトウ、「薩摩藩大久保市蔵の建白」（内外新聞第七号）を英訳。

(43)　以上、日記一二月二二日。

(44)　一二月二三日、木戸孝允がサトウ邸を訪問。

第三五章　一八六九年――江戸でミカドに謁見

一八六九年一月二日、われわれは江戸に戻ってきた（ほとんどのイギリス人は革新を好まないので、東の京を長い間こう呼び続けていた）。この町は外国貿易と外国人居留のために一月一日に開市された。親愛なる友人ウイリアム・ウイリスがイギリス領事館（江戸・神奈川）の副領事に任命された。ウイリスとアダムズが一二月二九日に帰京した。ウイリスは越後と会津で負傷者の治療に当たっていた。アダムズは箱館に行っていたのである。(1)(2)(3)

一月五日にわれわれはミカドに謁見した。この機会に、サー・ハリーは、オーシャン号の艦長スタンホープ海軍大佐、第九連隊第二大隊指揮官ノーマン大佐、その他に大勢の海陸軍士官を謁見の列に加えた。提出された人数表によれば、当初は一二名だったが、その倍の人数になってしまった。(4)いつもやる、チーフの管理の手違いだ。詳しいことは部下に任せれば良いものを、何でも自分でやろうとするからだ。彼は謁見に参列する人々の名前さえ知らなかったのだ。艦隊は一〇〇人の海兵隊員の護衛を供給した。身につけていた衣装は実に様々だった。とくに、公使館と領事館の館員がそうだ。雪の降る、とてつもなく寒い日だった。雪がみぞれに変わり、われわれが城に到着するころには雨になった。何と悪いことに、馬車に乗る代わりに、馬に鞍上してしまったのだ。謁見は桜田門のすぐ内側の西の丸御殿で行われた。われわれは第一の橋を馬で渡り、通常の下馬、つまり馬から降りる札がある所も騎馬で通過し、さらに第二の橋の近くまで馬で乗りつけることを許され、そこで降りた。われわれはそこで町田に出会った。彼はわれわれを中庭に案内し、そこからすぐに控えの間に上がった。阿波藩主、三条、東久世、中山大納言、そして大久保が入ってきて、いつもの挨拶が交わされた。それから、とても暗い部屋にうやうやしく案内された。ミカドはこの部屋の、大坂の時よりもやや大きい天蓋の下に座っておられた。［暗かったので、ミカドの服装はほとんど見分けられなかった。しかし、ミカドの尊顔は白く化粧がされて、周囲の暗がりからもはっきりと際立っていた］。首相(5)は右の下手に立っていた。［陛下が女王の健康について問い合わせた言葉を一言二言述べてから、チーフに対しては、公使として江戸で長らく在任していることを祝福した］。ミカドのお言葉が読み上げられた(6)。［これに対して、サー・ハリーはとても手際よい返答を行った。謁見は五分もしないうちに終わった］。その後、われわれは高輪の旧公使館の建物に戻った(7)。［今は外務省(8)の支所に変わった。この場所で、とても上等な和式の御馳走で始まる］大宴会が繰り広げられた。［その後で、築地ホテル館から取り寄せた遅めの昼食を戴いた］。阿波と東久世がわれわれの部屋で主人役を務めた。［アメリカ公使と北ドイツ代理公使も出席した。東久世は女王とアメリカ大統領、プロシア国王の健康を祝福して、一括して乾杯することを提案した。その後、われわれはミカドの健康のために乾杯した］。

（1）ウイリスの報告では、二八日。
（2）以上、日記一月二日。
（3）サトウは一月三、四日には日記を書いていない。
（4）イギリス公使一人、公使館書記官六人、海陸軍将校一三人、アメリカ弁理公使一人、総領事一人、公使館書記官一人、海軍将校二人、プロシア代理公使一人、公使館書記官一人の計二六人。
（5）岩倉具視。
（6）ミカドのパークスへの言葉を、一月五日にサトウが英訳。「貴国帝王安全ナルヤ、朕常ニ祈ル、貴国帝王健剛及両国交際ノ益深カラン事ヲ、朕今東京ニ臨ミ、親シク公使ニ遭フ、蓋両国之交際益親厚永久ナラン事ヲ欲ス、宜此意ヲ亮察スベシ、且公使無恙職ニ在リ、亦朕ノ深ク喜悦スル所也」。
（7）高輪接遇所。
（8）一八六九年八月に日本の外務省が成立するが、それ以前は外国事務局だった。「今」を一九二〇年ごろとすると前者となる。

勝が江戸に戻って来た。一月の初めには再び駿府に出発し、箱館の徳川脱走艦隊との交渉の要綱をまとめるためである。八日には横浜でイギリス駐屯軍の観兵式が行われた。われわれの親しい友人である阿波侯や若い公卿たちの一行をもてなすためである。(10)スナイダー銃の連射の速さに観覧者一同腰を抜かした。(9)「彼らは政治的には重要な人物ではなかった。彼らのその後の消息を聞いたことがなかった」。

九日の朝、「チーフと私は馬に乗って江戸に乗り込んだ。チーフは将軍の海辺の宮殿であった」、浜御殿で岩倉との重要な会談があった。木戸、東久世、町田も出席した。たくさんの称賛がサー・ハリーに浴びせられた。大英帝国が誠意をもってミカドの政府を承認したことに対し、感謝の言葉が述べられた。この件で、内密な会談が少しあった。ミカドは婚儀と亡き父君のミカドの葬儀のために一旦京都に遷幸することになった。これらの儀式が済むと、ミカドはこの帝国の一大会議を開催するために、東の都に戻って来られるだろう。「その日程はまだ決まっていない」。日本の暦で第一月か第三月になるかもしれない、というのだ。サー・ハリーは、このことを外国代表に告知すべきだと、岩倉に勧めた。外国の局外中立の問題と箱館の情勢について、その後議論があった。(11)岩倉はこれらの公使に対し大いに雄弁を振るい、ミカドを主権者として公認しながら、箱館の海賊たちを交戦団体として認めたことを非難した。(12)サー・ハリーとフランス公使ウートレーが断言したのは、もはや局外中立は存在せず、イギリスは榎本とその一派を交戦団体とは認めておらず、ファン・ポルスブロックも同様である、(13)ということだった。これに対して岩倉は応戦する。「なぜアメリカ公使がストーンウォール・ジャクソン号の新政府への引き渡しを拒む理由として、今なお局外中立宣言を持ち出すのか」と。(14)サー・ハリーが答える。問題の宣言はミカドの政府に大きな利益になった、これが今なおあれば、榎本はその甲鉄艦を手に入れていただろう、そして、この局外中立宣言の文書の署名集めに主として尽力したのは自分である、と。これは誠に真実だった。上等な昼食が築地ホテル館から取り寄せられた。われわれは正しく日没に主人側に別れを告げた。お互いに十分満足のいくものであった[15]。

一月一〇日、私は町の向こう側[16]にある病院にシドルを訪ねた。そこにウイリスもいた。彼は外国人居留地の築地から来る途中で、蛮勇を振るう男に脅されたそうだ。われわれは、総合病院の設立に協力させるために、ウイリスを一年間雇用してもらうための方策を協議した。われわれは石神に向かって、シドルはイギリス公使館に呼び戻されるはずだから、東久世はその後任にウイリスを指名するに違いない、と告げた。ミカドはウイリスに美しい金の錦織の巻物七本を下賜されていたし、東久世も素晴らしい感謝状を書いて、ウイリスの日本人負傷兵士の手当ての功績を認めたのだ[17]。

一月一二日、われわれは開陽丸が箱館を出帆したことを聞いた。その船は舵を船尾に強く縛り付けていると言う。その行先はまだ戦いが続いている江刺だということだった。海賊たちには資金と米が不足していることは確かであった。アイノ[18]の人々は海賊に抵抗している松前の人々に味方したそうだ[19]。

私は池部五位と面白い話をしたが、彼を訪ねたのは一三日のことだった。彼の宿泊先で、吉田孫一郎という若者に会った。彼は柳川藩の家老だった。われわれはキリスト教について話し合ったが、池部は「山上の説教[20]」を引いて、仏教や儒教に書かれているものよりも、自分を喜ばせる文章だと言っていた。中国

(9) 四条少将、万里小路左中弁、綾小路少将、五辻弾正大弼。
(10) 以上、日記一月八日。
(11) 榎本武揚。
(12) 日記には「これを聞いていて気持ちがよかった」とある。
(13) オランダ公使。
(14) 局外中立宣言。
(15) 以上、日記一月九日。
(16) 下谷。
(17) 以上、日記一月一〇日。
(18) 当時の西欧人の「アイヌ」の呼称。後年、宣教師バチェラーが「アイヌ」と正す。
(19) 以上、日記一月一二日。
(20) 『新約聖書』マタイ福音書。

の格言では「おのれの欲せざるところを人に施すことなかれ」[21]と言っているが、キリスト教はその逆を言っている、と私ははっきりと区別した。すると池部は「右のほおを打たれたら、左のほおを向けよ」[22]という言葉を持ち出した。少し間があって、会議の時のチーフの暴言について話し出し、「でも、彼の場合は、怒りだしたら、片方のほおを差し出すどころか、彼を蹴って、部屋から追い出したいくらいです」と言った。池部の話では、ミカドは一月の一七日か一八日ころに京都へお帰りになられ、すでに一二月初旬には、ミカドのご出発のことと、春にはお戻りになられる旨の告示が出されていた、という[23]。

一五日の朝、私はチーフに呼びつけられて、大急ぎで横浜に出かけた。岩倉と外国の友人、つまり他国の公使たちとの会談に出席するためである。私は愛馬「伏見」に乗り、二〇マイル（三二キロメートル）の道のりを一度も馬を休ませることなく二時間半で駆けつけた。公使館に到着すると、ちょうど会議が始まるところだった。岩倉は、九日に浜御殿で用いた同じ議論を公使たちに蒸し返した。公使たちは回答をするために、多くの質問を彼に浴びせた。そして、ついには、こんな難しい問題は今すぐには答えられない、もう少しゆっくり考えさせてほしい、と言ったのである。そこで、岩倉はこの機会に現在の政治状況に至った原因について少し物申したいと言って、語り始めた。今上《きんじょう》天皇は二千年以上前からこの国を支配してきた君主の末裔である。将軍職はたかだか七〇〇年しか経ていない制度である。これまで、権力は将軍の手に握られ、一八五三年にアメリカ人がやって来るまで、その権威は続いていた。将軍の役人は外国との外交関係に入って行く必要性と有利さを十分認識出来ていたが、国民の大部分が信奉していたミカドの宮廷は、攘夷政策を明言していた[24]。この国はこうして混乱が生まれ、将軍の権威はもはや維持できなくなった。その後、ミカドと将軍が相次いで崩御された[25]。後者の後継者[26]は有能な人物であったから、ミカドが監督する政権が絶対に必要であることを良く分かっていた。この誠実な確信があったからこそ、徳川慶喜は政権をミカドの手に返した。それは単なる贈り物ではなく、目の前にある政治的困難を解決する唯一の手段だったからである。そこで、ミカドの政府も外国人に関する政策を変更した。先代の支配者が全くなしえなかったことを実施したのである。すなわち、諸列強との条約関係に入って行ったのである。これまで外国との関係は単なる商業関係に過ぎなかったが、政府はそれを改善して、ヨーロッパや他の文明諸国の間に存在するような関係になることを希望したのである、と。(27)［外国公使たちは、一同協議の上、出来るだけ早いうちに回答すると応えた］。

サー・ハリーは一九日に横浜から上京し、局外中立宣言に関する昨日の公使たちの会議の結果を岩倉に伝えた。浜御殿で会談することになったが、われわれがそこへ行ってみると、門が閉まっていた。外国人を入れてよいという命令が来ていなかったので、われわれは立ち退いた。公使館に戻る途中、森(28)が大急ぎで追いかけてきて、チーフにどうしても戻ってほしいと懇願した。これをチーフは断り、岩倉がわれわれに会いに来るべきだと言った。このチーフの言葉を森が誤解したため、さらに予定が遅れてしまった。やっと話がまとまり、岩倉が東久世を連れて公使館にやって来た。岩倉が森を通じて私に江戸へ来て欲しいと言っていたが、それは単に直に私と話をしたいためと思っていたので、この要求にはあまり意を留めていなかった。せいぜいチーフを招待していたためか、一九日の会談に出席して通訳を務めてくれないかという頼みくらいに受けとめたのである。岩倉はサー・ハリーに公使たちの会議の結果を尋ねた。しかし、サー・ハリーは、会議は延期されたとしか答えられなかった。公使たちは、戦争終結の宣言を出したいが、一方でストーンウォール号の引き渡しはしたくないようだった。そして、船を保留しておくことを正当化

(21)『論語』衛霊公。
(22)『新約聖書』マタイ福音書。
(23)以上、日記一月一三日。
(24)孝明天皇。
(25)徳川家茂。
(26)徳川慶喜。
(27)以上、日記一月一五日。
(28)外国官権判事森金之丞、有礼。

するため、公使たちは局外中立宣言の通知を取り消したくなかったのだ。われわれとしては、これはかなり筋の通らぬことである。岩倉はまたしても前回の議論を蒸し返して、榎本を攻撃するためにストーンウォール号をミカドの政府が手に入れたがっていることなど思いのほかのことで、むしろ榎本に寛容な条件を提示する決意だと付け加えた。そこで、チーフは、自分の考えとしては、戦争は終了しており、局外中立宣言もそれに伴い失効したと考えるから、自分にはこれを文書で述べる用意がある、と断言した。岩倉はこう述べた。ミカドは公使たちの回答を知るのを大変楽しみにしている、そのため、あとに残って五日間でこの問題を解決するよう努めた上で、東海道の清水港で京都にお帰りになられるミカドの列に加わるように、命じられたのである。そして、サー・ハリーの回答を内密に知りたいのだ。自分としてはミカドに良い土産話を持って行きたいのだ、と語った。もう一言岩倉は述べた。ミカドの政府はその力強さを十分に発揮し、六か月で奥州と出羽の地方を鎮圧した。しかるに、昔の戦いでは一二年(29)もかかっているのだ。政府は人間味のある処置を採用することを考えており、それゆえに、駿府と水戸の二つの徳川家に残存部隊の処分を命じている。もしこれがうまく片付くなら、慶喜は赦免されて、再びミカドから恩恵を受けることになろう。岩倉は自ら勝に会った。勝は、寛大な条件が提示されたならば、反乱軍に降伏するよう説得できると信じている。ところが、ミカドの政府は、武器や軍艦の完全なる引き渡しのない合意では満足できない、もし反乱軍が執拗に抵抗することが分かれば、ミカドの政府は武力をもって鎮圧しなければならない、というのだ。［このような率直な申し立てによって、サー・ハリーから好意的な返答を引き出すことになった］。岩倉はロシアの出方に警戒しているようで、ロシアが榎本と同盟を結ぶ可能性がないだろうか、と尋ねた。チーフはそんなことはありえない、と答えた。この会談は三時間にも及び、最後に岩倉からの謝意と、サー・ハリーを浜御殿の門前で待たせ続けたことに謝罪した。これに対して、チーフもすべての手段を尽くして友人の公使たちを自分の意見に従わせ、二五日までに回答を送らせるように説得し、自分自身の回答は同日のジャパン・ヘラルド紙に発表しよう、と言った。それはチーフとしての出来る限りの断固とした政策表明であった(30)。「今やチーフが「徹底的にやる」決意を固めたことを知って、私はとても嬉しかった」。

ミカドが京都にお帰りになる途中、翌日（一月二〇日）の朝八時ころ高輪をお通りになれられた。ミカドの行列は、東京にお入りになられた時よりは小ぶりになられたようだ(31)。一月二一日の箱館からの情報が届き、開陽丸が江差付近の岩礁に乗り上げ、立ち往生する事態になったが、大砲を海に投じて、その場所にブイを置いた、ということであった。

二一日に、会津と仙台の両藩に対する処罰が公表された。その他の北国の諸大名や最後まで抵抗した小数の大名に対して負わされる刑罰も発表された。会津侯父子は死一等を減じられたが、領地はすべて没収された。仙台は六二万五千石から二八万石に減封された(32)。治世中だった藩主は隠居生活を命じられ、われわれの旧友である宇和島の伊達の息子が跡目を継いだ(33)。

二二日に(34)、また公使たちの会議が開かれ、局外中立宣言を撤回する問題が話し合われた。小柄なイタリア公使は二三日に江戸にやって来たが、サー・ハリーとポルスブロックが進んで撤回に同意されたが、他の公使たちは拒否した、とわれわれに断言した(35)。ところが、（二四日）サー・ハリーから届いた手紙には、すべての公使たちが戦争終結を認めるが、局外中立宣言を同時に撤回することには、その方法を協議するためにしばらく時間が必要なことを求めることで、「共同覚書」の作成に同意した、ということであった(36)。

(29)　前九年の役、後三年の役。
(30)　以上、日記一月一九日。
(31)　以上、日記一月二〇日。
(32)　以上、日記一月二一日。
(33)　二二日にサトウは『好逑伝』の読書ノートをつける。
(34)　日記では、二三日。
(35)　以上、日記一月二三日。

また、チーフからの手紙では、アダムズとモントベロ（フランス公使館の書記官）を岩倉との会談に同席させるよう調整せよ、との指令があった。それは箱館の徳川反乱軍がウートレー氏とサー・ハリーに託送を依頼した天皇への嘆願書を、この二人から岩倉に手渡すためであった。この文書を翻訳して、すぐ送った。その後、会見は午後二時に決まったと東久世から知らされたので、ミットフォードと私は木戸のところに行き、局外中立宣言に関する共同覚書の写しを渡した。彼はすぐに「しばしの猶予を」という文句を選んで不満を述べた。しかし、これは妥協のつもりで挿入しただけだ、と自分の見解を述べることしかできなかった。ミカドの政府にとっては、いささか差し障るところがあっても、公使全員が戦争終結の承認に同意してくれた方が、二人だけ認めてほかの四人が依然として局外中立宣言を続けるより、好ましいことではないか、と私は言った[37]。一通の覚書がアダムズから届いたが、それには最終の協定内容が書かれており、ミカドの政府が官報[38]にこの往復書簡を公表して、一般に知らせるべきである、と書いてあった。その後、アダムズ、モントベロ、ヂュブスケ（注：彼はフランス軍事顧問団の士官で、日本語の勉強に専念し、最終的にはフランス公使館の通訳になった）を会わせるために、私は東久世のところに行った。彼らは午後二時一五分ころ現地に到着した。まず、モントベロがウートレー公使からの共同覚書の写しを提出して、議事が始まった。岩倉はすぐに「しばしの猶予を」という文句がイギリスとフランスの両公使の書簡の中にあることを指摘し、これは如何なる意味かを糺した。アダムズとモントベロは、この点をあれこれ言う権限はわれわれにはないが、岩倉さんの要求をそれぞれの公使に手紙を出して、できるだけ日時を明らかにさせるよう努力いたしましょう、と言った。私も山口範蔵[39]に耳打ちして、妥協のことは木戸さんがすでに心得ているから、と後で岩倉さんに伝えておいてほしいと頼んだ。次に、徳川反乱軍の嘆願書を手渡すことになった。その際、私は岩倉にこう伝えた。この文書を手渡すにあたり、両公使はその内容については少しも口を出さないし、そして彼らには調停者として行動する考えはないが、過日、日本の外務卿《フォーリンミニスター》が両公使に、できることなら逃亡者の気持ちとその意図を知りたいと言っていたので、その要望に応えることがこの機会にできるのは実に喜ばしい、と。

岩倉はこう応えた。あの奴らは今や反乱軍と宣告され、水戸と駿府の両藩が彼らに対する討伐を命じられている。岩倉がたった今読んだ嘆願書を提出する正当な段取りは、両藩の藩主を通して送られるべきものである、と。岩倉は急いで文書を一瞥《いちべつ》しただけなので、その内容の是非を断言することはできなかったが、嘆願書を提出した者がわずかでも帰順を求めていることを知って、喜んでいた（しかし、もしパークスとウートレーの両公使宛てに書かれた嘆願書の送り状のきわめて傲慢な文面を、岩倉が知ったら、とてもそうは思わなかったであろう）。それでも、岩倉は両公使に感謝をしていたし、嘆願書の仲介の動機に不純な意図がないことを十分知っていたが、そのような筋から来た嘆願書を受け取ることは承諾できない、と言った。どうかこの嘆願書を、徳川家を通じてミカドに奉呈できるよう、両公使には心がけてくれないか、と言っていた。

アダムズとモントベロは徳川家とは一切関わりを持ちたくないと言った。フランス側からあれこれ急き立てたので、岩倉は自分もこの嘆願書をひとまず預かり、明日、これに回答すると言った。それから、われわれは帰館した。アダムズはチーフに報告書を急いで送った。[40] 翌日（二五日）の午後、新しい指示が届

(36)「西暦去年二月頃貴国内兵乱相起候節、局外中立之儀ニ付差出候布告書、此度改而取戻度旨被申越了解イタシ候、然處今日（一月二三日）ニ致、前文兵乱相止候ニヨリ最早貴国内朝廷へ匹敵之者無之儀ト存候、依而皇帝陛下政府之御求ニ応ジ可申候得共、前文局外中立之儀ニ付、各国同列ト兼而差出候布告モ有之候間、不残一時ニ取戻度存候間、右相談之為、暫時猶了不致ヲ不得、右御回答旁可得貴意、如斯御座候」。

(37) 一月二四日の木戸孝允日記には「十二字（時）サトー、ミットホール来る世間の事を談す局外中立の一條に付英公使より岩相公（岩倉具視）の答る處の書面を示す此間に察知其旨趣を了得する事ありサトー有用件東久世卿に至る」とある。

(38) 太政官日誌。

(39) 山口尚芳。

(40) 以上、日記一月二四日。

いた。アダムズは岩倉のところへ行き、嘆願書を受け取ることを岩倉が拒否したことに両公使ともに驚いていることを伝え、局外中立宣言に関する共同覚書の「しばしの猶予を」という字句は、ただそれだけの意味にすぎないことを述べた。モントベロと相談してから、二六日の午前一〇時に岩倉と会談することを決め、その旨の手紙を東久世に送った。その返事がイギリス公使館に届かぬうちから、岩倉の命令が書いてある山口範蔵の手紙が来た。その内容は、嘆願書の受け取りは拒否する、明日横浜に行って局外中立宣言の件で外国代表に会うので、その折に他の用事について両公使と話し合う機会を得たい、というものであった。ところが[41]、間もなく東久世の手紙が届き、岩倉の出発が一日伸びたので、両公使が申し出た時間に自分が両書記官にお会いする、と言ってきた[42]。

二六日、私の体調[43]がすぐれなかったので、ミットフォードが私の代わりにアダムズの通訳として出かけた。岩倉は先日の態度を改め、両公使から嘆願書を受け取る用意があるが、その内容には目もくれず徳川の逃亡者どもへ付き返すつもりだと表明した。さらに、岩倉は「しばしの猶予を」という言葉の意味を両公使から詰問する決意だと言った。彼はまた両公使に手紙を書いて、嘆願書の件で取られた骨折りには感謝するが、その内容があまりに無礼なものなので、それゆえ、直接相手に送り返すことにした、と書いてあった。これには、われわれの両チーフ[44]は顔に平手打ちをやられた形となった。というのも、両公使が受け取った嘆願書と同封の榎本の手紙の内容は、決して提出できる代物ではなかったのである。その手紙は黙って蝦夷占領をわれわれに任せておかなければ、ミカドの政府に挑戦するぞと脅したものであった。しかし、サー・ハリーにしてみれば、ウートレーによって嘆願書をミカドの政府が受け取る一件が処理され、それによってウートレーの名声が高まることを恐れたからである。[45]だが、そうだとしたら、ウートレーが打った小芝居は、岩倉の幸運か洞察力によって、挫折したわけである。

翌日（二七日）、私は急いで横浜に行かねばならなかった。岩倉が外国代表と会談するとのことである。

彼は「しばしの猶予を」とはどういう意味か尋ねた。岩倉にしてみれば、すでに猶予期間は十分過ぎたように思えたのである。局外中立宣言を公式に通知した時には、ミカドの政府からの通知を受け取ると、すぐに行動に移したくせに、今はなぜ躊躇《ちゅうちょ》するのか。公使たちはこの質問を軽くかわして、その後、別室に引き込み、回答について協議した。彼らが再び現れると、おそらく一四日のうちには、声明書を発する予定だと告げた。そこで岩倉も、やむなく同意することになった。ともあれ、われわれのチーフは戦いに勝ったので、みんなで一緒に喜んだ。岩倉は同じ日の午後、キャンスー号（注：この船はもともとシェラード・オズボーン大佐の旗艦であったが、H・N・レイが中国の小艦隊を指揮した時も旗艦として使われ、その後薩摩が買い上げた）で志摩の鳥羽の港に向かった。［東久世は公使たちに、日本の暦で来る新年にミカドが戻って来られ、江戸がこの国の新しい首都になる予定であるが、しかし、これは目下のところ、公表しないことになっている］。彼は江戸の地図を示して、日本の外務省を建てる尾張屋敷を除いて、金杉橋[46]から築地ホテル館に至る海岸通りの全地域を公使館の建設用地として提供すると言った。サー・ハリー以外の公使はみな、敷地を快く受け取ることはできないと断言した。日本人の言うことはみんなウソだ、と思う悪い癖からサー・ハリーは段々抜け出しつつあることを、私は分かったのである[47]。

(41)　アダムズとモントベロ。
(42)　以上、日記一月二五日。
(43)　日記では、下痢。
(44)　パークスとウートレー。
(45)　以上、日記一月二六日。
(46)　現在の港区芝。
(47)　以上、日記一月二七日。

第三六章　東京の最後の日々、故国への門出

それより一週間前(1)に、岩倉は私に美しい蒔絵の飾り棚を恵贈してくれた。私が様々の機会に彼のために通訳の労をとってくれたことのお礼だと言っていた。そして、一月二八日に江戸に戻ると、鮫島誠蔵の手紙と、薩摩藩主、大久保、吉井、それから鮫島自身からの贈り物が届いていた。鮫島の手紙にこんなことが書かれていた。「薩摩藩主は私に、これまで自分のために尽くしてくれた貴殿のご親切とお骨折りに対し、感謝の意を伝えるようにと申されました。藩主は貴殿に二箱の進物を贈呈されました。残りの品々は、ささやかではありますが、大久保、吉井(2)、そして私からの貴殿のご厚意に対する感謝のしるしとしてお贈りさせていただいたものです。われわれの記念として、いつもお持ちいただけたら幸いでございます」と。藩主の進物は、孔雀を象《かた》どった銀の船（いわゆる宝船）と蒔絵のスタンドで、これに白絹二巻が添えてあった。吉井は清水焼の磁器二個、他の人々は白繻子の錦織二反を贈ってくれたのだ(3)。[Ioxy というつづりは、日本人の姓名を古いポルトガル語の正しいつづりで書いたものである。この手紙は英語で書いてあった]。

（一月三〇日）私が英訳した「北方大名に対する宣告文(4)」が一月三〇日付のジャパン・ヘラルド紙に掲載された。この公文書は「尊幕家」外交官の完敗を完璧なものにした(5)。[この尊幕家《ソンバクカ》外交官という言葉は、最後の最後まで将軍方を支持していた外国公使(6)にささげるために日本人が発明したものである(7)]。

二月一一日は日本の正月元日にあたった。その日、私は江戸で過ごした。米のかたまり（モチ）が用意された。私の書斎の小空間（床の間）にも、セビリアのオレンジ（橙《だいだい》）とシダがしきたりにのっとって飾

られ、干したシダの葉が吊るされた。絹の座布団が用意された。客人と私が座って雑煮《ゾーニ》を戴くためである。雑煮は焼いたモチを数枚スープに浸したものである。元日に一杯、二日に二杯、三日に三杯食べるものである。屠蘇《トソ》という新年の飲み物が出される。これは香辛料を混ぜた甘いサケである。そのサケを膳の上に置かれた大、中、小の磁器の杯で飲むのである。家人が代わる代わる私の前に来て、新年の祝辞を述べ、年の暮れにみんなの働きに応じて贈ったお歳暮《セーボ》、つまり贈り物の礼を言ってきた。(8)(9) 翌日(10)の晩には、日本人の護衛を呼んで、ご馳走をした。その席には、公使館の日本語ライターの小野清五郎、ミットフォードの日本語教師の長沢と私の家人も招いた。(11) ミットフォードと私は部屋の上座の白い緞子の座布団に座った。大きな塗り物の火鉢に二人は対座した。日本人の客は部屋の両側と下座に並んだ。私は自分が座布団に座ることを詫びた。主人役として、私が座布団に座るのはおかしいが、畳の上に座ると、私の膝が痛くなるからである。初めのころは、随分かた苦しい話のやり取りだったが、やがてサケが出されると、晩餐の仕出しをした料理屋(12)の給仕の女性、ゲイシャ、野口の妻(13)、横浜からやって来た(14)、実に気の利いた娘(15)などが酒席を盛り上げた。われわれは滑稽な踊り、なぞなぞ、唄、新年の万歳踊りを楽しんだ。大きな酒樽も飲み

(1)　一月二一日。
(2)　ポルトガル語で Ioxy と表記。
(3)　以上、日記一月二八日。
(4)　「詔書之写」（東京城日誌第十）が原本。
(5)　以上、日記一月三〇日。
(6)　フランス公使だったロッシュ。
(7)　サトウは一月三一日～二月七日、九日に日記を書いていない。
(8)　以上、日記二月一一日。
(9)　サトウは二月一二日に日記を書いていない。
(10)　日記では二月一三日。
(11)　土屋という男もいた。
(12)　高輪・車町の万清。
(13)　富蔵は一八六八年の暮れに、くらと結婚。
(14)　日記では、クレーンとリチャードの細君。
(15)　クレーンの細君か。

干されたので、一二時にすべて上機嫌で帰って行った[16]。

［アレキサンダー・シーボルトは、民部大輔[17]と一緒にフランスに行っていたが、ようやく日本に帰って来た[18]。当時の賜暇規定で決められた年限よりも二年も多く勤めた任務から、私はようやく解放されることになった］。二月一四日、シーボルトと私は勝を訪ねた。勝は将軍政治の崩壊以来、われわれに政治情報を提供してくれた貴重な情報源だった。勝は、まもなく箱館の徳川反乱軍は降伏するだろうと考えていた。別れにあたり、彼は脇差《ワキザシ》（小刀）を私にくれた。われわれは互いに尽きぬ名残を惜しみながら別れた。［彼は紀州屋敷の離れに住んでいた。その屋敷には］、旧知の竹内[19]という紀州の家来がいた。彼は今もここに住んでいて、これまで大名屋敷に流れる情報や文書をわれわれに提供してくれた人なのだ。われわれは彼の部屋に行き、お茶を飲まなければならなかった。その部屋には、紀州の有名な役人の伊達五郎[20]の秘書がいたので、この人物に私の別れの言葉を伊達に伝えてもらった。われわれは公使館に戻り、すぐに踵《きびす》を返して、私の出発を祝して東久世が催してくれた築地ホテル館の晩餐に向かった。ミットフォード、シーボルト、そして私の他に、客は備前侯[21]、公卿の大原侍従、木戸、町田、森［（後に森有礼として知られる）語学学校[22]の教授で、最近創刊された江戸の新聞[23]の編集者の］、神田孝平、宇和島の都築荘蔵であった。なかなか楽しい集まりだった。小柄な備前は、とても丁寧に私に挨拶をした。貴殿のことはたくさん聞いているが、今までお会いする機会がなかったが、この送別会でお知り合いになれたので、今後はよろしく、とも言っていた。私は東久世の左側という光栄な席に就いた。食事が終わると、シャンペンを縁までぎりぎりに注ぎ、私の健康を祝して杯を上げ、楽しい航海を祈ってくれた。みんなは何かしら私に頼みごとをした。日本政府は六個の高価な金時計とくさりを注文した。都築荘蔵は、伊達老候の名前が書かれた送別の手紙を渡し、『ハートレットの条約集[24]』を一冊頼んできた。薩摩侯、大久保、吉井、鮫島から餞別を戴いたほか、町田や日本人の護衛、その他たくさんの人々から戴き物があった。木戸もその一人だ。木戸は食

事後に内密で話をしたが、朝鮮に開港場を開くにあたり、日本に生まれる様々な利益、とりわけ、朝鮮の人々に目を自国の外に向けることで生まれる、物質的より精神的な利益について話し合った。木戸と森の両人は日本人キリスト教徒の問題で私に助言を求めた。まず穏健な方策をとり、時おり外国代表に長い「覚書」を送って、彼らを静かにさせておくことを私は勧めた。議会の法令として日本人全体に宗教的寛容の観念を吹き込むことは困難であることは知っているので、スペインもつい最近までプロテスタントに信仰の自由がなかったことを、[25]私は話した。しかし、蝦夷地の土地をキリスト教徒に分配して宗教を自由に行わせるという森の提案が良いとは、私は思わなかった。都築は極秘の話として私に打ち明けたのだが、戸倉[26]という備前の若い家老をイギリスに行かせたいということだった。遠路はるばる、この晩餐会に出かけただけあって、われわれにはとても満足のいく一夜となった。[27][28]

翌日（二月一五日）、私は江戸に別れを告げた。私がロンドン警察から派遣された公使館付き騎馬護衛隊の兵舎の入口を通った時、ピーコック警視と彼の部下が出て来て、素晴らしい旅になるよう祈ってくれた。野口やミットフォードの日本語教師の長沢と私の日本人護衛四人が、わざわざ梅屋敷まで送って来てくれ

(16) 以上、日記二月一三日。
(17) 徳川昭武。
(18) 二月二日帰任。
(19) 孫助、半助。
(20) 伊達宗興。
(21) 池田章政、議定心得。
(22) 開成所。
(23) 中外新聞。
(24) イギリス外務省ルイス・ハートレットの、イギリスと諸外国との間の条約集。
(25) 一八五五年ごろ、一部認められる。
(26) 戸倉修理之助。
(27) 以上、日記二月一四日。
(28) 同日の木戸孝允日記には「英人サトー明日より東京を発し赴國依て東久卿の促に応し備前侯大原卿森町田神田等とホテルに別杯をなすミットホール、アレキサンデル（シーボルト）も来る（中略）今夕サトーと論し大に欧州の事を想知する事あり」とある。

た。その場所で、われわれは別れの杯を交わした。(29)(30)（二月一六日）東久世は挨拶状を私に送り、私の出発を惜しんだ。それから、大きな蒔絵の飾り棚を贈ってくれた。これは、私が円滑な外交関係のために尽力したことに対して、ミカドが正しい評価をした表れであった。木戸からも手紙があり、私がヨーロッパで日本のことを耳にしたら、どんな情報でもよいから知らせてほしい、私が彼に送った手紙には必ず返事を出すと約束する、素晴らしい船旅をされ、イギリスに安着されることを願っている、と書いてあった。(31)(32)(33)

二月二四日、私はペニンシュラ・アンド・オリエンタル汽船のオタワ号（八一四トン、エドモド船長）で横浜を出帆した。(34)［レディ・パークスも同じ船でイギリスに向かった。居留地のイギリス人はレディ・パークスに敬意を示し、音楽隊を派遣した。船の錨が上げられる時、音楽隊は「ホーム、スィートホーム」を演奏した。私の目から涙が潤んでいたのに気づいた。こよなく愛する音楽を聴く時にいつも湧き出る感動のためか、それとも、六年半にも及んで、幸せに過ごした国から立ち去るときの惜別の念のためなのか、何とも言いようがなかった。私の信義の厚い会津のサムライの野口富蔵を一緒に連れて行ったのである］。(35)

---

(29) 以上、日記二月一五日。

(30) 一五日、サトウは同僚W・G・アストン『日本口語小文典』を公使パークスに推薦。「日本語を学ぶ通訳見習への入門書として、これまでこれほどすぐれた著述がなされたことはない」と。

(31) 以上、日記二月一六日。

(32) 一六日、サトウは公使に通訳見習の日本語学習の経過を報告。一九日、サトウは覚書「通訳見習の日本語学習」を公使に提出。

(33) サトウは二月一七日〜二三日まで日記を書いていない。

(34) 以上、日記二月二四日。

(35) 四月五日のウイリスの手紙に次の記事がある。「サトウ氏は公使館の一員で、日本語書記官です。大変に才能のある人物で、現在までのところ、日本語の完璧な知識を持ったただ一人の人間です」（大山瑞代訳）。

聖ミカエル聖ジョージ一等勲爵士　名誉法学博士　元駐清公使

サー・アーネスト・サトウ

『ケンブリッジ近代史』（Cambridge University Press, Cambridge, 1909）より

企画　法学博士　故アクトン卿　近代史担当教授

編集　A・W・ワード　文学博士

G・W・プロセロ　文学博士

スタンレー・リーズ　文学修士

（楠家重敏　監訳・小島和枝　訳）

第一一巻　国民国家の成長

第二八章　極東（一八一五年〜一八七一年）

第一節　中国と西欧列強諸国との関係

この節で扱う時代には、停滞している昔ながらの文明と、一方でかなり後年に起源をもつが、はるかに旺盛な勢力を増して、ライバルを追い抜き、優勢を保っているもう一つの文明との間の、激しい争いがあふれている。中国人は木版印刷を六世紀に発明した。一五世紀の半ばになるまで、ヨーロッパで活版印刷が見い出されたことはなかった。——この事実が典型である。ところが、中国人はエジプト人の象形文字と同じような複雑な書き言葉を使うだけに留まり、アルファベットを発明し、または採用することはなかった。このような実例でも、中国と西洋諸国との間にある、広範囲にわたる違いを示すのに十分であろう。

時代区分

その時代を三つの部分に分けると便利である。一八一五年から一八四二年までは、西洋諸国のなかで、おもにイギリスが中国と衝突していた時期である。一八四三年から一八六〇年までは、フランスとアメリカ合衆国が中国に協調していた時期である。一八六〇年から一八七一年までは、こうした国々に加えてロシアも、中国の首都の北京に外交機関を維持していた時期である。

一六世紀の半ばまで、中国は西洋諸国の存在をほとんど耳にしたこともなかった(1)。遠い昔から、中国は近隣諸国を啓蒙する中心地であった。—朝鮮、日本、安南（ベトナム）、シャム（タイ）、ビルマ、チベット、こうした国々の大半は、政治的権力と深遠な思想において中国が優越していることを認め、宗主国へ隷属する関係に甘んじていた。中国人の言いまわしを使うなら、「すべての人間は天子の下にある」と、中国皇帝への忠誠を表している。他の諸国も中国へ行くときには、忠誠を表す一方で、中国の価値の高い産物を購入するのである。しかも諸国の産物は中国には必要なものではなかった。いかなる君主も中国皇帝と同等であると主張することは、ありえないことだった。中国は唯一の文化国家であり、一八一八年の皇帝（仁宗）の勅令の一節に、「皇帝は、国外の野蛮人を支配し、抑制するために、つねに不動の規則や規定を野蛮人に下賜するのである。それに従う野蛮人には、気前が良く、親切にすべきである。しかし反乱を起こす者、服従しない者には、恐ろしさを示すべきである」。「もしも野蛮人が無礼であれば、彼らを懲らしめるべきである。もしも服従するならば、その者達を寛大に扱うべきである」。中国の商人団（広東十三行）は「野蛮人を絶えず教え導き、彼らの思いあがりと放蕩《ほうとう》を抑え込むために」指名されたのである。イギリス国王は、公式文書の中で、常套句のように「謹んで服従」と記述され、王は「繰り返し貢物を献上した」と叙述されていた。一八一六年にアマースト卿の使節が北京に派遣されたとき、中国皇帝の前で彼に三回ひざまずき、九回頭を床につける儀礼をする[2]よう要求された。だが彼は、イギリス国王よりも高い敬意を示す要求は受け入れられないと拒否したため、謁見を許されることなく、無礼な人物だとされ退けられたのである。一八五七年、アメリカ代理公使は広東高等弁務官に書いているが、中国と西欧諸国との間のすべての困難の根源は、中国がイギリスやフランス、アメリカなどの西欧諸国の中国との同等の立場を認めようとしないことなのである。一八七〇年になってさえも、中国当局は、彼らの皇帝の勅語にあるように、西欧の外国代表は中国皇帝の臣下としてだけではなく、中国当局にも従属する存在であると、彼らに語り続けたのである。外国商人とイギリス外交官を見下げる、このような傲慢な言葉づかいに対応しなくてはならなかった。

中国の対外姿勢

このような自負は、いかなる現実の軍事力や立場からも支援を受けていなかった。中国人は平和を愛好し、勤勉であり、商業精神に満ちていた。彼らは軍人という職業を軽視していて、外国の敵と戦う戦士達が成し遂げた功績を重んじる伝統はなかった。タタール族（清）が一七世紀にこの国を征服し[3]て、主要都市に駐屯軍を置いて戦っていた。その都市に住んだ好戦的な先祖の子孫達は、すぐに戦う意欲を失った。

（1）一五六七年、中国人の海外渡航が許される。　（2）三跪九叩頭礼。

彼らの武器は、刀、槍、機関砲、火縄銃であったが、ヨーロッパ人が持っている武器よりはるかに劣ったものだった。航海術においても、同様に不利な状況にあった。兵士は、肉体的な豪胆さに欠けることはなかった。ところが、将校は戦術の知識にうとく、指導する能力も資格もなかったので、武力紛争が起きたときには、中国の軍隊は効果的な抵抗すらできなかった。彼らはやすやすと大敗北を受け入れるか、仮に抵抗したとしても、敵の損害は全体からすると物の数ではなかった。

ところで、インドから広東にやって来たイギリス人はヨーロッパの大きな戦いに凱旋《がいせん》したばかりの集団だった。彼らはアジア人に威張り散らすことを常としていた。力づくで抑えつけられることには、すぐに腹を立てるくせに、彼らは無防備な群衆を怖れることはなかった。そしてイギリスの歴史や伝統にのっとり、自国の法令に基づかない、いかなる本国の権威や役人による、任務には従う気にはならなかった。そのような集団が自分達をいら立たせる処置に関して母国政府の支援に協力しても、結果的には彼らの不正を正し、より大きな商業的特権を得るために権力を使うことになるだろう。イギリスの軍事的優勢で楽勝が見込まれていた。中国国内が麻のように乱れていたので、その任務はかんたんだった。満洲人征服者（清）は、宮廷を維持するための割り当てを納めさえすれば、地方の自治組織に大きな権限を任せる方が賢明であると考えた。地方排他主義にとっては、民衆と軍隊の両方の管理が基本政策であった。それぞれ違う地方の中国人たちは、自分たちに共通な国家があることを全く知らなかった。南方で起きた問題は、この国の中央や北方の地域には関わりのないことだった。もし広東巡撫（両広総督）がイギリスと問題を起こして、もし彼の要塞が占領され、軍船が破壊され、その町が攻撃されないように莫大な身代金を払わされても、すぐ近隣の福建巡撫（閩浙総督）は、彼らを助ける義務はなく、イギリスとの友好関係から同胞の邪魔をすることさえあり、広東の民衆はイギリス軍のために攻城はしごを運ぶことさえ喜んで買って出たのである。そのイギリス軍は、北京への街道にある川の入り江の要塞を攻撃したのである。

西欧政府や極東の外交官が行った決定の判断を下す場合、中国からの報告がヨーロッパに到着し、それを受けて中国に滞在している外交官に指令が届くのに必要な通常の日数は、一八四六年までは少なくとも一〇か月間かかった。それ以降の時期になると片道の航海は約五〇日間と縮まり、一八五三年には四四日間となった。電報による通信が部分的に確立した一八六四年以降でも、一八七〇年七月に起きた天津の大虐殺のニュースはヨーロッパに届くまで三五日を要した。その為、政府はごく最近になるまで、外交官達の行動を制御するのが困難で、かたや外交官達は瞬時に行動する必要に迫られ、指令を待つよりも自ら判断することが日常となった。電信ケーブルが酷使される可能性があるけれど、原則として、電信は戦争を避けるための道具であった。

関係確立のむずかしさ

イギリスの中国貿易は東インド会社に独占され、現地の自前の船の中で貿易を行っていた。東インド会社は、貿易のために唯一開港された広東で、管貨人委員会に代表を出していた。委員会のメンバーは通常はマカオに滞在し、毎年茶貿易の季節になると広東へ赴いた。彼らは広東に妻を連れてくることを許されず、城壁に囲まれた街に入ることも、国中を自由に歩き回ることもできなかった。そのような規制をおとなしく守っている限りでは、彼らはかなり厚遇されていた。頻繁に中国人と外国人水兵とのいざこざが起こり、中国当局が常に外国人を引き渡すよう要求した。外国人が中国人を殺害し、危害を与えるからである。命を奪えば命をもってあがなうという規則は厳格に適用された。殺人が偶然に起きたものでも正当防衛だとしても、中国の刑法によって認められた減刑は一切なかった。外国人同士の商売上の紛争には干渉することはなかった。東インド会社の船に加えて、「カントリー・シップ」として知られる、インド固有の大型船も、インド貿易に従事することを許され、ある一定の民間商人も寛大な扱いを受けていた。一八三四年の東インド会社の勅許状を更新する時期が近づいて来ると、中国貿易を東インド会社が独占することを廃止する運動を個人貿易家やリバプール、マンチェスター、バーミンガム、シェフィールドの貿易商が起こしていたが、それが次第に強い抗議になっていった。一八一五年から一八二九年までの東インド会社の中国貿易の年間利益は、一億ポンド以上にもなっていたことが示していた。イギリス政府は広東から受ける報告書を信じ込んでいた。その報告書は、中国政府自体が変化を望んで

(3)　一六六二年、明の滅亡。

いること、イギリス政府が採用する貿易監督委員会に貿易管理が移行されることを歓迎する、という内容だった。これはひどい誤解であったが、ネーピア卿が中国に到着するまで発覚されず、両広総督（盧坤《ろこん》）はイギリスの政府代表と同等な扱いを要求していた。

ネーピア使節

留意してもらいたいのは、この当時の外務大臣がパーマストン卿であったことだ。卿は外務省に所属していたが、内閣の重要な役職も兼務して、一八三〇年から一八六五年まですべての業務を任され、イギリス貿易の支援もあって、きわめて威圧的な政策を中国政府に取っていた。中国当局が、初めて東インド会社の独占貿易が廃止されることを耳にした時、何人かそこに採用しなければならないと選抜委員会（公局）に知らせていた。貿易会社の商業代理人のために、イギリス政府の代表だと主張する政府高官を代用することを全く考えていなかった。したがって、総督は、ネーピア卿とのいかなる話し合いも拒み、彼をマカオに退去させなければ、貿易を中止すると脅した。軍隊の支援がなければ、彼の立場を維持することができないと認識したので、ネーピアはマカオに向かった。広東の天候と彼が強烈に仕事に専念したことが、彼の病気を悪化させた。中国の小役人が彼を下に見ていたことで、いら立ちや辱めを受けていた。彼の健康状態はより一層悪くなり、ポルトガル人居留地の心優しい避難場所にたどり着いた二週間後の、一八三四年一〇月一一日に他界したことで、やっと彼の問題は解決された。

広東滞在の間、ネーピアはパーマストン卿へ三隻から四隻の軍艦という小規模な軍事力の派遣をしきりに要請していた。それがあれば、いかなる敵をも打倒できるだろうと判断し、香港島を手に入れるべきだと考えたのである。しかし彼の手紙がイギリスに届いたのは、グレイ卿の政権が崩壊した後だった。ウエリントン公爵に手紙が届いたが、公爵は一八三五年二月二日に素っ気ない返事を書いた。東インド会社の重役がいつも選抜委員会（公局）の代表に用いるような調子で、イギリス国王の意図は、商業関係の樹立は、武力ではなく、話し合いによる調停にあると返答した。

一八三五年の外務省の短い在職期間にウエリントン侯爵がサインした覚書に沿った政策に従って、貿易監督官はマカオに残った。不運なことに、東インド会社の代表の権威が失墜したことや、中国人が現地の貿易監督官の存在には気づいていなかったことを、誰も知らなかった。そのため、陸上でも海上でもイギリス国民の行動を管理する存在がなかった。この事実のために、国際関係は困難な道をたどり、一八三九年から一八四二年までの戦争（アヘン戦争）で絶頂に達した。

エリオットの困難　チャールス・エリオットは海軍士官であったが、一八三六年の終わりに前任の貿易監督官（G・B・ロビンソン）と担当を代わるため、上級随行員を伴って広東に派遣されたが、中国当局との会話の再開に務めた方が賢明であるとの結論に達した。彼らとの面談の折には、言葉とは裏腹なかなり洗練された指示である「稟《りん》」（請願）という不快な言葉まで使うことさえ同意した。それから、自分に昔の選抜委員会（公局）と同等の力をあたえるべきだと中国当局に強調した。

エリオットには、中国当局との公式な話し合いを実行する条件という、この厳しい問題が生じたが、その他にも殺人を犯した外国人の裁判を行えという中国人の訴えに関する問題もあった。第三に、行商人《ホン》に六〇万ポンドあまりにも達する負債が存在すること、最後にアヘン取引を抑制する問題があった。

アヘン貿易問題　この最後の問題こそが、イギリスとインド政府によって実行された方針が強い非難を浴びた事柄に関する問題であり、外国人のみならず多くのイギリス人も自由に論じたもので、事件の主要な事実を述べてゆく必要がある。アヘンは昔から少量、中国に輸入され、栽培されていた。アヘンの輸入は、はじめにポルトガルとオランダの手によって行われていた(4)。アヘンを吸う習慣は一七世紀末に伝えられたが、一七二九年には禁止された。しかし、この麻薬は薬として認められ続けていた。一八世紀末からは全て禁止された。一七七三年以前は、輸入は二〇〇箱を超すことはなかった。イギリス東インド会社はその後ベンガル・アヘンの国内で

（4）　アヘンはすでに唐代にアラビアから伝わり、明代中ごろにポルトガル人がこれを輸入した。用途は薬用にとどまり、少量であった。

の取引を独占し、西海岸の港から入ってくるマルワー・アヘンの輸出を妨げて、アヘンの価格をつり上げ続けた。一八三〇年にはイギリス植民地のケシ栽培の制約が取り除かれた。一七八七年から一八三〇年までに、輸出のために売られた平均総量は四千箱だった。拡大が続き、一八三六年から一八三九年までには、三万箱になった。一八二〇年に広東の役人たちは、黄埔《こうほ》の停泊港で行われ続けていた密輸を止めさせた。受取船（躉船《とんせん》）が伶仃《リンティン》島（珠江河口）に入り、その島でアヘンは中国の密輸業者に渡り、現地の役人たちも共謀していた。勅令はそれ以後時々出されたが、あまり効果がなかった。一八三六年にパーマストンはそのような状況の危険さを指摘したが、中国人の問題だと考えた。アヘン輸入を合法化するよう期待されたが、依然として宮廷が反対した。一八三七年エリオットは中国人から受取船を追い返すように命令されたが、自分にはそのための権限はないと答え、言い逃れた。しかし、最後には、イギリス密輸船を河川から追っ払い、両広総督には自分は彼らを捕えることが許されていると伝えた。

一八三九年一月中国政府は通告を出し、北京から林則徐長官をこの特別な目的のために派遣し、商人達に自分たちが所持しているアヘンを林則徐に渡すよう命令した。これを守らせるために、アヘンの温床を封鎖し、すべての供給を遮断した。エリオットは勇気ある処置を取り、「イギリス政府に貢献するために」とし、仲買人の許を訪ねてアヘンを林則徐に引き渡すように促したが、公定価格にして一二五万ポンド以上の量のアヘンが放棄された。イギリス政府は前もってすべての責任を否認して、エリオットが保証したことに拘束されることを拒否した。暴力を用いたとか、役人が以前から黙認しているようだから、中国政府が賠償金を用意しなければならないと考えたからだ。

広東でアヘンを没収したことは、沿岸での取引には衝撃をあたえたが、その鎮圧が深刻な事態を生みだすことはなかった。中国の密輸取締の沿岸警備隊とイギリスの密輸船の間の武力紛争の危険を回避する為に、パーマストンは、輸入品を合法化して、麻薬であるアヘンを国の収入源に転換することを提案した。同じような指令はポティンジャーが派遣された一八四一年にも下された。南京条約が調印されたときに、彼はこの趣旨の覚書を提出している。中国側はこの覚書については、いかなる外国代表も皇帝に差し出すことは出来ないと返答をした。一八四七年にいたるまで、この趣旨が繰り返され、この事柄を放棄するよう説得したが、成功しなかった。しかし、一八五八年の上海での交渉でも、すでに天津条約に加えられていた関税が取り上げられ、この問題が再燃された。中国の全権大使はその申し出に合意し、課税を条件としてアヘンを容認した。その後いくつか議論があり、アヘン一箱につき三〇両《テール》（一〇ポンド）と定めた。そして協定が具体化して、「これまで密売されてきた、ある必需品に関する規則」でアヘンの関税が分離された。一八四五年から一八五七年までに、アヘン栽培は継続的に拡大し、一八六九年には七万八二一〇箱にまで達した。この間、中国でのアヘン生産はこれに対応して急速に増大した。この量的拡大は、一七七三年のアヘン生産量と比較すると、アヘンの吸飲が習慣となったためと推測できるかもしれない。

一八六九年の天津条約の改訂交渉中に、中国の大臣たちはアヘン取引の抑制にイギリスの協力を得ることをさらに試みた。彼らが語ったところでは、もしイギリスが密輸品として扱われているアヘンを許すならば、中国は密輸を阻止する立場にない、また、もしインドがアヘン栽培をやめても、他の熱帯の国々でアヘン栽培はできるし、そうすることだろう、そして際限なく生産されるだろうと。この問題はこの辺で打ち止めにしよう。

さまざまな出来事を概観する話に戻ろう。アヘンを廃棄した後、エリオットは香港（この当時はまだイギリスの所有ではなかった）に赴いて、同地のイギリスの商人達の意見に従った。交渉は行われたが、最終的には失敗に終わった。中国の地方役人は、事実上の宣戦布告を発令した。一八三九年五月のエリオットの急送文書には、この事件に関連した書類と、代表的な貿易商社から広東に送られた覚書が添えられていたが、これがイギリスに到着したのは一八三九年九月のことだった。メルバン内閣が結論づけたことは、はっきりとした確実な足取りで中国との将来の関係を定めておかなければならないことだった。このことに関連して、内閣は、広東と白河を封鎖し、遠征隊の集合地として舟山やいくつかの島々を奪い取るために、小規模な陸海軍の軍事力を送ることを決定した。そこを最終的に商業を確立するための恒久的な場所にしようとした。（チャールス）エリオットと彼の従弟の提督（ジョージ・エリオット少将）の要求は、イギリス外交代表に示した侮辱の賠償を含めた白河の譲渡、広東で独断的に監禁されたイギリス国民の生命の代価としてだまし取られたアヘンの支払い、行商《ホン》人達の負債の支払い、遠征費用の負担であった。パーマストンから中国皇帝の大臣に宛てた手紙にも、不満の理由が述べられていた。長年続いていたアヘンの取引を認めておきながら、突然、これを見逃した役人を罰するのではなく、これに関与したイギリス国民を攻撃した中国政府の行為に対する不満である。こういう以前からのイギリスの要求をいちいち数え上げた。外交官を侮辱した賠償として、イギリス政府は、貿易が実行できる一つまたは複数の島と中国の港の領土分割、あるいは、中国政府が望むなら通商条約の締結を喜んで受け入れるとした。中国は自由に自前の関税率を決定することも出来るし、法律で禁止した物品を没収できるだろう。罪を犯したイギリス国民はイギリスの法律に従って、イギリスの裁判所で審理されるのである。イギリス政府は、他の国々の国民に等しく広がってはいない貿易のいかなる特典を得たいとは思わないと宣言した。

イギリス政府の決定

政府は反対勢力に激しく攻撃されていた。外国権力に必要なものを供給することや、アヘンの不正取引に関係し拡大している悪魔に対処する指示を無視すること、たった九つの大勢力を守っていることを、反対勢力は口実にしている。その結果、効果的な手段を採る決意を及ぼすことはなかった。上記の遠征隊が一八四〇年の夏の中ごろに中国へ到着し、舟山を占領した。特命全権大使達は白河の河口まで進んだが、不十分な能力で処理をせよというイギリス政府の要求を受け容れさせることは無理だと分かった。

中国の直隷総督琦善《きぜん》との交渉が南方（広東）で開かれたが、実りのないものだった。しかし、エリオットは広東の川（虎門水道）の外に砲台（川鼻と太角）を占領し、中国の直隷総督に無理やり合意を締結させた（川鼻仮条約）。この合意の条項は、双方の政府の承認をしていないので、エリオットは即座に召還され、ポティンジャーと交代させられた。エリオットの水泡に帰した合意を考慮して、舟山の再占領の指令も送られた。しかし、ポティンジャーが現場に到着する前に、交渉は進み、条約草案（広東和約）が一八四一年一月に合意に達してしまった。ところが、北京から指令が来て、戦闘を再開することになった。広東の防衛維持は二週間も持たなかった。結局、街の高台にある高級住宅は占領され、身代金六〇〇万ドルが必要だった。そのうえ、スペイン船ビスカティノ号の焼失、商館破壊によるイギリス商人達の損害の補償のために八万ポンドが必要だった。彼らの発展が遅れることになった。広東での取引は再開され、その後の取引もずっと続いた。

事件の必要に迫られて、増援部隊の派遣が一刻の猶予もなく行われた。そして、ポティンジャーが一八四一年八月に中国に到着し、彼の前任者に宛てたものとまったく同じ指令が伝えられた。厦門は八月二六日に攻略された。総兵葛雲飛らの大抗戦にも関わらず、一〇月一日に舟山も再占領された。一〇月一〇日には海軍と陸軍が鎮海に現れ、素早く攻撃した。一〇月一三日には寧波を陥落した。さらなる軍事行動は翌年の春まで引き延ばされた。一八四二年の三月に軍事行動が再開し、寧波から約一〇マイルの島慈谿《じけい》を奪い、五月一八日には乍浦を、六月一六日には宝山、その三日後には上海を陥落した。軍隊は長江（揚子江）をさかのぼり、七月二〇日、鎮江を攻め、ついに八月二一日には南京に碇を下した。時間を無駄にしないように会談はすぐに始められ、八月二九日に条約（後年、その都市の名にちなみ南京条約）が結ばれた。条約のほとんどの部分を構成するものは、二年前にエリオットと彼の友人の全権大使に送った草稿であった。香港は、琦善がエリオットに譲るとした口約束に基づいて、エリオットがイギリスの領土であることが宣言されたもので、今や公式にイギリス帝国に割譲された。戦争の賠償金は一二〇〇万ドルで合意されたが、一八四一年八月一日以降に、これから中国の町や村の身代金として受け取った諸合計を差し引くことも同意した。この金額には、五月以前に広東の身代金で支払われた六〇〇万ドルは含まれていなかった。追加条項には、中国の管理の下、すべてのイギリス国民を解放すること、イギリス役人、またはイギリスのために働いてくれたすべての中国国民の恩赦、輸出入税の公平な関税率の公布、平等を基礎としたイギリスと中国の役人の通信、広東・厦門・福州・寧波・上海の五港を開港する条約の条項が発効するまでの、舟山と厦門の鼓浪嶼島の保持、が規定された。この条約は一八四三年六月二六日に補足され（五港通商章程）たが、イギリスの製品に課せられる通過税は現在の税率を越えないこと、その税率は節度ある規模に想定することが合意された。さらなる条約（虎門塞追加条約）が同年一〇月八日に広東河の虎門塞で調印された。貿易管理の一般規則から成り、そのなかにはとても重要な条項があり、中国で犯罪や違反を犯したイギリス国民の処罰はイギリス帝国が保留すること、最恵国条規、各港で巡洋艦を碇泊する権利に関する条文、スクーナー船やカッター船やローチャ船（西洋式中国船）といったイギリス船籍の小型沿岸貿易船、そして貿易監督官が発行する航行書や登録書を所持する船舶を規定する条文がある。

中国でのアメリカ外交カシングの条約

最初のアメリカ船（チャイナ・エンプレス号）が広東に到着したのは一七八四年である。二年後に、ある商人（サムエル・ショー）が領事に任命された。しかし、中国政府は彼の公的身分を承認することを拒否した。一八三九年に総督の林則徐が外国商館を封鎖して、アヘンの放棄が済むまで誰一人として出港する許可を出さないとしたが、アメリカ人もイギリス人と同じ扱いを受けた。アメリカのアヘン貿易はわずかで、イギリス人が港を引き揚げた後も、アメリカ人は広東に留まり、一八四〇年六月に広東が封鎖されるまで、その港で貿易を行っていた。ポティンジャーの新条約（南京条約）が承認されると、アメリカ大統領（タイラー）は議会に親書（ウエブスター作成）を送り（一八四二年一二月）、中国に使節を派遣する費用の支出を求めた。下院は提案に賛成し、最近のイギリスの行動を正当化した。というのも、戦争はイギリス女王が任命した公使の承認を中国政府が拒否したことで始まったと見たからである。そして、立て続けに他のイギリス外交官にも同じような暴行を加えたこと、イギリス国民が所有する船数隻分のアヘンを差し押さえ、廃棄をしてしまったこと、そしてついには戦争を始めてしまったこと、この最近起きた事件を間違って引き起こした原因を生んだことも関連している。さらに、イギリス帝国がもう一つの帝国の元首を力づくではなく、完全な平等と相互依存の関係で対応したのに横柄な独裁者に服従させられたのである。イギリスの政策に対するこのアメリカの弁護は素晴らしいものであった。この大統領の選択は、最終的にはカレブ・カシングの肩にかかっていた。カシングはきわめて有能な外交官として評価されていた。大統領の指令で彼に広い自由裁量をあたえられたが、事に当たって自分の行動を正当化するためである。事前に使節には通達があたえられていた。しかし、一八四四年二月にカシングがマカオに到着した時、彼と一緒に処理に当たる人物が誰も任命されていないことを知った。毅然とした、礼儀正しい言葉づかいの思慮分別のお陰で、ポティンジャーと一緒に交渉できる同じ地位の特命全権大使としてマカオ派遣することを、やっと法廷で認められた。七月三日、彼は修好通商条約（望厦条約）に調印することができた。この素早い決定は幾度もこの件に言及しているフランス使節が到着する前にアメリカとの話し合いを済ませておきたいという中国の特命全権大使の計らいからであった。カシングの条約は、いろいろな点で、南京条約の改善をしたものであった。条文には、アメリカ人同士が犯した罪や、中国人が関わらない民事にはアメリカの排他的な権限が規定されている。そして、最恵国待遇もさらに明確に規定されている。アメリカ政府と五港地域の地方高官を通した北京宮廷の間の連絡手段の規定、そしてアメリカ政府が同意するまで関税率は不変であるとの規定も定められた。アヘンは、輸出入禁制品と宣言され、アヘン取引を行うアメリカ人は、アメリカ政府の保護は得られないという条件で、中国政府が認めるならば、取引ができるのである。最後にカシングと中国特命全権大使は覚書を交換し、他の西欧列強の北京入場が認められるのならば、アメリカ合衆国の特命全権公使も北京入場も許される、と合意された。

イギリスは世界との交易のために諸港を開き今日の負担と反発を担っているが、その後、中国の政府と国民は敵意を増したのである。他の列強が中国に開かせた港に入ることは難しいことではない。彼らと中国領での併合を和らげて他国と対照して、将来の多額の補償金を強要して、さらなる譲歩を得ることも難しくはない。イギリスは、今度は自分で、アメリカが確保した恩恵にあずかるのである。

フランス外交

フランスは南京条約に乗ずるのに遅れをとらなかった。フランスはすでに一八四二年には外交使節を派遣したが、イギリスの遠征隊の報告書を読んでいたのである。フランスは老練な外交官のラグルネを任じて、通商条約の交渉に当たらせた。イギリス政府は、これを認め、イギリスが得た特権はすべてのヨーロッパ人に認められるべきことを保証した。しかし、フランスは条約というものをやはり必要とみなした。欽差大臣ラグルネは一八四四年八月に中国（マカオ）に到着し、強力な艦隊に導かれ、二か月後、アメリカの条約を下敷きにした通商条約（黄埔条約）に調印した。中国でのフランス貿易は取るに足らないものだったが、ローマ・カトリック教への改宗者の実質上の保護権を確保したのは、もっぱら特命全権大使の献身の結果であった。ローマ・カトリック教の宣教活動は二世紀半以前から始まっていた。中国が必要とする同盟の信頼関係を確立した後、中国人キリスト教徒に好意を持つ皇帝に請願書を提出する中国人の交渉人を彼は説得した。ラグルネはフランス政府に書き送り、このエピソードは堅固で不同な基盤に基づいた中国でのフランスの政策が確立する運命にあるのだとした。中国の交渉人の陳情書は皇帝の勅令で認められ、フランスの外交代表は、ローマ・カトリック教改宗者の宗教的自由を守ることを妨げる権利も生ずることを認識していた。ギゾー（フランス首相）は一八四七年、議会にフランスがこれまでの半世紀無理やり放棄していた摂政を復活させることを宣言した。詔勅が一八六七年二月に出され、一七世紀に設立された宗教団体が所有していた資産の返還を命じる最高命令によって、異教徒の寺院や個人の住居に変えないことを規定した。こうして、中国と西欧列強の関係の将来にわたって効果を及ぼす政策が正式に開始された。

プロテスタントの中国での布教活動はやっと一八〇七年からで、この年にイギリス人のロバート・モリソンが広東にやって来た。アメリカの最初の宣教団（ブリッジマンなど）は一八三〇年に到着した。エルギン卿が続いて一八五七年に中国に到着し、中国の内地にキリスト教の宣教師が通行するための保護を得られるよう指令を出した。これに加えて、イギリス政府は中国人がキリスト教に改宗することを中国政府が妨害しない条約ならいくらでも結ぶと大いに喜んだ。イギリスとフランスの連合軍が広東を占領した後、エルギンは、中国各地の中国人キリスト教徒の迫害の件は、エルギンが調整する権限をあたえられた事項であると、中国政府に通知した。そして、イギリス、フランス、ロシア、アメリカの特命全権公使達が一八五八年に天津に到着し、大沽要塞を占領した後、宗教の自由を条約（天津条約）に挿入し、中国に調印を求めたことが知らされた。その後、ロシアの条約のおりに、初めて調印された。この規定はアメリカ、イギリス、フランスと続いた条約にも類似の趣旨が取り込まれて、合意に至った。

キリスト教団の外交的保護

言うまでもなく、この宗教の自由の条項は、引き続き全てのヨーロッパの条約で更新され、教会の自らの宗派に所属する中国人キリスト教徒の保護を働きかけるための選択を、いかなる西欧列強にもあたえた。ロシアだけでなくアメリカもイギリスも、そのような野心を抱いていなかった。フランスは一八四四年に（黄埔条約）、中国人のキリスト教徒のために介入する、漠然とした権利を獲得しようとし、これに基づいてフランスの影響力を確立しようとした。一八五八年の清仏天津条約で宗教の自由の条文は拡大され、中国人キリスト教改宗者の利益のために身体と所有物の完全なる安全の規定を設けること、自由に宗教儀式が実践できること、その上、旅券を所持して中国内地に入って布教活動をする者を保護すること、中国政府が前もってキリスト教徒に反対することを書いたり、公言したり、出版するすべてのことをやめさせること、キリスト教に改宗した中国国民に対し中国当局はいかなることも妨害しないことが定められた（天津条約第一三条）。一八六〇年の北京条約で、一八四六年の勅令が、条文の限度なしに、挿入された。その交渉をしたグロ男爵は、フランスの大臣に約束して、中国人のキリスト教徒の社会の利益のために、迫害の間に中国に没収されたすべての教会、墓地、その他の財産は、イギリスに有利な、細長い九籠半島が自分の手元に来る永続借用の協定と完全に相殺して、すべてを取り戻すことを考えた。この条項はフランス語版ではなく、中国語版の中に挿入されていたことが知られて[5]間もなく、その文書には、フランス宣教団にすべての地方の土地の賃貸と購入と、希望すればその土地に家屋の建築が許可されていた[6]。この条文の本当の意味に関する論争を避けるために、そうした土地は地方の中国人の教会の名前で登録され、宣教師の名前で登録されたものではないと、一八六五年に同意された。重要な事実は、北京に現存する大聖堂と破壊された他の三つの場所はすでにフランスの役人に手渡された一方で、他の地方では条文を執行して圧力をかけたことである。もう一つの紛争の原因は、宗教的な色彩のある国の祭典に寄付をすることを免除してくれないかというキリスト教改宗者の訴えである。その一方で、キリスト教司祭たちは貪欲で不正な中国人からキリスト教徒を保護することを求めた。仏教と儒教の文人は、一般的な迷信を軽蔑している人々には同様に敵対的であった。一八五八年以降にローマン・カトリックの宣教師達が沢山やって来て、いろいろ主張を始めると、中国政府は危機感を持つようになった。数年が経ち、妨害が中国各地で頻発し、中国人キリスト教徒が年若い子供に魔術を使っていると告訴された。さらに、彼らは薬の調合に使うために、目や心臓さえも取り出していると訴えた。教養のない中国人にはこの種の根拠のないことを信じる者が多くいた。不満が広まっていったのは、キリスト教改宗者が先祖

(5)　グロの通訳ドゥラマールが行った。

(6)　原文は「並任法國傳教士在各省租買田地、建造自便」。

代々伝わる碑文を破壊しようとしたことである。ある地方では祖先崇拝が最も重要であったので、そのような非難が争いの原因となった。いたるところで宣教師達は殴打され殺害されたが[7]、中国人キリスト教徒の建物も略奪され破壊された。一八六九年に中国政府は、中国で伝導されているキリスト教が中国のすべての建物を攻撃し、支配者と国民の間に確立されている関係を転覆しようとしていると、不満をあらわにした。フランス政府が宣教師とキリスト教改宗者の保護者として振る舞い、たくさんの思いやりを持って主張する、その要求に理解を示している利害に関わっていることに、中国政府は困惑した。フランスはヨーロッパで長いこと紛争に巻き込まれているので、中国のようなはるか遠い国に法律に書かれている権力を投入する余裕はないだろうと、中国政府は楽観的に納得した。これは翌年に起きる事件の注目すべき予感であった。

中国がキリスト教の拡大を警戒

ローマン・カトリック宣教師達は病院を建設したが、不正直な中国人が営利目的で誘拐し子供を病院に送っていると、いわれのない主張をした。一八七〇年五月、このような噂が南京で流れていた。総督はそのような建物に公的な調査を入れたので、その噂は、一度は消えた。六月には同じような話が天津で誠しやかに語られた。暴徒や悪意ある人々の興奮を和らげるための調査が行われる前に、フランスの宣教師達の建物が破壊され、仁慈堂の一〇人の修道女が殺害され、フランス領事フォンタニエと数人のフランス人（商人シャルメゾン夫妻）、フランス人だと思われていたロシア人（プロロポポフ夫妻）の一団も殺害された。中国当局は、そのような時でもいつものように、勇気を出さず、暴漢を抑えようとはしなかった。フランスとプロイセンの戦争（普仏戦争）が宣言された六日後に、そのニュースがヨーロッパに伝わった。その戦争が続いていたので、フランス政府は法的に十分な補償を要求することが不可能になってしまった。四か月もしないうちに、フランス代理公使が居留地に到着したことを公表した。一六名の暴徒は死刑を宣告され、二一名が流刑にされ、事件を指導した二人の地元の役人も同罪であった。中国の高官がフランスに派遣され、中国政府からの謝罪を述べ、人命を奪ったことと建物の破壊の代償として総額約八万ドルを支払った。

天津の殺害のすでに一年前（一八六九年）に、中国政府は公式にキリスト教のプロパガンダが実行した宣伝行動の方法に不満を表しており、規則で改宗者と非改宗者の双方に対して統制をおこなうべきことを提案し、中国当局の統制の下にキリスト教宣教師を置こうとした。一八七一年のはじめに中国当局は提案のごく一部をイギリス人に回答した。その文書の言葉によれば、ローマン・カトリック教団に狙いを定めていたが、他国の中心で沢山の独立した競合国家とも相当比較がされていた。プロテスタントの勢力は、こうした侮辱には不満があり、これは自分たちとは関わりがない、と回答した。一方、フランス政府は承認しがたいとして、すべての提案を断った。その結果、中国に対策を講じられ、「不受理」の外交と知られるようになった。

天津大虐殺
広東での紛争

一八四二年（南京条約）と一八四三年（虎門寨条約）と一八四四年（黄埔条約）の条約が結ばれた後、新たに開港された街では外国人との関係は概して平和的になった。しかし、商館が攻撃された広東では、襲撃や外国人殺害が繰り返し起きていた。当局と民衆は長い間外国人を軽蔑していて、町の城壁の中に入場する許可さえ一致団結して拒んでいた(8)。表面的には、これはそもそもさして重要な事柄ではなかった。しかし、実際には、中国と海洋国家（イギリス）との不愉快な関係の証であり象徴だった。一八四七年、二件のイギリスの役人と船員が虐待された深刻な事件が起きたが、香港政庁長官ディヴィスが関わった精力的な活動を調整できなかったためだった。三六時間で、すべての広東を守る要塞を移動することに成功した。しかし、その後も、彼が安全には必要だとされたことは、二年ごとに城門を開けておくことだった。要求した期間がすぎても、中国政府がその約束を果たすことを拒否した。強い調子の警告がパーマストンから出されたが、それは条約を無視から身を守る重要さに関するものであった。しかし、取り決めは軽蔑された。一八五四年、深刻な状況だと見なされる事態が始まった。ボーリングが香港政庁長官に就任し、一方、耆英が広東の欽差大臣につい最近なったばかりだった。問

（7）一八六六年にフランシス・マビュー神父が酉陽州で殴打され殉教した事件か。

（8）南京条約第二条には外国人は「市町」（Cities and towns）に居住できる規定だが、漢文テキストでは「港口」で、港にしか居住できない意味だった。

題が再び起きたので中国から指令が出た。しかし、フランスとアメリカの外国代表に支援を受けているにも関わらず、耆英はすべての外国代表に少しも耳を貸さなかった。ボーリング、アメリカ弁務官、フランス公使館書記官は白河の入江まで出向いたが、同地で北京の宮廷から派遣された代表と実りのない話し合いを行った。その代表はイギリスとアメリカから出された条約改定の詳細な提案の議論さえ、はなから拒否したのである。その提案には北京での外交代表の権利も含まれていた。外国代表がたどり着いた結論は、強い政策がとられない限り改善は見込めないということだった。しかしながら、フランスとアメリカは以前から慎重な政策から外れるつもりはなかった。しかし、パーマストンは中国人との通常の関係に戻す最初の機会を利用しようとした。そのころクリミア戦争が起こっていて、必要なだけの海軍を中国に送る障害になった。

アロー号事件

一八五六年の夏、優れたイギリス人が領事として広東に派遣された。そのパークスはわずか二八歳であった。しかし、すでに一四年間も中国で勤務をして、中国語の口語が流暢であり、有能で、活動的で、毅然としていて、パーマストンの中国での政策意図を理解していた。広東の町から少し離れた場所に停泊したイギリスのローチャ船アロー号の船員が逮捕されるという事件が起きた。耆英ははじめ、謝罪や男たちの引き渡しを拒んだが、論争中のそもそもの問題が広東の城門を開ける要求に次第に転化していった。小規模の報復では何も効果がなかったので、パークスは黄埔と広東の間にある砦のいくつかを保有することを勧めた。数日後、広東の城門は破壊され、海軍が町の中に入場した。それでも耆英がまだ譲歩を拒否するので、ボーグ砦を占領した。フランスは貿易を保護できず、領事館の旗は引き下ろされ、アメリカの商人は退去させられ、ついに外国商館は一二月に放火されて破壊された。増援部隊が到着するまでは、軍事活動の実行は不可能と判断された。フランスとアメリカ外交官は中立な姿勢を取ってきたが、中国の判断が間違っていると耆英に伝えた。アメリカは自国政府が望ましいと考えていたよりも多分にイギリス寄りへと傾いた。

イギリス政府は外交官の行動に十分賛成していたが、コブデン(9)は下院に非難の動議を提出した。彼はピール派と保守党の連合に支持されていた(10)。この連合はジョン・ラッセル卿に呼びかけ、賛同を得たものである。その結果、内閣は敗北を喫したが、パーマストンは国に訴えて、大半数の指示を得て権力を維持した。すでに立てられた計画の実行のために、エルギン卿は高等弁務官ならびに特別全権大使に任命されたが、一方では援軍の派遣の準備をした。フランスは中国と仲たがいをしていたが、それはフランスの宣教者の殺害が起きたためである。広東での居留地設置問題だけでなく、貿易拡大と中国の優位に立つ主張軽減も抑えつけようとしていた。グロ男爵が特別全権大使に任命された。アメリカ政府も同じようなことで苦情を申し出ていたが、武力に訴えることを好ましく思っていなかった。それにも関わらず、平和的共同活動をイギリスとフランスがとることが認められた。

広東の封鎖と占領

特別全権使節たちを香港に集めるのに一八五七年の年末近くまでかかった。その間に、ロシアは新しい条約のための交渉に参加しようとして、プチャーチン伯爵を派遣した。彼は北京に行こうとしたが、すげない拒絶に遭い、ひとまずキャフタに立ち寄り、その後白河の河口に着いた。彼も戦争に訴えることを避けるべきことを指示されていた。しかし、連合軍が北京に北上する時はいつでも、喜んでロシアも自国の旗を掲げて連合することを知った。何がなされるかは、連合軍の武力行使次第であった。八月、イギリス提督が広東の海上封鎖を行い、その海上封鎖はフランスの戦隊の接近で勢いを強めた。耆英は降伏を拒んだが、広東はわずかに抵抗した後（一八五七年一二月二八日～二九日）、激しい攻撃を受けた。耆英自身は捕えられ、カルカッタへと追放され、そこで彼は死んだ。総督は黄宗漢に変えられ、パークスと二人の軍人からで構成される共同委員会の補佐を受けた。広東は一八六一年一〇月二一日まで中国政府に返還されなかった。

天津条約

同一の文書が四人の使者達に送られ、中国政府は正当に公認された特命全権使節が上海へ三月末までに来るように招待した。このことに反対した場合には他の手段を採ることがほのめかされていた。ロシア使節の文書には、もちろん敵意は見せていなかったが、入植地を求めた「国境問題」が示されていた。中国政

(9)　パーマストン内閣のアロー号事件の積極的介入に反対した政治家。
(10)　グラッドストン、ディズレーリらも支持。

府の回答は——外国人を遠ざける政策に誠実なもので——広東以外の場所での商売を議論することへの拒否であった。イギリスとフランスの特命全権大使は事件が起きた時に用いる十分な武力に支援され、一方アメリカとロシアの全権が圧力に訴えることが出来ないという事実が、中国政府はロシアに、善意の尽力の見返りとして、ロシアが特に関心を持っている問題を解決させることを申し出た。中国はアメリカの要求をすべて認めた。貿易のための内港解放(11)と、広東での損害に対する賠償金の支払いを認めたが、北京での外交代表の駐在は承認しなかった。この陰謀は、リードの正直さとエルギンとグロの意思の堅さで失敗に終わった。正当に公認されていなかったが、特命全権大使が彼らに紹介され、連合軍は大沽の要塞を占領し、四人の特命全権は川で天津へ上り、同地で、一八五八年六月に満足がいく条約（天津条約）が調印された。

四か国列強の提案の中で、中国宮廷が最も不快に思っていることは、外交官の住居が北京に建てられることであった。その日、エルギンは意思堅固さを発揮した。英中条約は、イギリス外交官が首都に永久的に住居し、時々イギリス政府が任意でその地を訪れることができると規定されていた。この原則は他の三国の条約よりは明確ではなかった。広東の役所の建物で見つかった文書、それはエルギンがアメリカ使節に送ったものだ。それには、中国の高官の不正直で油断できない気質に対する痛烈な暴露が描かれ、もしアメリカの利権が守るべき価値があるのなら、そのような保護は首都の直接外交代表によって確保できるだけであり、その文書の内容は連合軍の威圧的な方針を正当化していた。

それでも、エルギン自身もこの点を譲歩するのは良いことかどうか首を傾げていた。彼がイギリス政府に勧めたのは、イギリス使節を北京に行かせ、同地で批准書を交換し、彼の住居を北京に構えるべきではなく、ときどき訪問するだけにすべきことだった。この提案は受け入れられた。一八五九年三月にそのことを中国側の長官に言い渡した。「礼儀正しく受け止められた」という文言が、西欧の君主たちに敬意を払う形式に従って儀式的に示された。中国人は、使節が中国の儀式に従わないのに、彼らを宮廷に入れるべきではない、と抗議した。そのため、彼らは大沽要塞を再軍備させるために赴いた。イギリス、フランス、アメリカの各公使のブルース、ブールブーロン、ワードが六月に現れたとき、首都の北京へ行き条約の批准をするつもりだったが、代わりに北塘に上陸するよう指示された。ロシア条約では、大沽はロシア使節が北京に行くための地点としてとくに言及されていた地点である。イギリスの提督は強いて通過するようにしたが、損害を受け追い返された。アメリカ使節は、非公式の提案を受け入れ、やや屈辱的な状況で北京に出かけ、皇帝への謁見は中国の条件を認めなければならないことを知った。彼はそれを拒み、北塘に引き下がった。同所で、彼が再び船に乗ろうとしたので、批准書が急いで交換された。

ロシア公使はアメリカ公使に先駆け、キャフタ経由で北京に行き、ロシアの条約の批准書を交換した。その結果、ロシアとアメリカは同盟軍との協力に意欲的でなくなった。ここで明記しておくべき点は、ロシアと中国の境界線の設定は、条約の第九条を実行することが双方の委員によって決定されていたが、中国の皇帝はロシアの領域は中国に属するのがふさわしいと拒否した。以前みたように、この問題の解決は二年後までに延期することになった。

第二次北清遠征

イギリス政府はブルースが実行した行動を承認し、軍隊派遣の準備が整ったことを伝え、その軍隊がフランス皇帝の軍隊と共同行動を取ることになり、ブルースに宛てた指令を実行する支援を行った。中国宮廷側では連合軍と戦争に至ることは考えておらず、通常の体制で引き続き開港を考えていた。はじめにイギリス政府が希望していたのは、中国がイギリスの要求と軍事活動の準備が広がっていることを知った時に、これ以上の犠牲を出さずに調停できるかもしれないことを理解して欲しかったのである。しかし、アメリカ公使が宥和的な姿勢で対応したことに対する失礼な処置として、イギリスとフランスの両政府を説得しようとした。両国の要求は、予期された抵抗に打ち勝つだけの十分な武力に支えられたものに違いないと考えたからである。中国の皇帝が放棄しやすいようにするため、前年大沽から追い返された両国の公使から最終通告が渡されていなかったら、両国はエルギンとグロを再任して、ブルースとブールブーロンにこの要求を手渡すようにした。十二分な謝罪があった。遅滞なく北京で条約の批准書を交換すること、両国の軍艦で使節を天津まで送ること、それから敬意

(11)　漢口下流の揚子江に三か所の開港場を設置。

を払って北京まで移動させること、そこで要求した損害賠償を迅速に支払うことを含めた前記の条約の条項に示されている資産を供与すること、イギリス政府に公使館を北京に設立する決定権を独占的に保有させること、一方、中国に追加部隊を派遣した費用に見合った賠償金を要求するが、その回答を三〇日以内にすることであった。その要求は五港の中国の長官から伝えられたが、断固として拒絶された。そこで、第一段階として、平和的に舟山を占領した。連合軍の指揮官は北方に移動し、一八六〇年六月の末、大連湾に軍艦と輸送船を集めた。八月一日に北塘へ上陸した。三週間後には大沽要塞全体を獲得し、八月二五日には天津を占領された。交渉が始まった。中国の長官は十分な権限を持っていなかったので、連合軍は北に進み続けた。彼らが北京に近づくと、宮廷は不安におののき、もし彼らが北京の前で止まるのであれば、彼らの要求に同意する用意があることを示した。連合軍が野営する場所にはすでに同意された所であった。ところが、中国の軍隊がその場所を占領してしまった。交戦が始まり、その場所で中国の軍隊は敗れ、北京に退却した。休戦の旗を持っていたにも関わらず、軍隊と一緒に三七人のイギリス人とフランス人の捕虜が連行された。パークスとロックもこの中に含まれていた。中国人は捕虜を憎むべき敵とみなし、軟禁状態で三分の二の捕虜が亡くなった。平和が達成され軍隊が撤退しなければと、中国側が捕虜の解放を拒否したにも関わらず、連合軍は前進を続けた。また耐え難い敗北を喫した後でも、中国軍は戦いを挑んだので、連合軍は北京の城外の黄寺に野営をした。フランス軍が最初に夏の離宮（圓明園）に着き、彼らが戦利品を略奪して、宮殿に火を放った。その後、不運な捕虜に拷問が加えられた現場が知らされるようになると、エルギン卿はこれを許可した中国宮廷に対する報復としてとことん破壊し尽くすことを主張した。実際の命令がなかったとしても、中国宮廷がこれを許したので、裏切り者として囚われた捕虜に対する野蛮な行為が行われたのである。その共謀性を否定するために、捕虜が捕まった二日後、そのような行為をした「野蛮人」を捕まえるために懸賞金を出す勅令が下された。

皇帝の弟の恭親王はすでに全権大使に任命され、しばらく抵抗したが、北京で一八五八年条約（天津条約）の批准書の交換に合意し、さらに天津を貿易のため開港し、連合軍のそれぞれに二六六万六六六六ポンドの賠償金の支払いを中国側が実行する追加協定が調印された。香港の対岸の半島（九竜半島）のイギリスへの譲渡と、以前に話し合われたローマン・カトリック教の損害賠償のフランスへの実行はすでになされた。もう一つの条文には、賠償の支払いが未定の中国領土のある場所の占領が規定されている。二人の大使の信任状の中国皇帝への提出は放棄せざるを得なかった。中国当局が未だにしつこく「叩頭《こうとう》」を伴う謁見を主張したからである。

ロシア使節[12]は連合軍の行軍に従い、二人の大使が受容可能な和解をするために全力を尽くし、調停者の役割を果たし、一週間以内に連合軍の撤兵をすることの報酬として、ウスリー川からタタール海峡（間宮海峡）までの領域のロシアへの割譲とモンゴルと中国トルキスタン地方の商業特権の獲得を伴った条約に調印をした。[13]

三か国[14]の公使館は一八六一年に永久的に北京に建設され、アメリカ公使館は一八六二年であった。その他の国とも条約交渉がなされた。プロセインはドイツ関税同盟の代表として一八六一年に、ポルトガルは一八六二年に[15]（この条約の最終批准を妨げているマカオの領土的位置付けに関する見解は異なるが）、デンマークとオランダは一八六三年、[16]スペインは一八六四年、[17]ベルギーは一八六五年、[18]イタリアは一八六六年[19]に公使館を設立した。

北京の公使館設置

北京での公使館設置は西欧諸国の新たな中国政策の始まりであった。軍事力でその場所の問題を解決するために地方の当局と争いをするのではなく、あたかも同地に中央政府があるように中国宮廷と対処して、支配下のある地域を通じて命令が出され遂行される方が良いとイギリスとフランスの政府は考えた。

列強が首都に外交代表を駐在させている西欧諸国に存在するような政治的関係を中国でも実行することが目的で

(12) イグナチョフ。
(13) 現在の新疆ウイグル自治区。
(14) イギリス、フランス、ロシア。
(15) 使節ギマラーエス、条約調印。
(16) デンマークは一八六三年七月、後者は同年一〇月に全権フーフェンが調印。
(17) 特命全権公使デ・マスが天津で調印。
(18) 特派使節テカントが北京で通商条約に調印。
(19) 全権委員アルミニオンが北京で調印。

はなく、ロシアは例外だが、貿易と宗教活動に従事している自国民の利権を保護することが唯一の目的である。この政策を外交代表にうまく実行させるためには、中央政府が国中に行き渡った権限を実行できる十分な強さを持つことが必要である。二つの事柄がそれを不可欠なものとして認識された。第一は「太平天国」の乱を鎮圧することである。第二は、地方の役人から高まっている不満の原因を取り除くべく旧制度を外交代表のそれに代えるべきことである。

数年後、中国の最も豊かな地方が反乱によって無情にも略奪されてしまった。その反乱は、政府が作り上げたいかなるものをも受け入れないことを証明した。彼らの指導者は広西生まれで、名前を洪秀全といった。彼は広東のアメリカ人宣教師[20]からキリスト教のいくつかの観念を受け容れ、これを基礎に自分自身の新しい宗派を樹立した。一八五〇年、郷里の仲間達と一緒になって、彼は三合会という皇帝反対派の秘密組織を組織した。その後、政治的色彩の強い運動に身を投じた。一八五一年、旗揚げした人々は洪秀全の下、反乱を起こした。洪秀全自身は「大いなる平和の天国の皇帝」（太平天国）だと宣言した。この時以来、外国人から彼らは「太平軍」と呼ばれるようになった。北に進んで行くと、すんなりとではないが、彼らは重要な地方都市を複数包囲することができた。それでも、一八五三年一月、彼らは武昌と漢陽と漢口を手に入れた。長江（揚子江）に移り、彼らは九江と南京を獲得し、最終的に三月に中国の古都の南京に拠点を確立した。この地点から太平軍は北方に出兵し、天津の近隣まで押し攻めてきた。六か月後、北への征服が計画されたが、その試みは実を結ばず、翌年の春には南に戻り、一八五五年三月になると近隣の川に封じ込まれた。

反乱の鎮圧

多くの外国人は、キリスト教を採用した太平天国の信念から影響を受け、満洲王朝（清）を打倒する彼らの成果に賛同していた。もしも太平天国が成功していれば、彼らの姿勢は北京政府の姿勢よりも友好的であっただろう。しかし一八五三年に南京を訪れた香港政庁長官とフランス公使は、太平軍は外国人との関係において中国宮廷が出したいささか高邁な要求を除去することを解決できなかったし、外国の役人が作り上げた意見では彼らは最終的に全国に及ぶ支配を確立するだろうという説明に反対した、ということを示した。時間が経つにつれ、次第に明らかになったことは、彼らの唯一の政策が実施されている地域は、略奪して占領した都市と、彼らが通り過ぎ踏み荒らした場所だけであった。一八五九年の終わりに近づくと、彼らにとって最も重要な要塞が皇帝軍に包囲された。一八六〇年の英仏軍の遠征は活気を取り戻すきっかけになった。南京の包囲攻撃が始まった。豊かで重要な蘇州の町が彼らの手に渡った。彼らが外国人居留地の重要な中心地が危険にさらされている上海に近づくと、イギリスとフランスの両公使は中国の都市と外国人居留地を防衛することを公然と宣言した。ほぼ同じころ、愛国的な中国商人が、ヨーロッパ人とマニラ人の小規模な一団で軍事行動を始めたウォードというアメリカ人の指揮にしたがった。その後、その一団は精鋭な中国軍隊となり、江蘇地方周辺の反逆者を追い払うことを目的とした。この反逆者は一八六〇年八月、さらに一八六二年一月にも上海を襲ったが、連合軍に二回とも撃退された。この時以来、イギリスとフランスの両政府の関心は、開港場の近郊から太平軍を追い払うことに対して大いに賛同を得ることにあった。同盟軍はウォードの腕ききの中国人をしきりに援軍としての役割をさせた。数度にわたる遠征でフランスの総督の命が奪われた。ウォードも一八六二年九月の軍事行動中に殺害された。彼を継いだバージェヴィンは、後にこの地方の長官と仲たがいを起こし、反乱軍に身を投じた。フランスはすでに海軍士官の下に、中国人傭兵部隊を組織した。そしてイギリス政府はウォードの軍隊が行ったリーダーシップの実行のために、その士官の数人を配分した。これらの士官の中で、とても優秀と誉れが高いチャールズ・ゴードン少佐も含まれていた。一八六四年五月の彼の攻撃は大成功であった。南京は太平軍の唯一の拠点になった。その年の七月に両江総督の曽国藩が南京を占領し、反乱に幕が落とされた。連合軍が清朝政府に行ったこの効果的な支援は、この混乱を鎮圧する重要な要因になった。この混乱は一二年間もの間、この国の一番豊かな地方を荒廃させたのである。

バーリンガムの中国観

西欧列強の目的は中国との関係を安定的なものに保つことであった。外交代表の首都駐在がやっと認められると、外国代表はすぐにこの問題に姿勢を転換した。領事や海軍士

(20)　広西省金田村。

官が、地方が武力の行使を乱用することを矯正させる権限をあたえられた存在であると評価されることに慣らされていた。そのような慣行が、地方の役人の行為に対する責任を認めることを清朝政府に強要させる外交官の努力を無効にした。採用された政策は安定維持の最良の手段としての中央政権強化を目的とした。さらに、武力に訴えることなく条約遵守を確保することも目的とした。初期において、「砲艦政策」は、長い目で見ると、母国の政府との意思疎通のためと、西洋列強との直接的な話し合いを拒否する頑固な中国宮廷との意思疎通のためには、それを行うための最上の政策だった。貿易独占を統制していたイギリス東インド会社の広東船荷監督官が廃止されてから、世界中の自由貿易を見守る外国公使が北京に駐留するまでの中間時期には平和を長く維持できなかった。一八六二年七月、新たに就任したアメリカ公使バーリンゲームが北京に駐在し、多くの一般民衆のため武力を誇示する外交活動を代行している他の三人の公使もこれに加わった。政治体制の違いのために、政府は地方に大きな自治をさせているので、政策がすぐに成果をもたらすことは期待できない。外国公使は大きな自制を経験することになるが、彼らの仕事は、中国人の遅延や開港場での商人社会のいらだちで、より困難になる。時々、それぞれの国の領事館員は、海軍士官と共同で、地方役人から寄せられた賠償要求に対し主導権を持ち続けるのである。思い出しておく必要のあることは、彼らは誤って犯した過失のため賠償か補償をその誤りのために決定を許すことができないのである。あるいは、どのような方法で取り立てるべきなのか、海上封鎖か、報復か、武装部隊の上陸か、いっそう敵意のある行動か、明らかにどんな政府も外国にいる自国の使臣に戦争に巻き込む権限を任せることできないのである。

一八六七年の終わりに近づくと、バーリンゲームが北京における任務を終える直前に、中国政府は条約を結んだ列強への使節を引き受けて欲しいと説得した。その目的は中国宮廷が時代錯誤の政策をはじめ、列強に関しても、中国の独立を危うくする新しい進歩的な政策を採用することを推進する、いかなる意図も無視されているという、あまねく信じられている印象を払拭するためである。例を挙げると、鉄道建設のための特権授与であり、外国の支配の下この国の国内交通が置かれることになるのだ。彼はワシントンで巧みな条約交渉を行ったが、中国の内政に干渉しないという原則は認められた。イギリスでも、この使節は思いやりのある待遇を受けた。クラレンドン外相はバーリンゲームに書簡を送り、イギリス政府は、イギリス国民に対し誤った行動をした補償を地方の役人よりも中央政権にしてもらいたいと訴えた。同時に、クラレンドンがバーリンゲームに念を押していることは、地方政権に優越する権威を想定し、準備し、実際に行使することは中央政権の役目である、ということだった。しかし、バーリンゲームは、差し迫った危難において人命財産の保護のために武力に訴えるかもしれないという点については、同意した。

要約　バーリンゲームの考え方はイギリス政府に承認されたが、商人や外交官の双方からまだ黙認されたものではなかった。中央政権が十分な権力がない場合、戦争を回避する唯一の有効な手段は、彼らの考えでは、地方の役人の自らの行動を個人の責任とするものであった。この数年間、開港場の中国の役人によって条約はおおむね無視され、外国人に対する政府の不満足な風潮が一般化したことが、不平の種であった。指導的立場にある大部分の中国人は外国人に敵意を持ち、苦情の救済においても、政府は、「時間と私は一心同体」というフィリップ二世[21]の格言を採用しているように見える。中国の支配者が免責のある契約を逃れることが出来る時や、彼らに課された武力がもはや有効ではないと彼らが信じたときには、外交機関は中国の支配者を拘束する力はないように見える。イギリスからの回答は、イギリス政府は中国政府をいかなる状況においてもイギリス国民に対して間違ったことをしていることをしていると見なしているということだった。北京の清朝政府は条約を遂行する唯一の責任を有した存在であり、地方役人を十分恭順させる存在と見なされている。このことは西欧列強の政策を示すものであり、彼らが望む中央の圧力で長い歴史を持つ中国における地方自治の政治制度を修正するほうが、知的で中央集権化された地方の実際的な自治のための代理人を服従させるためには良いのである。しかし、この結果を期待することは、中国の同様の古くからある政治体制に行き渡っている革新に対する抵抗を過小評価することになる。それを経験し

(21)　フランス国王、一一八〇～一二二三年在位。

た観察者は、北京の宮廷と直接外交関係を強制する政策は耐え難い誤りを証明するという結論を求めない。違っていても、そうはしたくなかった。

第二節　日　本

時代回顧

一六三八年にスペインとポルトガルが追放された後、日本はオランダと中国の貿易商人をのぞいてすべての外国との交流を閉ざしたが、長崎という限られた場所にオランダと中国の貿易商人を封じ込めた。日本人の海外渡航や、外国貿易は厳禁されていた。オランダとの貿易は、当初は自由だったが、次第に幕府が独占するようになると、しきりに制限がふえ、かろうじて貿易を続けていた。一九世紀の初頭以来、イギリス、フランス、ロシア、デンマークはかわるがわる友好関係を確立しようと努力をしたが、成功には至らなかった。一八四二年に、もし日本の沿岸で外国船が悪天候に遭遇するか、外国船が食糧や燃料や水が不足して停泊した場合、それらの物品をあたえられる代わりに、おとなしく退去するよう命令が出された[22]。その二年後、オランダ国王が大君[23]に外国人を厳しく排除している禁令の緩和を助言した（オランダの開国勧告）。その回答は外国との関係を許容可能な範囲での日本の従来の法令から逸脱するものではなかった。

ペリー来航

北太平洋での捕鯨業が発展した結果、アメリカの船乗りたちが時々日本の海岸に姿を現わしたが、彼らは日本で心ない扱いを受けた[24]。捕鯨船が日本の港に停泊する件に関して日本政府との直接合意のためにやって来たのには、カリフォルニアと中国の間を走る蒸気船の航路に給炭所の設置のためであり、アメリカ政府は一八五一年にオーリック提督を派遣し、日本の「皇帝」（将軍）に宛てたフィルモア大統領の国書を持たせた。そうした指示は一八五二年の一一月にも彼の後継者ペリー提督に繰り返され、彼はでき得る限りの方策を用いて日本に赴くよう命じられた。もしも彼の説得が不調に終わり、アメリカの船乗りたちが酷い仕打ちを受けた場合には懲罰を辞さないと脅迫することにした。一八五三年七月八日、ペリーは四隻の艦隊を率いて江戸湾の入り口の浦賀に到着した。

日本の社会状況

日本の物質精神の両方の文明は、中国から直接、あるいは朝鮮を経由して伝わったものである。中国の道徳哲学者や歴史家の著作が主要な学習の対象物であった。中国の古典は文章構成のための有効な伝達手段になった。仏教という形式は早いころに中国から輸入され、支配的な宗教となり、自国の神々を奉ていた在来の寺院もすっかり仏教を受け容れた。初期の政治形態は中国をモデルとして形成された。唐王朝の刑法が全面的に採用された。中国古典と並行して、土着の詩歌や小説も存在し続けた。それは中国の影響を受けないまま生き延びた。一七世紀の末から、土着の詩歌や小説への関心が再び盛り上がり、学者たちの小集団（国学者）がこれを推進した。

日本は、中国と同じように、学者（士）、農民、職人、商人（士農工商）に分類された。この違いに関して言うと、学者という言葉は、学識のある、温和な階級というだけでなく、サムライという高貴で軍事的な地位にも適用された。この国の道徳規範は中国の教義である五行説に基づいていたが、おもに君主に忠誠を誓うことと両親への従順が義務として存在した。この忠誠心は、君主だけではなく封建領主にもなされるものであった。通俗的な文学にはこの美徳が称賛されるべき実例として満ちあふれていた。中国と同じように、西洋諸国は野蛮人だという見方を採用したが、西欧の人々を皆殺しにすることは正しいことで素晴らしいことだった。日本人は二世紀以上も孤立して生存してきたので、こうした感情が激しくなった。キリスト教は「邪悪な教義」だと汚名を着せられ、魔術を実践しているとのこじつけが信じられていた。日本人の誉れはサムライの誉れであり、主君のために自分の生命を捧げ、不実の汚名をこうむるならば、むしろ自らの手で死を選ぶのであった。商人の誉れは、厳しく約束を守ることであ

(22)　アヘン戦争の影響で、無二念打払令を撤回し、薪水給与令を出す。
(23)　徳川将軍。
(24)　一八二五年～一八四二年までの異国船打払令（無二念打払令）。

り、計り知れない金銭的な損失に巻き込まれた場合でも、である。日本の屋台骨を形成し、すべての理想を鼓舞するのはサムライ階級である。

一二世紀の末頃、政権は軍事階級の手に落ちた。その首領には征夷大将軍（野蛮人を鎮圧する総司令官）という称号があたえられた。一四世紀から一六世紀までの内戦は、政治形態を強化するためだけに力が尽くされ、正統な君主は国家の元首と名誉の源としての単なる名義だけの地位に降格された。一方、将軍が内政と対外関係の「事実上の」支配者として認識された。

政治体制
大君と諸大名

最後の将軍王朝である徳川家の権力は、一六一五年に大坂方（豊臣方）が倒れた後に、徳川家康（初代将軍）によって確立された。彼の孫の家光（第三代将軍）が整理を行い、一六二三年にそれを達成した。彼は大名に江戸と領国の間を年が変わるごとに参勤交代させ、大名が江戸に滞在している間は家族を領国に残しておかせた。このようにして、大名の行動を厳しく制御し続けた。江戸がこの国の事実上の首都である。この国は徳川家と諸大名（封建領主）に分類されるが、その数は二六八にも上る。大雑把には、家康が創設した譜代、早いころからの封建領主の外様に分けられる。大名の上位に位置付けられるのは、御三家（三つの家族）であり、尾張、紀州、水戸の諸侯をそう呼んでいる。家康を先祖にもつ三、四、五代の息子たちであった（ママ）。将軍の直接の血筋が絶えた場合、相続人は初めの二つのいずれかの家から選ばれていた。水戸は継承しないものと考えられていたが、特別に将軍の支援役や助言役を務めた。一七一六年、七代目将軍（家継）は子どもをもうけず亡くなり、紀州藩主の吉宗が後継者として選ばれた。二人の息子と一人の孫息子が御三卿の創始者となり、田安、一橋、清水の三家に将軍継承の可能性があった。事実、第一一代将軍家斉は上記の第二番目の家（一橋）の養子だった。家康のその他の子孫たちもここに分類されなければならないが、徳川家の家紋を背負っているのは一四家に及んでいる。そのうちで最も重要な家は越前と会津[25]である。その下には、国主《コクシ》大名があり、日本全国で六八か国に分けられた一つもしくは複数の領国を支配する大名である。彼らの息子の多くは家康の勝利以前の時代の家系にまでさかのぼった。その中で、とりわけ政治的に重要な力を持っていたのが薩摩、長州、土佐、肥前の西南雄藩であった。仙台の伊達家の一族は、城下町として最も有名な宇和島にもいることを特筆しておかなければならない。偉大な大名のリストには、井伊掃部頭も含まれる。彼は大老に選ばれる四家の一つに属し、ミカド自身への世襲の保護者でもあった。最後に家康が創設した譜代大名、家康が権力を強大化する以前の大名である少数の外様と、豊かさも重要性も劣る階級の旗本がいる。こうした諸大名は、将軍自身を含め、厳格な儀式作法に従わねばならない。その作法は彼らを家来の手の中にある囚人のようにさせてしまう。通常「藩」と呼ばれたまとまった集団を形成するのである。後者の「藩」に関しては、身分の高い者が先祖代々受け継がれる藩の顧問官（家老）に就任することになる。やがて、この儀式のせいで公務に興味を失い、距離を置くようになるのである。大名は自分の遊興にふけるようになり、芸術のための隠遁生活に入り、家来達に政務を任せるのである。もし、一八六八年の革命に先立つ動乱の時期に、彼らの数名が素晴らしい政治的能力を発揮できたのも、彼らの若い息子たちが普通の教育を受けていたお蔭であった。

将軍もしくは大君《たいくん》（一八世紀の初頭に朝鮮通信使のために初めて採用された称号である）は、ヨーロッパ人やアメリカ人からいつも皇帝と呼ばれていた。彼の施政は彼自身の家臣が行い、広大な領国を所有する大名は何事にも政治に関与しなかった。この一八人の大大名がこの帝国の閣僚を構成していたという概念は全く間違ったものであった。一八五三年まで公務には関わっていなかったのだ。

ミカドと宮廷　全く目立たない場所で、政治的権威は行使せず、宮殿に引きこもり、世間一般の人々が誰も見たこともなかったのがミカドであった。まぼろしのような宮廷がミカドを取り囲んでいて、この時代のミカドは「正当な」支配者であったが、「事実上」は行政上の称号を持っているだけであった。主要な大名の家族との近親結婚は稀なことではなかった。後の時代の太政大臣という称号は、関白（首相）の称号と一緒で、左大臣、右大臣、内大臣、大納言に助けられていた。それらの者達はこの帝国の最も有名な一族の系統を引いており、

(25) 松平家。

彼らにくらべると、大名の一族が単なる「新貴族」にすぎなかった。ところが、彼らの収入は不十分なものであった。ミカド自身でさえもきわめて限られた収入を得ていた。頼朝の時代以降、ミカドの護衛を任されていた軍事的首領（将軍）が実質的にこの国を支配した。そのため、朝廷とその周辺を厳しく監視し続けることが、大君の主要な目的だった。京都守護職は所司代の傘下にあり、所司代とは大君の居城（二条城）の便宜上の呼び方であった（ママ）。守護職は徳川の家臣でもあった。大名たちは、京都に永住的な住まいを設けることを許されないばかりか、朝廷と直接連絡を取ることも出来なかった。大君が上位にあることをすぐ知ることになり、大君は君主のように呼ばれていた。

この制度を維持するためには二つのことが必要だった。第一は、ミカドが、この国を統治され、彼自身の尊厳と安全を保障することで満足することである。第二は、朝廷と大君政府との間で意見が異なった場合には、後者の大君が優位に立てるだけの十分な力があることである。この国が外の世界の思想の流入を閉ざし、自国の平和が維持されていたので、この二元的な制度は、六世紀半も続いて、邪魔されそうもなかった。しかし大君政府の道徳的性格は堕落した。新たな動きが始まるためには、一八五三年のペリー指揮下のアメリカ艦隊の到着が必要だった。この動きは、一五年間という短い間だったが、大君政府を崩壊させた。合法性のある原理から生じた権威で導かれた中央政権によって封建制度の党派中心主義を排除する必要性が、すべての知性ある人間の心のなかに次第に宿っていった。

老中の権力

大君政府の最高長官は国務大臣で、一般には御老中と呼ばれている。五、六人の最高家臣で構成され、政治能力を持っている必要はない。その結果、権力の実質は臣下の手に渡っている。事務的重要性があるのはその下の第二の国務官の若年寄であるが、これは譜代大名で構成される。勘定奉行、大奥掛（ママ）、兵器調達掛（ママ）は留守居年寄が取り仕切る。民事も刑事も不文法である。事件の草稿記録は存在し、裁判官が申し渡した判決の判例も整備されている。二人の寺社奉行が仏教と神道に関わる事件や遠い地方からもたらされる他の事件を処理する。二人の町奉行は江戸の町の行政を統括し、庶民の間で起きる事件を処理する。同数の勘定奉行が農業関係を調べ、連絡の中枢ラインに関する入札制度を委託される。大名と貴族と一般のサムライに関する事件は四人の大目付に提出される。目付とは下位の役職と同等であった。上記の職位の役人は毎月交代した（月番）。彼らは月に九日間の全体会議を開き、嘆願に耳を傾け、自分が係わっている政治状況の事柄に助言を受ける。大君政府の後期になると、腹心の長官たちがこの国を治めることが一般になったと言われる。大名の領国でも、同様の実際の権力の移管が起こり、一八六八年の革命(26)では主に平凡な生まれのサムライが起こしたもので、教育を受けた状況のぼんやりとした現象を生き抜くことを理解した、少数の公家や大名の信頼を獲得したのである。その状況のもう一つの要因は、江戸やたくさんの地方都市や小さな田舎町に住んでいた大君の家臣には、家康が勝利をしたころの闘争心をほとんど失っていたことである。一方、都会の遊興から離れ質素な田舎暮らしをしていた大名たちの家臣には、戦いのための活力と彼らの先祖たちの豪胆さを保っていたのである。

水戸の斉昭

アメリカ合衆国政府の要望で、長崎オランダ商館長は、アメリカの遠征隊が近々到着することを前年の秋に大君の役人に警告をあたえた。ペリーが突然浦賀に現れたというニュースが首都の江戸に到着すると、相当な動揺がやはり続いた。戦いが始まるのではないかという恐れから警告が発せられた。海上封鎖も行われた。江戸の人々の食糧を支えるこの国の他の地方からの米の供給が閉ざされた。前水戸藩主の徳川斉昭は、自領の仏教寺院を破壊し、大砲鋳造のために寺鐘を没収した廉で、一八四四年に退位させられた。他の改革の手段で、水戸藩の軍事精神を復活させることを発議したが、保守派の家老に認められず、彼は引退を求められたが、顧問として幕府を助けることになった。さらに混乱することに、大君は大病を患い、どのようなことも決定をすることが不可能になった。ただし、アメリカ大統領の手紙は受領し、使者は来年に戻って来るので返答するよう指示された。大君に宛てた手紙は何度かの形式を経て日本の政府が受け取ることには、すでに成功していた。ペリーの提案はミカドと大名の承諾が必要なほどの重要な性質を帯びたものであったが、予備交渉のための好意的な反応が得

(26)　明治維新。

られるだろうと確信し、ペリーは大艦隊を率いて翌年の春に戻って来ると回答した。

ロシア使節

ミカドと大名にまず相談しなければならないという提案は、大君にとっては不運な提案となった。そのような義務は存在しなかったが、それは単に遅延のための口実にすぎなかった。二世紀半に渡り、大君は国内と海外の政治に権力を行使し、一人の有力大名にくちばしを挟まれることなどなかった。外国貿易のために国を閉ざしたのは大君であって、ミカドではなかった。ましてや、今回のように大名に相談することもなかった。ところが、そうした弁解がロシア使節プチャーチンが長崎に着いて間もなく、両帝国の国境を調整することとやロシア貿易のため二港を開港することを書かれたネッセルローデ伯爵（ロシア外相）の覚書を受け取る時にも、再度使われた。依頼は遅れに遅れた。プチャーチンが、国境は文書と地図の力を借りて注意深く検証しなければならない、という回答を手にするのは一八五四年一月のことだった。ロシア外務大臣の覚書にある重大な問題は京都に報告され、公家や老中と議論しなければならなかった。その問題は三年から五年の時間を要し、その結果はしかるべき経過を経てやり取りされることになった。プチャーチンは、その回答に答えた後、もしも日本が大惨事を避けたいのであれば、日本は現在やって来ている外国諸国との通商友好の関係に入るのが宜しいと答えた。

アメリカ使節へ回答した骨子を秘密にしておくことは不可能であった。ペリーが日本を出航してすぐに、ペリーの文書が老中や主要な大名に回送された。秋たけなわのころ、彼らの回答が戻って来た。外国との関係はオランダと中国に限るという古い仕来りを変えることにほとんどの者達が反対であった。しかし現在の状況では、決着をつけようとするアメリカ合衆国に抵抗すること不可能であることは、ほとんどが認識していた。友好的な返答をして、要求の受け入れを一、二年延ばすよう希望するお願いをして、その間にこの国の海軍と陸軍の軍事力を完備し、交渉拒絶を全うすべきだという提案であった。井伊掃部頭が提出した覚書は変わっていた。この国を閉ざして、日本人が外国貿易から手を引くのではなく、一七世紀以前の優れた制度に戻すことを提案した。彼は以前の海洋船舶の建造に反対した昔の禁令を廃止し、オランダの指導者達や水兵達は日本人に航海術を教えることに専念させよと助言した。そうすれば、彼らの船舶で大海原を航海できて、オランダからの情報に頼らずに、自分自身の目で他国の見聞ができるのである。こうして得た知識と経験は、門戸を閉じて鎖国をしている現在の制度よりも、国民の安全を保障する方が良いと考えるのである。

諸大名の意見
日米和親条約

大老は覚書や交された議論を要約し、国防の不十分さがすべての方面で認識されたことを宣言した。その結果、アメリカ艦隊が戻ってきた際には回答を遅らせることにした。ペリーが浦賀を通過することは認めないという命令が下され、役人たちは彼をその地に引き留めるために派遣された。彼らはペリーの性格を見誤ったことに気づいていなかった。ペリーは一八五四年二月一三日、六船の艦隊を率いて浦賀に寄港し、すべての反対にも関わらず横浜方面に向かった。五人の長官達、そのうち二人は浦賀奉行であるが、ペリーに対応するために採用された。三週間ほどの交渉の後、三月三一日に、ペリーは日本の全権委員達と協定書を交換した。その内容は、アメリカ船に石炭、薪、水、食糧の給与のための下田と箱館の開港、難破した海員達と彼らの資産の保護、生産物の限定的な交換、両国の双方が必要と考える場合に一八か月の経過後に下田に滞在させる領事の任命、調印日から一八か月以内の批准書の交換が規定されていた。下田と箱館の二港の地元の状況を検証した後、ペリーは下田でアメリカ人を保護するための港湾規則に合意した。そして、六月一八日に下田から出帆し、琉球を経由して香港へ向かった(27)。

五月、大君政府は現在の国防が不十分なため、今回は差し迫った必要があったことを公に知らせた。短い間に、さらなる要求に抵抗するための調整を完全に果たすには、この短い期間でも十分だと思われた。日本政府がアメリカ提督に譲歩した本当の理由は、金庫が空だったからである。しかし、その事実は一部の高官以外には全員に知られることがなかった。そのため、高官たちはなすがままにされた弱さを至る所で責められた。彼らがこのような日和見的政策を採用したことは不運なことで、これが幕府を最終的に没落に至らせることになったのに疑問の余地はなく、彼らの外国との関係がその初めから困難な局面が想定されていたのである。

(27) 太平天国の戦況視察のため。

日英和親条約

クリミア戦争が勃発し、ロシアの軍艦と彼らが拿捕した船舶が日本の港を使用することでイギリスとフランスが不利になることを防ぐため、一八五四年九月初旬、チャイナ・ステーション[28]に拠点を置くイギリス提督スターリングは日本に赴き、日本政府に軍艦の戦争行為に関する見解と意向を尋ねた。大君の老中は、この問題に関わらないことがより分別のあることだと考えていた。つまり、日本の港から船舶の戦争行為を排除しなければ、好きでも嫌いでもない列強諸国との紛争に巻き込まれるかもしれないからである。しかしながら、イギリスに対して、日本を通過する船舶のために、食糧や薪や水の給与、長崎と箱館（必要なら、下田でも）での船舶の修理、を許可することを認めた。提督はしたがって何の困難も経験することなく、こうした条文を明文化した協定を結び、しかも最恵国待遇条項も追加することができた[29]。この協定（日英和親条約）は一〇月一四日に長崎で調印された。

日露和親条約

ほぼ同じころ、プチャーチンは大坂に立ち寄った後、下田に到着した。一二月二三日、彼の船（ディアーナ号）は津波で破壊され、海に沈没した。その船は修理のため戸田湾に向かった。その後、彼は長崎でもともと提案していた線に沿って交渉を再開した。日本政府は国境問題を議論することと、ペリーの条約（日米和親条約）の内容を上回るいかなる譲歩をあたえることを拒否した。協定（日露和親条約）はそれに応じて一八五五年二月七日に下田で調印された。プチャーチンは五月に日本の役人の指示で供給された材料で建造した船にやっと乗ることが出来た。

ミカド（孝明天皇）に報告するために、アメリカ、イギリス、ロシアとの条約の写しが京都に送られた。一八五五年二月一三日、関白を介して交渉が行われたことにミカドが十分満足した旨が大君政府に伝えられた。箱館は以前松前の大名の領国であったが、政府の領域と定められ、賠償のつもりで約束された他の土地を得たのであった。日本の歴史叙述は自然に二通りに分かれ、すなわち、外国列強の行動とその結果から生じる国内の政治状況である。事件を年代順に忠実に表現するよりも交互に叙述した方が、都合が良いであろう。

ハリス下田滞在　江戸行　アメリカ総領事タウンセンド・ハリスは下田滞在を命じられ、通訳官ヒュースケンと共に一八五六年八月二一日に下田に到着した。ハリスは、役人がかなり邪魔をしていることを知った。日本国民と外国人が親しくなって、日本人がキリスト教を奉じるといけないので、あらゆる可能な手段を用いて、事実、妨害するための命令が出される。しかし、一般には外国との交渉を心からは好まないにもかかわらず、時流としては発展の方向に強力に進んで行った。一八五五年一一月にオランダと暫定協定[30]が結ばれ、オランダ人の長崎居留が許された。一八五六年一〇月には批准書が交換された。その一か月後、ポシェット大佐は長崎[31]に日露和親条約の批准書を持参した。同じ年の四月にキリスト像を踏み付ける、不愉快な踏み絵を強要することを停止する命令が出された。一八五七年一〇月にはこれがオランダとの条約の条文に取り入れられた（日蘭追加条約）。しかし、同時に、日本人の老中たちは、キリスト教（その後、日本では「有害な教義」と見なされた）を説くこと、もしくは輸入されたキリスト教と他の外国のいかなる宗教に関係する本や絵や彫像の輸入を禁止する布告を出した。一八五六年の秋、長崎奉行は、ジョン・ボーリングが新たな条約締結を目的として長崎港を訪れようとしているが、通商を促進するためであることは間違いない、との報告をした。目付（法務官）は当方が圧力で譲歩するよりも善良な上品さで自発的に譲歩する方が賢明であろうと助言した。一八五七年三月ハリスは下田奉行にアメリカ国務長官からの書簡を手渡したが、もし日本が条約締結を避けるようとしているなら、アメリカ大統領は議会に対し日本が断れないような主張を取り入れる権限を求める、という内容だった。彼は到着した早々、大統領の国書を大君に献呈するための江戸訪問の許可を求めた。誰もが頑なに渡すことを拒否していたが、彼のねばりで「皇帝」への願いが叶った。老中は、一八五六年後半の広東に対するイギリス海軍の激しい行動を、もし日本が諸外国に対し態度を変えなければ、

(28)　東アジアにおけるイギリス海軍の拠点。
(29)　日本側はオランダと中国の特権をイギリスに付与せずと理解。
(30)　日蘭和親条約の調印は一八五六年一月三〇日。
(31)　日本側の史料では、下田。

日本に降りかかる悪い前兆と考えるようになった。一方、日本がロシア、フランス、イギリスとのその後の災いを避けるためには、ハリスの提案を受け入れた方が賢明である、とほのめかす機会を忘れなかった。ハリスの観測は明らかに幕閣に大きな印象をあたえた。一八五七年九月、政府は政策変更を決意し、大君との会見のためにハリスを江戸に招待した。これは彼に遅滞なく知らされた。彼は下田奉行の手配で、ヨーロッパの皇室と同じような謁見儀式を行うことになった。ハリスが平伏して床に頭をこすりつけることを奉行らに指示されたが、彼はすぐに断ったのである。

このころ、最も影響力を持った老中は、堀田正睦と松平忠固であった。大君の徳川家定は全く彼らの手中にあった。尾張（徳川慶勝）は考えをめぐらすことを好まず、紀州（徳川慶福）はまだ子どもであった。水戸の徳川斉昭は、日本の半分の大名から指導者として尊敬されていた。津山、越前、明石、加賀、因州（因幡）、阿波の大名達は、大君の血筋を受け継ぐ親族であった。その他の大大名は斉昭の動向に左右された。薩摩と肥前は早くから政治変革が差し迫っていることに気づいていた。しかし、長州、肥後、土佐よりはやや控えめではあった。長州、肥後、土佐は自由な考えを常に持っていた。大君と同じ血筋から派生した大名と会津、桑名、井伊、姫路のような有力な譜代大名は、閣老のメンバーであり、政府の中核を支えている。他の重要でない大名は物の数ではなかった。

ハリスの交渉

ハリスは一一月三〇日に江戸に到着し、最上級の丁重さで迎えられた。委員たちが彼を待遇するために指名された。大君の謁見は一二月七日に満足のいく形で終わった。一二日には堀田と会見し、蒸気の推進力が世界の状況を一変させることを詳しく述べた。日本は鎖国政策を放棄せざるを得ないと指摘した。諸外国は艦隊を率いて日本の開国を要求したが、彼らが求めた条件は、武力を背景にせず単純に外交でそれを求めるような穏やかなものではないということだった。ハリスは一八三九年の戦い(32)とその後の戦いの進歩を中国の場合をあげて、この見解を図示した。譲歩を求められた主な要求は、外国公使の江戸駐在、外国商人が役人の妨害なく売買をする自由、開港場の増加であった。アメリカが満足する条約は他の国も受け入れるであろう。こうした主張は納得が得られ、一八五八年二月一八日に条約の諸条項は解決された。ミカドと大名の承諾を得る為に時間が必要で、最終的な調印まで六〇日の延長が同意された。堀田はこの目的のため京都へ向かい、一方、ハリスは下田に行った。彼は四月一七日に江戸に戻った。堀田はまだ京都に滞在し、ミカドの勅許を得る努力をしていた。彼は六月一日まで戻って来なかった。五日に彼がハリスに語ったところでは、ミカドの承諾は得られていないが、条約は最終的にはそのまま調印されることを約束した。ハリスは大君には条約を結ぶ権限がないことを堀田に非難した。その一方で本当の権力が京都にあるということが今明らかになってしまった。堀田は交渉を続けるためにはハリス自身が京都に行って、ミカドの許可を求めることをほのめかした。堀田はハリスに断言したことは、大君も老中も条約が施行できるよう粉骨砕身したが、大名たちを説得するのに時間がかかるので、九月四日までのさらなる延長を求めた。老中は彼にその日に調印することを文書で言質をあたえたので、彼は遅れを承諾し、日米条約が調印されてから三〇日以内は他の諸列強との条約は締結しないことを約束することを要求した。約束の書面はすぐに書かれ、六月一二日と明記された。ハリスは下田に戻った。しかし、七月二三日にアメリカの軍艦（ミシシッピ号）が、ハリスにイギリスとフランスが中国と条約を結んだこと、[33]イギリスとフランスの特命全権大使の急な日本訪問の知らせを届けた。ハリスはすぐに神奈川に行き、堀田にその出来事に関する手紙を急送した。六月四日以来、井伊掃部頭の寛容な政策はすでに注目され、大君政府の大老になっていた。彼はすぐに条約委員を派遣し今の状況を議論させた。ハリスはこれ以上の遅れがないように調印することが重要であると急き立てた。なぜならば、イギリスとフランスの連合軍が中国を破り、北京の近くで中国に条約を調印させ、軍艦を集結し、開港を主張して日本に向かっているからだ。ハリスが恐れたのは、最近の両国の勝利から見て、日本がこの二つの大国の要求を満足させることは難しいことだった。もしも幕閣が条約に調印すれば、ハリスはイギリスとフランスの代理として有益な介入ができるのである。江戸に戻ると、委員達はその会合について報告した。井伊の持論は、公務の行政は大君に任せられているが、ミカドの権力の大君への委任は緊急事態での決定の委任も含まれているということである。大君は井

（32）一八四〇年のアヘン戦争か。

（33）英仏と清の天津条約締結。

伊に同意をあたえ、委員達は自分たちも署名するよう指示され、七月二九日に調印された。

修好通商条約：開港

この修好通商条約は、先行した日米修好通商条約をひな型にして、オランダ（八月一八日）、ロシア（八月一九日）、イギリス（八月二六日）、フランス（一〇月九日）と締結された。その内容は、外交官と領事の特権を認めること、下田と箱館に加えて、以下の港をそれぞれの日に開港すること、すなわち神奈川（横浜）と長崎は一八五九年七月四日、兵庫は一八六三年一月一日、新潟あるいは西海岸（日本海）の港は一八六〇年一月、それから江戸（一八六二年一月一日）と大坂（一八六三年一月一日）は開市することである。アヘン輸入は禁止。日本在留のアメリカの国民と財産はアメリカ領事館の裁判権の下に置かれる。宗教の自由な活動と礼拝所の設置の権利を獲得できること。輸出入関税の税率は別に定める。外国通貨はそれ自体が有する価値と重さで日本でも通用する。条約の批准は一八五九年七月四日までにワシントンで交換される。これは日本側からの提言に従う。両国は、一八七二年七月四日以降、一年間の公示を経て条約の改正を要求する権利があたえられる。条約には、日本政府が望むならば、大統領が日本と外国列強との友好の仲介者の役割を果たすことを規定した条文も含んでいる。

斉昭の立場

徳川斉昭は、一八五三年のペリーの第一回来航の際に幕閣に招へいされた。一八五五年、海防と軍制改革の顧問に就任するかたわら、幕政一般を分担するため招かれた。しかし、彼は専任の役人の仕事の足かせになったことに気づいた。一八五六年には斉昭は登城を中止した。ハリスを江戸に招いた決断を聞き、彼は役職を投げ捨て、秘密文書をミカドに送り、今までの五年間の出来事、大君の役人達の弱点と見通しのなさを非難した。そのようなヨーロッパ人の行為が一つの国から他の国へと世界中に拡がり、日本との友好関係に入ろうとするのは、単なるヨーロッパ人の悪意ある下心の隠れみのだと忠告した。手遅れにならずに決断をすること、このようなことが続くのを許してはいけないことを厳しく江戸に命令を出すことを、ミカドに嘆願した。彼は、ミカドが大君の役人達の行為を認めないことを確信した。そうでなかったのなら、日本の恥は世界中に広がって行き、日本の名誉と尊厳の損失は孫子の代まで続き、大君政府は告発されるのである。

このころから、斉昭は京都滞在の大君にことごとく反対するようになり、京都の指導的公家と常時連絡を取るために代理人を雇った。彼が貴族に同情的なのは、彼の妻が皇族の有栖川宮の娘だったという事実が影響している。彼の妻は一八四四年に息子を産んだが、その息子は藩の指導的な立場になり、一橋家の当主となるべく養子となり、さらに子どものいない大君の後継ぎ候補に躍り出た。彼の二人の姉は高位の公家の二条家と鷹司家に嫁いだ。[34]

しかし、堀田と老中の同僚たちは、井伊が一八五三年に勧めた政策を確実に受け入れた。条約に対するハリスの提案は諸大名に伝えられた。大名たちは、世界の状況の変化は外国の国々との条約の締結が必要であることを知った。もし国家が緊急事態に直面したときに、国論が一致していなければ、結果として深刻な危険を招くだろう。大名たちは追求すべき最良の方向に関して自説を表明することを求められた。斉昭は激しい長演説を繰り返し、堀田と彼の同僚の松平は自分たちの腹を切り、ハリスの首を切ることを勧めた。因州（因幡）は彼の父、斉昭と同じ方針をとっている。越前と阿波は政府の政策に賛成を表明している。薩摩も開國を支持している。一般の意見は外国との関係構築に対して敵意が薄くなってきているようである。ところが、ほとんどすべての大名は、問題の解決はミカドの決定に委ねるべきだと勧めている。ミカドは直ちに自分の望みを表明したが、それは外交官達と外国商人達が京都の周辺に入ることを許さず、日本人と外国人が混在して住むことを厳禁することであった。ハリスと交渉するためのミカドの許可を得る最初の試みは、朝廷の強硬な姿勢のため、成果が得られなかったが、強い圧力が必要となったため、堀田は、一緒にハリスと交渉をした委員とともに一八五八年三月に京都に赴いた。堀田はもう一人の委員と条約の草稿を持って、[35]許可を求める理由書とともにミカドに提出した。もしもこれが拒否されるならば、日本国内の状況に深刻な縣念が生じ、内戦や外国との戦争がいっせいに起こる恐れがあった。老中は六〇日以内に条約に調印することを認めた誓約書をハリスに送ることを勧めた。[36]

(34)　慶喜。生年は一八三七年。
(35)　堀田の随員は川路聖謨、岩瀬忠震。
(36)　ハリスへの返答の期限は一八五八年四月一八日。

この宣言によって朝廷ではさらに議論が沸騰した。様々な公家たちは反対意見を君主に提出した[37]。大名の家臣たちは京都に集まり、口をそろえて条約を非難した。その結果、独立藩士は、大君が入京することを禁止した。

ミカドは条約を拒否

ミカドの返答は直接的な拒否ではなかったが、外国人達を京都近郊から追い払う必要を何度も繰り返し、大名達の意見を書面で求めることが再び布告された。堀田は外国人が喜んで受け入れるような期間を外国人にあたえる必要は全くないと、ふたたび回答した。この条約はさらなる各種の反論が実際には巻き起こった。もちろん、すべての起こり得る不慮の出来事を予見することは不可能であったが、日本に対して、ともに結束する諸列強の危険性は迫っていた。江戸からの急送便が四月中旬に彼の許に届き、ハリスが間もなく京都へ到着すること、一八日に条約を調印しなければならないと念を押された。老中はミカドの勅許がなければ調印しないと伝え、手紙の草稿を同封したが、その内容はハリスに宛てて、堀田が戻るまで調印を伸ばすよう提案したものだった。この情報を受け取ると、堀田はふたたび老中に宛ててすぐに返事を書き、ハリスの圧力がひどくなっていること、イギリス艦隊がやって来ると返答をした。彼は手紙に次のことを追伸した。老中は、大名達に意見を聞くようにとするミカドの勅命を認め、そして、大君は一般の意見に関するミカドの懸念に正しさを認めているが、個人的に心配するいかなる理由に対しても受け入れるだろう、と伝えた。彼が吐露した唯一の回答は以前の命令を繰り返しただけであった。堀田は、ハリスとの交渉が決着し、それを実行する必要がある、とすぐに回答した。危険な紛糾を避けるためには、ミカドはすぐに確実な回答をしなければならなかった。

老中は、ミカドの決断は変わらないことを返答した。ペリーの条約（和親条約）を超えるものは認めなかった。もしアメリカが武力で訴えるのなら、大君は全力を尽くさねばならないが、そしてミカドもどのような方法を取ることが防衛の為に良いかを望んでいるだろう。大名たちの意見が提出されるまでは、彼は新しい条約を承認しないだろう。

効果がないことが分かったので、堀田は朝廷を説得することを諦め、江戸に向かった。彼が戻った三日後、大君は井伊を大老（老中の長）に任命し、仕事は通常に戻り、ハリスに更なる延期を求める決断をした。同時に、江戸に在勤していた大名を登城させ、大君の面前で、文書によるミカドの命令を大名に口頭で伝えた。ミカドは戦争にはならないと信じているが、その成り行きは大君の行動次第であるが、ミカドが以前すでに裁可されたことをするだけだというのが大君の考えだった。よく考慮することが必要だが、遅れることなく、あたえられた。

将軍継嗣問題

大君はしばらく前に結婚をしたが子宝に恵まれず、後継者の養子縁組を最終的に決定する緊急の必要に迫られ、その時期に事態が複雑化した。この問題は数年の間、そのまま決められずにいた。その中の一番の候補者として挙げられたのは、若き紀州藩主だが、わずか一二歳であるが、大君に一番近い血筋の実のいとこであった。たくさんの指導的政府高官、すなわち堀田や尾張、越前、薩摩、土佐、仙台、阿波、宇和島の大名たちと大君の夫人は、斉昭の息子の二〇歳の優れた才能の持ち主の一橋慶喜を好んでいた。大君は彼のいとこに心を寄せていた。さらに大君は斉昭の性格を毛嫌いし、もし斉昭の息子が後継者に選ばれたとしても、斉昭が政府の相談役として不当に大きな地位をしめていることは自分のせいだとするのである。一方、その問題がまだ議論されている間にも、すぐにハリスの条約に調印しなければならない必要があった。斉昭はハリスの神奈川の到着を聞き、ミカドの勅許がない条約締結を、忠誠心がない不敬な行動として、激しく抵抗した。たしかに一般の非難に直面した。しかし、もしも彼らが実際に条約に調印したら、井伊もしくは、他の老中の誰かが、すぐに京都に赴くべきで、ミカドはこの一件にお喜びになっただろう。彼も条約の主要な条文にまったく反対であると宣言している。井伊は大名の意見を聞いた時に、一人として戦争を支持するものはいなかったが、そうした意見は済んだことだが、先々の用心が緊急に必要だと迫った、と回答した。老中は重大な段階の京都の朝廷に、やむを得ず調印したことを伝えた。大君としてもミカドの勅許なしの調印を望んでいなかった。しかし、延期をすることはもっとたいへん危険であった。同様の通知を大名にも送ったが、大名たちは次の段階には予約なしでも意見を述べることがで

(37)　万里小路正房ら二一名が建白。

きるよう要請した。

八月四日、紀州の若い殿様（徳川慶福）が大君の後継者となる儀式が執り行われた。一橋派はそれでも決定を覆す一縷の望みを抱いていた。しかし一週間後、斉昭は自宅に蟄居を命じられた。一橋慶喜は登城を禁じられた。尾張、越前は、井伊の外交政策に反対した廉で隠居生活に入ることを強いられた。土佐と宇和島は、一橋を候補として朝廷に直接働きかけた件で同じ罪を問われた。堀田は老中から除名された。八月一〇日、大君（徳川家定）は大名達から後継人が決まったことの祝福を受けた。ところが、その夜、彼は突然、病気になり、一四日、上述の刑罰の命令を出したすぐ後、息を引き取った。さらに混乱をきたしたのは、井伊、もしくは他の老中が京都の朝廷に来るようにミカドが命令したことである。この一件には斉昭が絡んでいたことは明白であった。一二日、イギリスとロシアの艦隊が全権大使を連れて到来した。そのため、井伊は朝廷への返信で弁明し、政治情勢が重要な局面になったので自分は江戸に留まり、代わりに新しく老中に入った間部を向かわせることを約束していた。間部は大君の喪中の期間が明けるまで出発できなかったが、井伊が起草した長い書面は関白（ミカドの筆頭大臣[38]）に届けられた。それは江戸政府が予定の行動ができなかったことを述べている。

京都の政治状況

京都の情勢について一言説明しておく必要がある。堀田がハリスの条約のミカドの勅許をもらうために上洛したおり、彼は関白の九条左府尚忠と彼の家来の島田左近に大いに助けられた。島田左近は井伊の家来の長野主膳の示唆を受けた。他方には斉昭の友人たちと一派、つまり鷹司右府輔熙《すけひろ》とその息子、近衛左府忠熙《ただひろ》と三条前内府実万《さねつむ》という四人の高官の公家、さらに鎖国政策を徹底的に支持する公家がいた。堀田の任務が失敗したのも、これらの高官がいたからである。ミカドの好意的な勅命を獲得することは、双方の立場とも、最上の重要な事柄であり、それが関白にまで伝われば、その日は、彼が好ましく思った側の勝利になる。こうした競り合いは関白職に誰が就いているかをめぐって起こり、井伊の敵方は、ことある毎《ごと》に九条を辞めさせようとした。斉昭の影響力にも関わらず、井伊がミカドの承認を得て、紀州の若殿（徳川慶福）が後継者として選ばれたのも九条の支援のおかげであった。この成功は反対派を激怒させた。条約の調印の知らせは、井伊を対する反対派の格好の口実となった。斉昭は江戸では最悪の立場にあったが、鷹司とその友人の働きかけで京都での彼の影響力を用いて、鷹司らの努力が功を奏しミカドから直接勅令を受けて、斉昭は再び返り咲いた。ある日、九条が朝廷を留守にした時、鷹司派はミカドが大君の軽率な条約の調印に満足されていない書状（戊午の密勅）を起草した。そのことは老中に対する反抗であり失礼でもあり、京都と江戸を不和に招くものであった。それゆえ、大名が今起きている危機的状況に対する意見を述べるために集まるよう、ミカドは求めた。その指示は、同時に筆頭大名の水戸藩主（斉昭の息子）に渡されたが、ミカドの希望を他の大名にも伝えられた。その文書は、明らかに父の斉昭に宛てたものだが、藩主の元に届いた。指示に基づいて行動する代わりに、彼は老中にそれを示した。しかしながら、彼はすでに返信を送り、最善を尽くすことを約束した。しかし、この事実を彼は注意深く公表しなかった。それゆえ、老中は朝廷に条約締結を弁護した短い返信を送ることを決め、朝廷の政策をいさめるために間部《まなべ》詮勝《あきかつ》を京都に派遣した。そうしている間に、薩摩（その中には、後の優れた政治指導者の西郷吉之助がいた）長州、越前、水戸の藩士が、大君の反対勢力を支援するために京都に集合した。大君の居城（二条城）と京都所司代は彼らの行動を監視し、上洛途上の間部に会うための情報を送った。その情報とは、若い大君を廃して、一橋をその代わりにさせようとする共同謀議の痕跡が明らかにされたため、力強い方策を採用する必要があることを示したものであった。間部が江戸を出立したという情報を耳にすると、親水戸派の公家は九条に相当圧力をかけ、辞職させようとした。しかし、大君の同意がなければ関白は就任も免職もできない組織上の慣例があり、辞任を認めることを井伊大老は拒否したのである。そして間部にそのように行動するよう指示した。間部は一〇月二三日に京都に到着した。陰謀者たちの逮捕が続いた。この激しい行動が、大いに斉昭の影響力を弱めた。九条は関白の地位に残ることに合意し、反対派の公家に対して処置がとられた。ゆったりとした手順が取られたので、彼らが辞める必要が分かるまで六か月以上も経過した。

（38）九条左府尚忠。

間部の京都派遣

間部が朝廷に語ったのは、江戸政府は諸外国と関係を深めることを本当は欲していないことである。世界の情勢の変化が条約の締結を必要としたのである。政府は銃と船は用意ができていたが、申し分のない準備が整い次第、すぐに外国人を追い出す機会を見計らっているのだ。現在は必要な資金が不足しているのである。外国人はただ利益の追求のために日本に来るので、もし貿易の利益が上手く上がらないようであれば、すぐに彼らは引き上げるだろう。調印の翌日に条約を無効にすることになれば、日本を相手にすべての列強が結束することになるが、日本は準備が整っていないので、それは考えられないことである。九条は大君の駐在事務官に語り、ミカドが最も憂慮しているのは大坂の港を外国貿易のために開港することだと伝えた。彼は中国人やオランダ人がいつも従事している長崎と同じ状況で、外国人たちを日本の他の場所で住まわせ活動させ、日本人が彼らと友好的にならず「邪悪な教義」に感染されないことを望んでいるのだ。間部がすべての外国人を数年以内にこの国から追い払うべきことに同意したのは明らかだった。その結果として一八五九年二月三日に詔書が出され、ミカドは、一時的に確立している「野蛮人」との友好関係や貿易を喜ばれず、大君は大老以下の老中が一致して現在採用している決議に満足されている。つまり、「野蛮人」を遠ざけ、「鎖国」という昔の良い法律の再開をするように布告したのである。ミカドと大君が一致してこれを実現することである。この国を早急に「鎖国」の状態に戻すことを希望しているのだ。ミカドは自ら引き起こした避けられない困難を理解していて、大君の審議の結果をさしあたり待っていた。この重要な布告は、井伊の勝利と見なされ、鷹司と彼の息子、近衛と三条の辞任が続き、布告は五月に発効された。

大君の苦境

間部は四月の中旬に江戸に戻った。捕まった陰謀者たちは裁判にかけるため現地に送られ、諸条約に対するミカドの条件付きの同意を得ることで、大君の地位を確保ことができたようであった。しかし、これはほんの氷山の一角であった。捕虜はまだ判決を受けていなかったが、水戸藩はまだミカドからの特別な勅許を持っていたままであった。間部が手に入れたものは、ミカドの条約勅許ではなく、単に鎖国の延期にしかすぎなかった。朝廷は原則を放棄したわけではなかった。大君は早かれ遅かれ、貿易港を鎖港する義務を果たさねばならなかったが、いまだそのことを行動に移すことには反対だった。彼は一月にそのことを請け負うことになっていた。それにもかかわらず、数か国に対し七月に三つの港を開港するだけでなく、日米修好通商条約の批准書の交換のために使節をアメリカに送っていた。その言葉では朝廷に従っていたが、外国人を追放する行動が、日を追うにつれて、お互いに異なるようになった。諸列強との衝突が起こることは避けられなくなってきた。なぜならこの国の支配者のほとんどが攘夷論者であり、ペリー総督やプチャーチン伯爵との交流や日本人のワシントンへの派遣（遣米使節）で目が開かれた少数の人物から彼らは何も学ぶことはなかった。井伊はミカドの無条件の勅許は受けられなかったが、政治犯の厳しい罪に問われている水戸藩の影響力をつぶすことと、大君とミカドの妹（和宮）との成婚をつぶすことを試みたのである。ミカドが希望していた外国人を最後には追放する法令は公表されなかった。最も関係のある法令は全くその存在を知らされず放置された。

条約施行

新条約が一八五九年七月一日に施行された。神奈川、いやむしろ湾の対岸の村の横浜が貿易港として開港されたが、一方、イギリス、アメリカ、フランスの外交代表は江戸に住居を構えた。その初めから、日本の役人は貿易の行く手を塞いでありとあらゆる妨害をした。通貨交換というやっかいな問題が浮上したが、日本では外国の金貨と銀貨の重さで流通する、と規定した条約の浅はかな条文のせいなのである。日本では西欧よりも銀に対する金の交換比率は低く、金貨は海外に急速に流出された。物価は高騰し、今の生活が昔より大変になったので、すべての階級が不満を述べていた。横浜の港が開港して二か月も経たないころ、[39]ロシアの海軍士官と船乗り[40]がサムライに闇の中で襲われ、たたき切られた。一一月には、外国商人の召使い[41]の中国人が残忍な襲撃のえじきになった。一八六〇年の一月、江戸のイギリス公使館の日本人通訳[42]が殺害され、二月にはオランダ商船の船長二人[43]が横浜の路上で切り殺された。これらの事件に関して何も救済されなかった。そのような事件が繰り返されるこ

(39) 八月二六日。
(40) モフェート海軍見習士官。
(41) サトウの回顧録では、フランス副領事。
(42) 伝吉。

とを防ぐために巧みな仕掛けがいろいろ提案された。とくに、横浜を訪れるサムライに対する厳格な制度を設けることや、町への通路の見張番屋を建てることである。大君政府は、十分準備ができたら出来るだけ早く日本の浜辺から外国人を追放する意思があることを、また、貿易を邪魔することが彼らの取ったあいまいな政策の一部であるかのように、ミカドや大名に信じ込ませたことで、自ら力を弱めていた。

井伊直弼暗殺

大君の威信を守るために、水戸に直接命令を送り、ミカドと大君の争いをあおった公家の不信任をミカドから得ることに力を尽くしたのである。一方それと同時に、大君の名に於いて、斉昭を退け、彼を藩の首都（水戸）に蟄居させることを命じたのである。彼の息子は自分の家で蟄居させられ、一橋は隠居させられた。死刑から追放まで各種の判決が、京都で逮捕され裁判のため江戸に送られた下端の五〇人ほどの男たちに下された。そして一橋が後継者となるように働いた役人は役職を奪われ、土地も没収された。大君のすべての混乱の源は水戸藩と朝廷の陰謀であったが、ミカドから受け取った直々の命令が含まれていた文書を放棄させられたからに違いないと、井伊は結論付けた。九条を通じて、井伊は要求を果たすために必要な裁可を手に入れた。しかし、執拗な抵抗が水戸藩士から企てられた。その二〇人ほどの水戸藩士は、野蛮人にこの国を売り渡し、水戸藩主を侮辱し、正当で愛国的なサムライを死まで追いやった、裏切り者の大老（井伊直弼）の暗殺を決意していたのである。一八六〇年三月二四日、井伊直弼は城に向かっていたが、一団が彼の従者を襲い、井伊を殺害し、彼の首を勝利の証として持ち去った（桜田門外の変）。こうして、外交政策に精通している最も熱心な者は政治の舞台から消え去り、六か月後に執念深い政敵の斉昭によって墓に埋められた。この時から先、大君を支持する者達と、一方、ミカドの意見を正しいとする者との、水戸藩内の意見の相違によって、水戸藩は国内の政治の流れから影響力を失っていくのである。

プロシアの条約

一八六〇年九月、通商条約締結のためオイレンブルグ伯爵指揮下のプロセイン使節団が江戸に到着した。この交渉の申し入れは、大君政府には最も歓迎できないことであったことは想像に難くない。大君政府には一八五八年の条約の結果として、すでに深刻な問題に巻き込まれるようになった。しかし、プロセインの外交官は否定されることはなかった。最終的に大君政府は一二月初旬に委員を任命することを承認し、その結果、一八六一年一月二四日にプロイセンとの修好通商条約は調印された。これから、横浜、箱館、長崎を除いて、他の港や場所の開港の言及はされなくなった。新潟、もしくは他の西海岸[44]の港を一八六〇年一月一日に開港しなくてはならなかったが、いずれの場所もその規定を実行する動きは取られなかった。もっと重要なのは、江戸の町は一八六二年の一月一日に居住と貿易のために開市しなければならないこと、大坂と兵庫の開港開市を一八六三年一月一日に行なければならない、という条約の規定である。間部が朝廷にした約束を果たすために、条約締結国から開港開市の延期の承諾を得ることが大君政府には必要だった。すでに一八六〇年の夏に、大君政府はその意見について外国代表に話を持ち出した。外交代表は自ら江戸に住むことが危険であると経験していて、自国政府にこの方針を勧めることに乗り気はなかった。最終的に老中はこれを交渉するためにヨーロッパへ使節（遣欧使節）を派遣することを決定した。使節は一八六二年二月[45]に出発し、一八六三年一月に帰国したが、アメリカを除いたすべての列強諸国を訪問して、その目的を達成した。獲得した利権の見返りとして、使節は自国政府に次のことを実行するよう提言した。全ての外国商人が不満を持っていたすべての貿易制限を取り除くこと、一八六一年に大君の老中が申し出た提案を容認すること、つまりロシアの侵略から守る手段として対馬を貿易のために開くこと、である。

プロセインとの条約が結ばれた直後、アメリカ公使館の書記官ヒュースケンがプロセイン全権大使の宿舎から馬で帰宅しようとしていた夜に殺害された。イギリス、フランス、オランダの外交代表は、日本政府が公使館の安全を保障するまで、公使館を一時的に横浜か神奈川に移すことを決めた。一方、アメリカ公使（ハリス）はむしろ江戸に残ることを希望した。江戸はハリスが断言するように、外国人が大君の老中が勧める用心をしている限り、江

(43)　デ・フォス船長、デッケル船長。
(44)　日本海。
(45)　実際は一月。

戸では完全な安全が享受できる。江戸で外交官が住居する権利を、最初の条約を結んだ際に、獲得したのは彼だったからである。それゆえ彼にとっては、交渉の間にこの点を主張して誤りを犯したことを認めるのはプライドを傷つけることだっただろう。彼がワシントンに報告したところでは、ヒュースケン殺害は、大君政府がサムライの護衛を付けたとはいえ、彼自身の夜に公道を通行するという軽率な行為の結果だと見なした。

老中は三人の外交代表が江戸退去をしたため大いに動揺した。しかし、一八六一年三月に彼らを説得して江戸に戻らせ、公使館（東禅寺）の護衛を効果的に準備することを保証した。老中がとった処置は七月五日の夜に無作法な試練にさらされた。その日の夜、一四人の水戸藩士の一団がイギリス公使館を襲撃したのである。日本人の護衛達は、大和郡山の藩主が派遣した藩士と大君の家臣で構成されていたが、彼らは襲撃者に応戦し、その後、その者達は公使の部屋まで押し入り、公使館員二人にけがを負わせた。後にわかったことだが、この計画は一年以上から計画されていて、共謀者数人が骨董商のふりをして、内部に入り、内部の様子を十分知って企てられていた。イギリス公使が七月三日に国内の旅から戻ることを聞きつけ、彼らは計画通り実行したのである。動機は単に盲目的に外国人を嫌っているだけで、他の襲撃事件のように、その行為は挑発された結果ではなかった。今後の護衛をより徹底させるために、大君政府の手によって、外国公使の館は守りやすい場所に建築すべきである。最終な場所として御殿山が選ばれた。そこは江戸湾を一望できる高台にあり、数世代に渡って、江戸庶民のいこいの場所だった。建物の工事は開始されていたが、まだ完成途上の一八六三年初めに長州の扇動者に放火されて焼失された。その選択はとても不評だった。特に藩士たちはそのような重要な戦略的な場所を外国人が使用するために充てることを憤慨した。ハリスと彼の後任者プリュインは一八六三年五月二四日のアメリカ公使館（善福寺）が火災で破壊される時まで、江戸に住み続けた。その以前、プリュインは老中から早く首都（江戸）から出るように急き立てられていた。現地の外交官の住まいはミカド支持派が最も反対していた条約の条文の一つだった。そして、彼の住居が破壊されたのは、最終的な責任を大君政府のせいにした勤皇派の仕業だった、としぶしぶ結論付けた。

対馬のロシア人

ロシアは、この章の前半部分で語ったように（一九三頁参照）、中国から巨大な領土を獲得していた。それはアムール川河口から朝鮮の北方の国境線までであった。そこには不凍港は含まれていなかった。朝鮮海峡に横たわる日本の対馬をロシア海軍の追加の中継所として使えれば便利であると考えた。それゆえに、一八六一年三月、コベット艦のポサドニック号のビリレフ提督がその海岸に軍事設備を設けるために現地へ派遣された。この彼の派遣の知らせが江戸に届くと、政府は彼の意図がどのようなものなのかを尋ねるために役人(46)を派遣した。役人は、船の修理が必要だということ以外の情報は手に入らなかった。彼らには疑いの目が向けられ、ロシア艦は長崎からすぐに出港されていて、長崎では何も求めず、かんたんに修理もされていたのである。提督が説明したところでは、彼の本当の目的はイギリス人の機先を制することであった。彼は島の下絵をつくり、海軍の中継所のために土地の譲渡(47)を大君政府に求めたのであった。これは失敗に終わった。命令が大名(48)に出され、平和的な関係を避け、役人（小栗忠順）は上司に報告するために戻った。箱館のロシア領事ゴシケウィチは、自分には関係のないことだが、提督には事情を尋ねたことを再三訴えた。後になって分かったことであるが、提督が彼の指示を受け取るために、領事は海峡に行っていたのだ。日本政府はその後イギリスの公使と提督に助けを求めている。イギリス外交官はロシア政府に苦情を訴えるように勧め、日本政府は九月二七日にそれを行った。提督は対馬に向かい、八月二七日に到着し、病院や作業場を含む、まさに完全な形の海軍連隊本部が実在し、丘の上にはロシアの旗がひるがえっていた。彼がロシアの役人に出した手紙には、日本の役人からその結果を受け取ったとしたらその島を去るよう命令を受けているのか、同地に永続的な建物を造ることを彼が命じたのかに関わらず、丁寧ではあるが責任逃れ(50)の回答を受け取った。さっそく、ジェームス・ホープ卿(49)は九月五日、ビリレフ提督を捜索するためオルガ湾に向けて出発したが、そこでは彼を見つけることはできず、ポサドニック号が始めた永久的な建設をす

(46)　外国奉行小栗忠順。
(47)　実際は借地の要求。
(48)　宗義和。
(49)　イギリス東インド艦隊長官。

るという考えはビリレフ提督の考えか尋ね、そうでなければ、そこから退去したほうが良い、という手紙をホープ卿は残した。ロシア政府からの命令を受けるまで、条約が調印もされていないのに日本の領土にいかなる建物を建てることは貴殿のなすべきことではないし、日本政府もそのことを承知していることをホープ卿は付け足した。その回答で、提督がホープ卿に伝えたのは、ホープ卿の手紙を受け取る以前に、ビリレフ提督に撤退の命令が送られていたことである。公式報告書がイギリスに届いた時、イギリス外相ラッセル卿がサンクト・ペテルブルグの駐露大使に指令を出し、ロシア政府に抗議をさせた。ゴルチャコフ皇太子はそれほど重要ではない案件として処理し、ホープ卿のビリレフへの手紙の言い方に文句をつけたが、島は放棄されたと言った。朝鮮と日本の間にある海峡の島に海軍の施設を建設するこの試みを放棄することはイギリス、ロシア双方とも自発的ではなかったことは日付を見てみれば分かる。このころの日本側の準備不足を見越して、ロシアが対馬に利権を獲得していたら、後にそれを除去させるのは容易でなかったであろう。

政治的恩赦

一八六一年一一月、ミカドの妹（和宮）と若い大君（徳川家茂）との政略結婚が行われる機会に、国のために尽くすという信念を持った政治犯、すなわち死刑囚、流刑者、禁固刑、自宅監禁者（蟄居）に京都から恩赦の勅命が下された。これは事実上、故人の井伊大老のすべての政策まで遡って譴責《けんせき》するための勅命であった。井伊直弼が暗殺された後、政治の主要な指揮は久世広周と安藤信正の手に託された。大君がすでに結ばれた条約を実際に撤回しようとした時に、オイレンブルグと条約交渉を許可していたのは安藤だった。外国奉行の一人で実際の交渉人であった堀達之助は大君から叱責を受け、後に自ら命を断った。一八六二年二月一四日、堀に仕えていた家来[51]は、城の構内で安藤を殺害（坂下門外の変）しようと試みた。安藤は大きな傷を負ったが、逃げ去ることができた。しかし、公職の場で再び姿を見せることはなかった。

その数日後、京都から勅令を受けた。ますます増加する大胆な「野蛮人」を非難し、以前の江戸との意思疎通を取り戻し、七年から一〇年の間に諸外国との関係を断て、というものであった。ミカドは、軍事的準備を完成させるための時間を稼ぐための、少しの遅れを承諾した。公武合体の証明を優先するため、「野蛮人の鎮圧」（攘夷）を成功させる必要があり、ミカドは妹を大君の嫁にやることを認めた。この国全体が日本の栄光を明らかにする機会をつかみ取るため団結しなければならない。斉昭が政治の舞台から姿を見せなくなり[52]、その責任は島津三郎にかけられた。彼は先代の薩摩藩主の弟で、今京都にいる現藩主の父親である。徹底した変化が政治の分野でもすぐやって来た。久世と安藤は失脚した。元の越前藩主の松平春嶽と会津の大名は大君の顧問となった。一方、京都では、井伊と折り合いの悪かった公家は地位を回復した。関白の九条は辞任させられ、近衛に代わった。その近衛は、覚えておられるだろうが、以前斉昭を頭に置く一派に属していた。大君がミカドその人を確保しておくために、すぐに会津を京都守護職に任命した。その選択は正しいもので、薩摩を除けば、会津藩士は日本で最も手ごわい武装集団であった。

島津三郎の江戸派遣

大君に圧力を掛けるため、公家の大原重徳は島津三郎（久光）の先導で、六月上旬に江戸に派遣された。大君に三択から選ぶことを提案するための指示を携えていた。第一は、大君は全ての大名達と上京し、公家とともに国の政府と「攘夷」を話し合うこと、第二は秀吉が息子に遺言した制度を真似、沿海五大藩主（伊達、島津、山内、前田、毛利）を五大老に任命すること、第三は一橋を大君の補佐に任命し、松平春嶽を唯一の首相大老とすることであった。老中は最終的に第一の選択肢の一部と第三の選択肢の大部分を受け入れることで同意した。通知は、大君が上洛して「ミカドの意を完全に理解し、彼に心からの感想と意図を述べて、日本が世界で最も強力な国家になるまでに発展する、完全に調和のとれた日本の軍事的威光を可能とする基盤を打ちてるのである。そのため、大君はすべての大名を呼び出し、必要な行政改革を導入するために彼らの助言を受け、最終的にはこの帝国の内部に平穏をもたらし、人びとに幸せをあたえなければならない」というものであった。この布告は八月一日に出され、一橋慶喜を大君の保護者（将軍後見職）、松平春嶽を閣老筆頭（政事総裁職）

(50)　一八六〇年のアイグン条約で清国領からロシア領に変わった沿海州の湾。
(51)　水戸藩浪士と下野の志士。
(52)　斉昭他界。

に任命するものであった。大君政府は黙ってこれに従った。

生麦事件　薩英戦争

一八六二年九月、島津三郎は京都に戻る途中、彼は横浜近くの街道（東海道）で四人のイギリス国民に遭遇した。その一人（リチャードソン）は殺害され、二人は大怪我をしたが、島津の家来たちの仕業であった。この事件は重大で、将来にわたる良くない結果をもたらした。一八六三年春、イギリス政府は、条約に基づいて、公道（東海道）でイギリス国民を殺害した事件（生麦事件）に対する公式の謝罪と攻撃の科料として合計一〇万ポンドの賠償金の支払い、さらに一八六二年六月二六日の夜にイギリス公使館で日本人護衛が殺害したイギリス人見張り二人の家族に対する慰謝料一万ポンド（第二次東禅寺事件）、を要求した。薩摩藩主は、イギリス代理公使[53]から裁判を行い、この殺害事件の主要犯人の処刑をして、二万五千ポンドの慰謝料を殺害された男の家族と関係者に支払うこと、を命じられた。大君政府は朝廷から「野蛮人の追放[54]」を強制されていたから、イギリスへの追従《ついしょう》を拒否した。しかし、強力な海軍力が欠如していたので、最後通牒が出されると、結局は譲歩した。大君政府は賠償金を支払い、遺憾の念書を認めた。大君政府は薩摩藩主に代わって賠償金を迅速に行うことを示唆したが、大君政府は殺害者を逮捕し、処刑することはできないと宣言した。大大名の領地では大君政府の権力が及ばないことを認めてしまったのである。キューパー提督指揮下のイギリスの艦隊は代理公使（ニール）を同乗させ、八月に鹿児島に向かい、薩摩藩主に直接、要求書を突きつけることにした。薩摩藩の役人は、リチャードソン殺害は、島津三郎の大名行列が通行している際にリチャードソン一行が邪魔をしたので、リチャードソン殺害には当方の正当性がある、と申し立てた。もしも誰かを非難するのであれば、日本の道路での規則についてその文言を条約に挿入しなかった江戸政府の責任であるとした。彼らはそのことに関与した人間を突き止めるのは不可能だとし、この問題が解決するまで、賠償金を払うことを拒否した。そのため、提督は薩摩藩主所有の船舶数隻を差し押さえた。戦端が開かれ、激しい嵐のなか戦闘が行われた。たくさんの砲台が撤去され、工場と銃鋳造場をのぞいた町の半分は焼かれ、イギリス側は二人の士官を含めた一〇人が殺害され、五一人が重傷だった。次の日、イギリス艦隊は湾から立ち退き、藩主屋敷と信じられている場所まで入り、砲弾を浴びせた。薩摩藩主の行動について簡潔に語った大君宛の報告書では、船舶の差し押さえは、戦端を開き、敵の軍勢の攻撃を避けるためには必要なことだと、主張してあった。その交戦中にはどちらにとっても勝利を主張することができなかったが、一八六三年一一月に薩摩の使節団がイギリス代理公使の前に現れ、藩主は犯罪集団の捜索と要求されている賠償金の支払いの受け入れを切望していると述べた。その提案は受け入れられて、大君政府が賠償金を支払った。この時から薩摩藩とイギリス公使館との友好関係が育まれ、イギリスと薩摩藩の間に存在している貿易関係と長崎でイギリスが主導する貿易が大いに促進された。しかし、翌年の春、島津三郎はミカドの御所に呼ばれ、薩摩藩がイギリス艦隊を撃退したことに心からの満足の意をミカドが示され、島津三郎と息子の現藩主へほうびが下賜された。イギリス代理公使への配慮から、彼の行動を告白した家来の入れ知恵で、これを断った可能性が高い。

　話は昨年に戻る。大原使節の後、政治が急速に変化した。大原重徳は京都に戻り、彼が勝ち得た成功に対しほうびがあたえられた。公家たちはミカドが大君の一件で満足されていることを知らされたが、大君は彼の行動を改めて、君主の希望を尊重するという、明白な意思を持っていた。結果を少し待つという大君の君主を尊重するようにすることだとした。その君主は結果が出るまで、しばらく待つことにした。同じころ、布告は江戸の大名たちにも伝えられた。大名は家族を領国に返すこと、江戸参府は大々的に修正され、自分の領国に定住すること、領国の庶民の利益に心を傾けることが許された。そのため、それが分かると、誰も彼も江戸を永久に引き払った。因州、筑前、芸州、久留米、阿波、熊本、薩摩、長州、土佐といった大大名にほとんどは、その時から京都に屋敷を構え、以前に忠誠を誓っていた大君に代わり、手の平を返すように大っぴらにミカドに忠誠を変えたのである。

大君の上洛

　いよいよ、三月以降に大君（徳川家茂）が上洛することを、江戸は決定した。一橋慶喜と松平春嶽が大君に同行して上洛した。御所からの緊急な伝言に回答するために、会津藩主と土佐前藩主が共同で、大君が上洛した時に、大君が「野蛮人を排斥」（攘夷）する実行日を決定するだろうと軽率にも提言した。

(53)　ニール。

(54)　攘夷。

その実行は、一八六三年五月一八日から六月一五日の間の月のいつか[55]となった。大君の京都滞在を短くするきちんとした理由を前もって知らせるために、大君が江戸に戻る二〇日間の前と規定し、作戦を実行することを、彼らは朝廷に念を押した。江戸の役人のほとんどは、大君では任務を遂行することが不可能であることを十分過ぎるほど認識していたので、朝廷の苛立ちは不合理に思えたが、大君は自分の行動能力を越えたものをあわてて約束するべきではなかった。彼らはすべての公家に対する厳しい手段をとることを忠告した。公家は大君を徐々に没落させるだけでなく、外国諸国に逆って日本の持ち味をこれまで続けてきた汚点も払拭することを大君にさせようとしていた。しかし、「抵抗」の機会は瞬く間に過ぎていった。大君側の高官には「攘夷」は無理だと朝廷に言えるだけの道徳的勇気に欠けていた。三月も末になって、やっと重い腰をあげた。当初の考えでは、京都滞在は一〇日を越さないはずだったが、朝廷側は大君をできるだけ長く京都に留まらせようとした。まず、ミカドはすべての任務を将軍に委ねることを宣言するよう説得した。同時に、ミカドは自ら攘夷を実行する可能性も告げていた。水戸は戦争準備を急がせるために江戸に派遣された。大君がこれから逃れる唯一の方法は交渉開始の日程に同意することだった。その交渉とは、外国人は退去せよと通告することだった。したがって、六月二四日が選ばれた（三港閉鎖）。通告は彼らの港を外国からの攻撃から海岸を防衛するようにすべての大名に下された。一橋はミカドの命令が実行されたかと見るために江戸に急行した。彼が到着する前に通告はイギリス、フランス、アメリカの各公使に期日に渡されたが、京都に滞在する大君から鎖港とすべての外国人退去が命じられたことが記されていた[56]。それと同時に、老中が口頭で言ってのけたのは、この通告は何の効果もないことだった。貿易は通常通りに行われて、軍隊は大君が彼の敵（長州か）と戦う手助けのために送られた。もちろん、そのことに関して、外国代表は条約を無視するような試みには対抗すると回答し、それぞれの国々の利益の保護をするための処置を取るよう布告した。

軍隊は老中が貸し切った二隻のイギリス船に乗り込み、朝廷の怒りを買わないよう大坂からできるだけ離れた。小笠原はこの指令を出し、ミカドへの反逆者としてすべての方面から非難されたが、幸運にも江戸へ逃げ帰ることができた。そのうえ、その実行をよろこんで手助けしてくれる人物が江戸政府に誰もいなかったので、一橋は自分の任務を交代するよう求めた覚書を提出した。彼の側近の老中によってあたえられた実行可能な限りのミカドの命令を実行するだろうとの大君の行動の保証によって、大君が大坂に下ることが許され、そこからすぐに舟で江戸に戻った。大君を救助する向う見ずな計画のため、小笠原は解雇された。

下関砲撃事件
第一次長州征伐

下関海峡は長州の領国の北側にあり、横浜と長崎の間を航行する外国船に常習的に使われていた。「攘夷」が決行された日から強力な砲台がただちに建設された。事件が起きたのは海峡を通航するアメリカの船が同地に碇を下した一八六三年六月二四日であり、船はさっそく発砲された。七月八日と一一日には、フランスの通報艦とオランダの軍艦が同じような目に遭っていた。アメリカの軍艦ワイオミング号がすぐに報復するために派遣された。七月一六日に萩藩砲台と交戦し、萩藩主所有の汽船とブリグ型帆船を沈めた。四日後、フランスの旗艦は砲台を攻撃し、二五〇人の一団を上陸させ、大砲の火門を塞ぎ、弾薬を破壊した。イギリスを含んだ四か国連合遠征隊が砲台を占拠し、大砲を移動させた、一八六四年九月まで海峡は、閉鎖された。ここで述べておきたいのは、以前に連合艦隊が派遣されたとき、ある船が二人の若者（その一人は現在（一九〇九年）の伊藤公爵）を長州まで運んだ。彼らはイギリスから戻ったばかりで、彼らの藩主に外国代表の諫言状を届けるためであり(57)、さらなる敵意を諦めさせようと努力するためであった。藩の回答は、藩主はたんにミカドと大君の命令を遂行しているだけあり、彼らの承諾なしでは海峡を再開することはできない、というものであった。彼の努力は三か月もの時間を要した。交渉の場面でこの試みが失敗したことで、威圧的手法が不可避であることを外交官たちは納得した。その作戦の結果は、長州藩が砲台の再武装をしないこと、外国船舶の自由航行を許すこと、外国側に必要な物資を供給すること、下関の町のための賠償金の総額とともに遠征費用のための補償金を支払うことが実行された。最終的に大君政府が賠償金を払ったが、その総額は三〇〇万ドルと定められた。船舶の航行を邪魔された三

(55)　文久三年四月。
(56)　サトウの誤解で実際はミカドの勅命。
(57)　実際は伊藤がもみ消した。

国のそれぞれに賠償金一四万二千ドルが支払われ、それぞれの軍隊の貢献度は平等とは程遠かったが、平等に四等分されて支払うこととした。一八六三年の鹿児島の場合は、この戦闘の結果、薩摩藩主と家臣との完全な友好関係がイギリスとの間に確立された。

大君とミカド

大君が署名した覚書がミカドに届くよりも早く、大君は無事に江戸へ戻った。その内容は、相談を求められた水戸と一橋の意見では、現時点では排外的な政策を実施するのは好ましくない、ということであった。これを企てることは、単に「野蛮人」の術中にはまってしまうのである。内政と意見一致を促す命令が出たらすぐに、必要な処置を取るべきである。日程の決定は自分に一任してほしいと、彼は提案した。

この文書の著者は、一八六三年六月二四日に京都に大君と一緒に行った同僚たちはすでに合意している事実を全く知らないことが分かる。戻って来た回答は大君の行動をほめていた。朝廷にやって来て、二世紀以上も休止していた素晴らしい慣例を復活させ、主君と家臣の関係のふさわしい足掛かりを築いたからである。汽船で江戸に戻ってしまったこと、外国との関係を断つことに関して不愉快な言葉を用いたこと、こうした行動をいつもミカドに知らせなかったことで非難が加えられた。自分の行動を報告するために呼ばれたことに彼は感謝したが、適切な考慮を欠いたもので、彼に対する処置は遅れるだろう、と徳川将軍が慣れていない傲慢な言葉づかいをされたのである。

長州藩主の軽はずみな行動で、突然で予期もしない変化がミカドの顧問官にも起きた。長州藩主の正当な理由のないアメリカ（ペンブローク号）、フランス（キャンシャン号）、オランダ（メドゥーサ号）の船舶への攻撃で、諸列強に敵愾心をあらわにし、彼は屈辱的な敗北を喫した。彼は大君から予定されていた指示による合法的な規則を破ったのである。彼は開戦前に交渉しなかった。大君政府にとっては、長州の完敗はとても歓迎され、大君政府の立場を強くした。ミカドの主要な助言者であった中川宮（朝彦親王）は、暴力により排外政策は実行不可能と納得するようになったが、排外政策を真っ先に急き立てていた人々は、屈辱的な目に遭った。三条実美と他の公家は朝廷への出入りを禁止され、長州藩士たちは自分たちの任務だった御所の門の警備[58]を止めさせられた。彼らはミカドをさらい出そうと企み、彼に外国に戦争布告を宣言させようとしたと根拠のないうわさで非難された。長州は外国船を攻めたことを説明することと、小倉藩の領国の海峡に武装した者たちを派遣したことを問われた。その回答は、六月二四日の関係を絶つ命令に対し、家来たちが素直に解釈したのだ、とのことだった。彼らが考えたのは、意図されたいかなる敵との交渉は前もって行われたものであり、敵愾心は当面のものであったことである。小倉の藩は長州を助けた影響で弱まったが、それはたしかに男達を送り込んで、決して不規則ではないことをいさめるためであった。

長州藩士の京都追放　カミュ殺害

長州に同調するものは誰もいなかった。阿波、因州、上杉、備前は、横浜鎖港が遅れている説明を大君に求めたが、老中の板倉と同僚たちは実現すべき期日に約束を果たすべきだと、不満を述べた。一方で、越前藩は、ミカドも大君も両方が間違った政策を続けようとしていると、素直に意見を述べた。海上貿易の「野蛮人」は正しい知識を持つようになり、諸国との友好関係は当たり前になっている。日本が孤立を続けていくことは不可能になってきた。国を閉ざし、「野蛮人を排斥する」政策には道理にかなった根拠がなかった。正当な理由なく五烈強との関係を断つことは信頼不履行になる。「悪質な教義」として多く語られているものは、以前の「切支丹」とは全く違うものであり、聞いた限りでは、キリスト教を導入しても危害を予期する必要はない。貿易は、他の国を豊かにしたように、日本を豊かにする。朝廷が行動方針を変えるまでは、羽振りをきかす大名か春嶽の双方も訪れることはないだろう。

その結果、長州藩の者達は京都に残ることを禁じられ、したがって、彼らは政治的に連結した三条と六人の公家とともに京都を出発した[59]。三条のことはまた後で話す。

はじめ、大君の老中は六月二四日の小笠原の覚書を取り下げる条件として、外国代表に横浜鎖港を同意させることを望んでいた。効果がないことが分かったので、老中は一一月一二日に政策変更の布告を出し、小笠原の覚書を返還するよう求めた。体面を維持するために、老中は回状をまわし、鎖港を調整するため大君は全力を振るい、交

(58) 堺町御門警備。

(59) 七卿都落ち。

渉を始めるが、藩士たちはすべての暴力的行為を辞めなければならない。ミカドも交渉が始まったことを耳にし、結果を待つとしぶしぶ告知した。

一〇月一四日、フランスの海軍士官のカミュ陸軍少尉は、横浜の近郊で馬に乗っていたが、切り殺された。この殺害に対する謝罪と賠償がされる見込みであった。そして、外国代表たちは断固として鎖港の提案の受け入れを断ったので、フランスとイギリスに使節(60)を急送することを決定し、カミュ事件の調整と、それと同時に、両国政府と交渉し、老中は現場の外交官達よりも柔軟な対応を期待した。彼らがパリで受けた対応は、使節団がさらに旅を続けられるものではなく、一八六四年八月に帰国した。大君は三か月以内に下関海峡を再び開港する協定をした。この協定は政府にはかんたんには批准できなかった。彼らは実行することは不可能であると感じていた(61)。

大君、再度上洛　禁門の変

彼の最も手ごわい政敵は京都から退かされたので、一八六四年二月に再び大君は上洛したが、彼の安全を考えて、今七人で構成されている老中のうち四人が同行した。同年一月には、彼は一橋より先に来ていた。長州藩には京都にまだ知り合いがいて、前年の夏の行動を説明するためにやってきた藩主と彼の息子のために努力したが、成果はなかった。朝廷と大君の支持者との交渉の結果は、会津(松平容保)、越前の春嶽(松平春嶽)、宇和島の元藩主(伊達宗城)、土佐(山内豊信)、島津三郎(島津久光)はミカドの信頼を得ている重要な役職に任命され(62)、したがって、大君と助言者としても適任であった。これに同意することは、大君とすべての大名は自分たちの領地に関して京都に行ってミカドから封土を授与されることであり、今まで保留されていた敬意の様々な対象が、ミカドと皇室の人々に払われるようになるということであった。これを認める代わりに、ミカドは再び大君にこの国の統治を委託し(63)、長州と七人の公家の亡命者の処罰を大君の裁量に任せたのである。これらの問題が解決するとすぐに、大君は江戸に向かい、六月二三日に到着した。

長州藩は自分たちの行動が何ら非難されることを認める気はなく、不忠実の汚名を着せられることを拒否し、八月の初めに藩の筆頭家老の福原越後を統領とする四〇〇人もの武士が伏見に到着した。彼らはすぐに帰国せよとの朝廷の命令に従わず、自分たちの唯一の望みは藩主への忠誠心を明らかにすることと、ミカド側からの不実な助言者を排除することだと、抗議したのだ。他の二つの国司《こくし》信濃と益田右衛門介の指揮下の諸隊も上京し、総勢九〇〇人にも上った。大君の一団は、長州の脅迫的な態度をあれこれ言い、ミカドが彼らに懲罰に下すことを伝えた布告を出した。その月の二〇日に、戦闘が勃発した。長州藩士は三方面(64)から御所を攻撃したが（禁門の変）、会津、桑名、越前、彦根、大垣、薩摩の藩士と一橋指揮下の大君の軍との血まみれな戦いの後に撃退された。長州は退却を続けた。二〇人余りもの逃亡者は降伏よりも自害をすることを選び、残りの者は彼らの領国の方に四散した。

第二次長州征伐

五日後、長州藩の起こした犯罪的行為を非難し、大君に長州藩に遠征することを命じた勅令が御所から出された。この勅令は国中に布告され、西南大名は出兵の準備をするよう求められた。元尾張藩主（徳川慶勝）は、総督を任命され、越前藩主（松平茂昭）は副将に任じられた。さらに長州藩主父子（毛利慶親、定広）の官職と地位を取りあげ、彼らの領国への米と武器の流入を禁じた勅令が出された。一一月になると、総督は広島の遠征軍の本陣に到着し、長州藩藩主父子の謝罪書を受け取った。御所を攻撃した三人の指揮官を死刑にし、逃亡していた公家を降伏させ、同時に彼らを寺院に蟄居させ、彼らに下す判決の宣告を待った。福原越後、国司信濃、益田右衛門介の家老は自刃を命じられ、藩主たちの十分の謝罪の意が明らかにされたので、元尾張藩主の総督は軍隊の解散を命令した。

それゆえ、藩主父子の官職と地位の取り上げの決定が出されたままであった。大君はこの機会に取られた決断に奮起したとは思われないが、彼の支持者たちが分別をなくしたことが唯一考えられる。というのも、彼らは長州の藩主父子を江戸の獄舎に送ることを命じただけでなく、宇和島にも彼らの監禁を想定して領内に兵士を派遣する命令を下したのである。彼らも一八六二年に廃止した古い法律を再び制定するという、時機を失した決意を考え出し

(60) 代表柴田剛中。
(61) パリ破約。
(62) 春嶽は京都守護職、容保は軍事総裁職になった。
(63) 一八六三年、大君は大政委任を受けている。その再確認か。
(64) 伏見、山崎、嵯峨。

た。それは大名の家族を江戸に残し、彼ら自身も毎年、江戸に滞在するものである。[65]こうした処置は何人かの有力な大名の抵抗を受けたばかりか、ミカドからも容赦ない非難が出された。ミカドは大君を至急上洛させ、日本の内外の平和をもとの状態に戻す処置を取るよう大君に命じた。そうした間に、長州での騒動が急に発生し、長州の三人の家老の斬首を憤慨し、大嫌いな対抗者である高杉と山県の指導の下で動揺が高まり、藩主父子を山口の要塞の島に送った。

このような事件が江戸でも知られるようになり、大君の助言者達は第二次長州遠征を決意した。何度も京都に下命を要請したが、梨のつぶてだった。しかし、ついに彼らはこのまま決断を伸ばすことも出来ず、最終的に一八六五年六月に大君は江戸を立つことに同意した。まず、元尾張藩主（徳川慶勝）を総督に再任しようとしたが、元尾張藩主の主要な家臣は彼が再び不当な立場に置かれることに乗り気薄だったので、彼の代わりに紀州（徳川茂承《もちつぐ》）がその役に任命された。肥後が先陣を切ったが、彼の家は大君とその継承者に忠誠を誓っていたけれども、長州遠征をするのを好まなかった。因州（池田慶徳）は水戸の弟の血統であったが、長州再遠征の口実として用いた「容易ならざる企て」という表現のあいまいさに反対を表明し、大君があらかじめ考えている結果は敗北と政権の威信の失墜になると大君に警告した。越前も同じく異議を申し立て、一方、薩摩はきっぱりと軍隊を派遣することを拒否した。事態をさらに悪化させたのは、財源の枯渇であった。遠征の費用を仏教寺院や江戸町人の寄付[66]で調達する人気のない方法に頼る必要になった。

大君（徳川家茂）は七月一六日に京都に着き、その日にミカドに引見した。ミカドは彼の前に三つの等しく不愉快な選択を提示した。いずれも、長州遠征の最終決断を朝廷が留保しようと企んだことである。一一月まで回答がなかった。大君が言うことには、自分が大坂まで来て、長州藩の兵士たちの降伏を勧告するが、彼らの服従の意思はなく、こうした状況では、長州藩に対して寛大な処置を取ることが難しい。それどころか、軍隊を前進させる必要をすべてが示している、と。

大君とミカドの権力

もう一つの紛争の種は外国代表の姿勢から始まった。話は一八五八年に戻る。ハリスが大君の老中に、彼らにはミカドの勅許のない条約を締結する権限が明らかにないことを非難した。それにも関わらず、条約は日本の一部しか支配していない高官としての大君によって調印され、この前提を隠して、外国語で書かれた各種の文書では彼は「陛下」とされていた。日本語文書ではこのことは省かれるか、英語で表すならば、「殿下」（この称号は「関白」にあたえられる）に相当する可能性のある言葉に置き換えられた。江戸で実際に外交関係が始まると、外国代表が、大君は日本の皇帝ではなく、初期の外国人著作家(67)が「精神的皇帝」と思っていたミカドがその上に存在することを知るのは時間の問題であった。この印象は時間が経つにつれてさらに深まった。大君の老中は次のことをあえて認めざるを得なかった。有力大名の支配へ介入できないこと、ミカドが裁可を拒否すると条約の施行ができないこと、である。本当の元首からの条約批准を得る必要を西欧の政府に知らしめねばならなかった。しかし、鹿児島と下関に海軍を派遣し、日本の海に艦隊や軍隊を集結させるまでは、この点に圧力を加える機会は存在しなかった。一八六五年の夏、サー・ハリー・パークスはイギリス公使として日本に到着し、間もなく彼はこの問題について着手する時間を得て、彼の仲間の他国の公使に注意を促した。それゆえに、一一月初めには、イギリス、フランス、オランダの各公使とアメリカの代理公使を乗せた、強力な連合艦隊を神戸に進め、大君にこの問題に無理やり直面させた。ミカドの条約勅許の要求に加えて、彼らは下関砲撃事件の賠償金を三分の二に軽減する代わりに、大坂開市と兵庫開港の即時実現と関税率を一律五パーセントに改定することを要求した。

ミカドの条約勅許

大坂湾に外国軍艦が出現するというメッセージは、朝廷に重大な物議を巻き起こした。大君は幕閣に、率直かつ誠実な姿勢で条約の再交渉をして良いかミカドの許可を求めるべきだと

(65)　参勤交代の復活。
(66)　富くじ。
(67)　ケンペル『日本誌』。

説得された。同時に、彼は一橋の賛意を得て役職を辞めて、隠居してもらいたいと申し出た。朝廷の圧力が強まり、江戸にすぐに戻ることが実現しなかった。明らかにその行動で宮廷での立ち位置がとても難しくなった。異口同音の言葉で表された一橋、会津、桑名、家老の小笠原の覚書では大君の主張が補強された。一一月二一日の夜、指導的な一五の藩の代表者達は、ミカドに助言をするために、御所に呼び出された（小御所会議）。大勢は条約の裁可には賛成だった。それゆえに、次の日、待望の勅許が次のような文面で出された。「皇室は条約に同意され、それゆえ、貴殿はしかるべき処置を取るように」（条約勅許）と公布された。この勅許には次のような添え書きがされた。「現在の条約にはミカドの見解にそぐわない、数多くの規定がある」と表明されている。注意深く検証された後、これらの諸点に関する報告書が作成されなければならなかった。藩主たちが話し合ったときに、彼が決定したのだろう。兵庫の開港問題を取りやめることになったに違いない。

外国代表にミカドの同意を伝達する際、大君の老中は追加条件を全く削除してしまった。こうして、大君側が主張するように、条約は承認されたという印象が残ることになった。兵庫開港に関して、彼らは単に、今は話し合いができないと答えるだけであった。彼らは賠償金の分割払いを続け、関税率の改正交渉については江戸の指示を求めた。

この障害を取り除くために、大君は主要な助言者である一橋慶喜（将軍後見職）とともに政権に留まることに渋々同意し、彼が都合よく判断した長州藩を懲らしめるあまたの問題から自由になった。一八六六年一月初旬、長州に対する裁判のようなものが広島で開かれた。すなわち、三人の法務官が一連の質問を二人の藩の家老にしたが、家老の回答はとても率直とは言えなかった。最後に、二人の藩主たちの行動に対する判決が出され、課された刑期を受け容れ、完全なる服従と快諾を求めた。長州の熟練の軍隊の長官が尋問されたが、大声で豪放に語り、二人の藩主の無罪を確信し、彼らはミカドと大君の両者の命令にやむを得ず従っただけだ、とその場で表明した。

このことは老中の甚忍を超え、彼らが弄ばれたと感じた。三月になると、一橋と会津と二人の老中の連名で報告書が提出された。藩主たちは事実ミカドに反逆する意図はなかったが、藩士への影響力のずぼらな行使のため彼らを非難した。当時は、長州藩主父子の起こした行為は忠誠心からのものと見なされ、領国一〇万石の没収（長州藩の七分の二の領地）、二人の藩主たちの隠居生活の強制、家老職を先祖代々その座に就いた福岡、国司、益田から剝奪、という寛大な宣告がなされた。これは、同日、朝廷で承認され、民衆の騒動を避けることに留意せよ、との重大な勧告も添えられていた。大名の目から見ると、この判決は不合理なものに思われる。実際のところ、徳川の権力は法律の施行の能力がなかったからである。二つの領国の全住民は抵抗する意図を表明しており、大君側が戦闘の準備が整うと、長州軍は隣接する地域を侵略し、そこに長州軍の陣地を構えて、大君軍が自分たちを追い出せないようにした。紀州はすでに不必要な厳しい刑に抗議をしていた。薩摩は大義名分のない武力の誇示のために軍隊を派遣することを拒否した。政府の財政は底をつき、大坂と兵庫と西宮の町民から資金を調達しようとした。大君軍はよく訓練され規律の取れた敵対者に幾度も敗北した。

大君とミカドの崩御

九月の末という重要な時期に、大君（徳川家茂）は他界し、一橋が徳川家の家督を継いだ。これに続いて、朝廷は長州遠征の休止と彼らが奪い取った地域からの軍隊の退却を命じた。長州は、これはミカドの本物の命令であることを信じようとは思わず、撤退を拒否し、大君の喪が明けた直後でも戦いを再開しないことを保証しなかったのだ。一八六七年二月三日、ミカド（孝明天皇）も崩御したが、後継の今上天皇（明治天皇）はたったの一五歳であった。この出来事によって、国葬の結果として両軍の軍隊を解散せよとの御所からの命令に従った。国葬は新しい大君によってすべての関係者に厳かに知らされた。

兵庫開港

一八六二年の兵庫開港と江戸と大坂の開市は条約締結国と一八六八年一月までの延期が合意され（ロンドン覚書）、その後の延長はあり得ないことが合意に達した。新しい大君（徳川慶喜）は外国代表と友好的な関係を深めることを切望し、四月に彼らを大坂に招き、公式および非公式な引見を行い、晩餐を西欧の作法でもてなした。彼らの滞在中、外国商人が定住する三つ居留地(68)の規定を話し合い、一八六七年四月九日、大君は兵庫開港に関して請願書を提出した。条約の規定(69)を放棄せよとの一八六五年の先帝(70)の勅命を彼の前任者が外国代表

(68)　箱館、横浜、長崎。

(69)　兵庫開港。

に伝達しなかったことを、彼は打ち明けた。その結果として続いて起きる紛糾を恐れたからだ。この点を考慮して条約改正を主張することは、信頼を裏切るもので、実現不可能であった。条約の全般は承認されていたので、その当時はこの問題には言及されていなかった。その後、長州遠征問題と先帝の崩御によって、この条約問題は視界から消えたが、外国代表は条約で明記された日がすぐ近づいて来るので、問題を解決すべきだと何度も繰り返し主張した。これからたどる唯一の安全な進路は条約を忠実に遂行することだ、と彼は確信した。他のいかなる政策も、この時点の最も緊急に必要なこと、つまり日本は、現在外国が優越している船舶や武器を手に入れ、国家の富を拡大するべきである。強者の圧制に対して弱者を保証する国際条約の価値を拡大し、世界の現状では最早鎖国政策を維持することは出来ないと、彼は断言した。

その返答は、先帝の覚書と各藩の意見を配慮しなければ、兵庫開港に関して条約を施行する裁可を得ることは不可能だというものであった。四月二六日の追加覚書では、大君が突っ込んで話し合い、日本の利益と安全にとって最も重要とみなされた、この一件を再考するよう懇願した。外国公使は大君が条約を施行すると彼らに約束したことを信じていたが、五月二〇日ころには大坂で取りやめになり、ミカドの承諾はその後一か月くらい得られなかった。このころ京都には越前と芸州と土佐と宇和島の代表者がいて、彼らは大君の代理人と条約の批准について話し合った。六月二六日、勅令が出され、条約を改正することと兵庫の開港を止める二年前の勅許を無効にすると布告した。同じ日のもう一つの勅令では、京都に滞在するすべての藩、とくに大君と関わりのある上記の四藩の意見を表明し、長州事件の寛大な決着を命じた。二日後に上記の四藩は請願書を提出したが、過去数年にわたる大君政府の国政の失政、とくに世論に背いた第二回長州遠征の暴挙を非難した。長州問題はこの解決が難しい二つの問題のうち、より緊急な問題であった。今や江戸の政治を、正しい軌道に戻すべきだと示す機会であった。もう一つの同じ日の覚書で、長州藩主父子の地位と称号を回復させるように要求し、兵庫開港の問題よりもかなり緊急なものであるものとして、これを考えるべきであるとした。

大君の存在は時代遅れであることは、外国人や日本人を問わず、すべての観察者には長い間明らかなことだった。

すべての国家が容認した唯一の政治権力が国際的関係の中で適切に代表することができ、西欧の独立主権国家の中に見られる交渉の規則に唯一の政治権力を適合することになるのである。この発想は一〇月の大君に宛てた重要な文書の中の元土佐藩主の見解にもみえ、ミカド、大君、公家、大名の間の協調の欠如が外部からの危険に国家をさらしている、と指摘している。過去に許容された二元政治を破棄して、ミカドによる昔からの直接政権に復帰させる必要があることを、彼は断言した。このことは新しい政体に短い草案を添えるものだが、その攘夷政策ははっきりと放棄された。このような状況で、大君はつぎのような結論に達した。土佐藩主が指摘した道筋は危険が満ちあふれた状況から国家を救い出す唯一の方法であり、一一月八日の大名への声明書では、彼の前任者（徳川家茂）が行使したようにすべての政治権力は元首に返還せねばならないと宣言されており、彼はその将軍職を手放すと布告した（大政奉還）。彼の辞任はすぐ受け入れられた。しかし、彼は、大名が将来構想の議論のために招集されるまで、政治を全体的に指揮する職責に留まるよう指示され、京都に到着することができた。その合間に、大名たちの家臣はすべての必要な目的のために彼らの代理をすることになった。京都に滞在していた薩摩と土佐と芸州の藩士は、大君の権力の放棄に心から賛成した。しかし、多くの慶喜の家臣達は彼の取った行為に非常に激怒し、慶喜自身の政治的重要性の由来となった地位を手放してしまうのを黙認することを説得するのは至難の業だった。

明白に大君政権には外国の攻撃に対抗する力はなかった。重要な大名達にそれを押しつけるには慶喜は非力であり、ミカドの朝廷への影響力はほぼ完全に消失した。条約を施行し、外国人の生命を守る能力はなく、率直さの欠如、了見の狭さ、藩主の家臣と開港場の外国人居留民との交わりを予防する努力は、その不運さとは別に称賛に値する同情を奪ってしまったのである。

大政奉還
ミカドの政権復帰

突然、一八六八年一月三日に朝廷から王政復古の勅令が下り、会津藩士が御所の門の護衛から姿を消し、その代わりに薩摩、土佐、芸州、尾張、越前の各藩藩士が配置された。将軍

（70）　孝明天皇。

（大君）と関白の官職は廃止され、高官の三つの地位の官職が新たに作られ[71]、その官職には様々な公家や藩主や藩士が採用された。前大君（慶喜）の家来や支持者たちは職務のこの新しいリストに加えられることはなかった。もう一つの布告は、この国の政治はミカドにより再び始められ、今後はミカドを皇帝（天皇）と称しなければならない、と命じた。この布告には、大名も日本が全世界の国家の中で先頭に立つように一緒に努力しなければならない、とも加えられた。暫定政府は、有栖川宮を首座にすえ、二人の皇室の王子と二人の公家[72]、御所の門を護衛する藩の参与でもある五人の藩主[73]で構成され、五人の公家（岩倉もその一人）[74]と五藩のそれぞれから三人ずつのサムライを参与補佐とした。本当の権力は最後の一五人が握っていた。さらなる勅令で、長州藩主父子は以前の階位と称号を戻され、長州藩もふたたび京都に参内の許可が聞き入れられた。これにより、準備を整えていた長州の大軍隊がすぐに都に入って来た。一八六三年に都落ちした公家も帰還を許された。一八六六年の年末から薩摩と長州には同盟関係があった。この出来事が急展開して、この二つの藩の指導者により指示や統制が行われた。

一月六日、前将軍（慶喜）は朝廷に宛てて覚書を提出したが、彼に相談することなく三日の変革（王政復古）が行われたことに抗議し、ミカドの以前の命令に従って、これまで通り政務を続ける意思を知らせた。その後、彼は彼の精鋭部隊と会津と桑名の藩士とともに大坂に引きこもったが、御所近辺の武力紛争を避けるために、この行動を取ったことを表明した。外国代表と慶喜の接見において、外国代表は一二月に政治状況の進展を見届けるため京都に集合し、若い皇帝（天皇）の名において最近行われた処置の妥当性に気付かなかったと、慶喜は外国代表に伝えた。慶喜は彼の正当性を立証するために武力を行使することを諦め、全体会議の意見を求めるべきだとして、彼の反対者に対し意見を尋ねた。その間に、慶喜は以前と同じように外交問題の指揮をとることになった。

前大君の京都攻撃失敗

このような用心深い決断は慶喜自身の家臣と会津と桑名の軍事部隊によって結局は押しつぶされた。越前と尾張は調整を試みるため大坂に下った。彼らが提案したのは、ミカドに先祖代々からの膨大な収入を返還し、政府には参与として入り、すでに就任している薩摩や他の大大名と同等な地位となる、ことであった。もしほんの少数の家臣を連れて入京したときでも、友好的な待遇を保証してくれるよう申し出た。不運なことに、このような宥和的な予備交渉を続けている間に、江戸で前大君と薩摩の両軍の紛争がすでに始まってしまったのである。薩摩屋敷が攻撃されて破壊された。薩摩藩士は相手を殺害するか、逃亡するしかなかった。宣言書[75]が薩摩に対して直ちに出され、敵が単独ではないとしても、今や薩摩は反対派の首謀者とされ、戦わなければならなくなった。一月二六日に前大君はすべてのかき集められる軍隊とともに京都に入った。京都まであと半分くらいの場所で薩摩と長州との軍隊と遭遇し、四日間の戦闘の後に完全に敗北し、大坂に退却し、なぜか大坂からまっしぐらに海路で江戸に戻った。同じころ、ある通達が外国代表に届き、大君は最早外国人を保護することは出来ないので、これからは外国人の安全は大坂と兵庫にいる自国民がそれを行わなければならない、とあった。イギリス、フランス、アメリカの軍艦が兵庫に入港していたので[76]、これは彼らにとって難しいことではなかった。したがって、行進中の備前藩の兵士の数人が外国人に発砲したことで、外国商人が居留する神戸を一時的に占拠する必要になった。しかし、公家が[77]二月八日に京都から到着し、皇帝（天皇）自署の宣言書を持参してきた。その宣言書には[78]、政治体制の変革が起こったが、条約体制の維持は認めるとした（王政復古の国書を手交）。公使に加えられたものと同じような攻撃的行為から将来に渉って外国人が保護されるという満足のいく保証を得たことで、外国代表は即座に海軍指揮官に軍艦の退去を要求した。中立宣言が公使たちから出されたが、重要なことは大君の代理人が合衆国で購入した甲鉄軍艦が日本に到着した直後から、内戦が終了するまで引き渡されず、結局、皇帝（天皇）政府の手に渡ったことである。不運なことに、藩士たちの間で渦巻く攘夷主義は長い間鼓舞され、時々宣言書自身にも書き続けられた。三月八日、フランス軍艦の汽艇乗組員が堺で土佐兵士の一団に虐殺された[79]。

(71) 総裁・議定・参与の三職。
(72) 仁和寺宮、山階《やましな》宮、中山忠能《ただやす》、正親町《おおぎまち》三条実愛《さねなる》、中御門経《つね》之《ゆき》。
(73) 徳川慶勝、松平慶永、浅野茂勲《もちこと》、山内豊信、島津茂《もち》久。
(74) 他に大原重徳《しげとみ》、万里小路博房《までのこうじひろふさ》、長谷信篤《ながたにのぶあつ》、橋本実梁。
(75) 討薩の表。
(76) 神戸事件。
(77) 外国事務取調掛、東久世通禧。
(78) イギリス公使パークス襲撃事件。

この事件と神戸事件の両者は新政府に完全なる保証をあたえることが出来た。そして、この事件は新政府と外国列強との関係を混乱させていたものを取り除いた。

内戦の推移

長崎、兵庫、大坂の旧政権の役人が移動したことで、さらなる戦いは避けられた。二月中旬までに、諏訪湖より先の西国の半分の国は皇帝（天皇）の権威が承認されていた。宣言はすぐ出され、前将軍と諸大名にすぐ参内するよう布告したもので、その中には謀叛を起こした会津、桑名、幕閣の人々も含まれていた。そして、親王[80]が東征大総督に任命され、京都から二方面の街道で江戸を目指した。三月末ごろ、先遣隊は箱根峠を越えて、江戸平野（関東平野）に入った。一か月後には、大君軍は降伏した[81]。江戸の町への移動は、横浜港の場合と同じく、何の妨害もなく五月初旬に実行された。

会津藩は江戸北方の山国の自分たちの領国に戻った。その領国で数か月、気強く自衛を維持した。仙台、南部、米沢、庄内が同盟を結んだ。徳川への大義名分の献身よりも、西南雄藩への対抗心が勝っていたのである。彼らに対し、他の北方諸藩のたくさんの男たちが集まり、徳川慶喜が一度も戦いもせず失脚を受け容れたことを快く思っていなかった徳川の家臣たちも少なくなかった。江戸には、徳川家臣団とこれを補助する会津と他の藩士がおり、上野の徳川将軍家の霊廟（菩提寺）を奪い取ったが、彼らを戦いに追いやった官軍による激しい攻撃を受けた。越後の長い間の戦いの後、官軍の権威がその土地にも確立された。皇帝の軍隊は会津の首都を包囲することができ、英雄的な防衛の後、一一月六日に降伏した。そして、領国のすべての反抗は終結した。

官軍の勝利 新政府の組織

江戸城が五月二日に引き渡された時、八三門の砲台を積載した六隻の戦艦で構成される前大君の艦隊は引き渡されるはずだったが、榎本（武揚）提督と彼の仲間は降伏条件に従うことを拒み、一方で、官軍には服従をさせるだけの十分な海軍力が整っていなかった。榎本軍は軍艦を江戸の近く（品川）に碇泊し続けていた。一〇月初旬まで官軍に対抗するための避難場所となっていた。一〇月初旬になると、榎本軍の軍艦[82]は碇を上げて、突然停泊していた場所から姿を消した。脱出に先立ち彼らは声明書[83]を残した。同書には、彼らは共謀した諸藩のやり方を公然と非難し、必要があるなら、国を平和にするためには戦う意思があることを宣言した。

仙台湾(84)に立ち寄り、その地で人を集め、一二月初旬に蝦夷島占拠を行った。蝦夷地で共和国の樹立に向かった。公民権はサムライに限られていたが、全員参加の選挙という形をとった。彼らは官軍の艦隊が追跡に来る翌年四月までは何も煩わされることはなかった。官軍の艦隊には、今や自軍の手に落ちた甲鉄戦艦も含まれていた。軍事行動は五月末ころに始まり、一か月後に終結した（六月二七日、戊辰戦争終わる）。反乱者に対して圧倒的な軍事力を行使したため、反乱の指導者たちは降伏した。内戦はこうして官軍の完全勝利で結末が着いた。正当な統治者による権力の強奪の結果、政体構成の変革の見取り図を描くことだけが課題として残った。

この戦いの勝利者が最初に行った行為の一つは、公家、藩主、藩士から構成される国家評議会から成る暫定政府を樹立することであった。七つの行政部門は、直後にも追加された。すなわち、神祇（神道は国家宗教としての地位を回復した）、内国、外国、海陸軍、会計、刑法、制度である。外国事務局には伊藤と井上が任命された。彼らは長州の二人のサムライで、一八六四年に彼らの藩主が攘夷政策を続けていることを思い留まるよう説得し、二人の助言はその経験のない藩首脳には最も有益だった。他の藩首脳は、外国人との友好関係に好意的なサムライであった。六月には政治体制に関するさらなる布告(85)があった。その布告では、国家の権力を、立法、行政、司法に細分化する原理(86)が認識された。太政官の長官は二人の議定に任され、各省は、議定と参与と貢士で構成されることとされた。地方政治は、府・藩・県（皇室領）に分けられ(87)、以前の徳川将軍領と皇室領の大半が府・県になった。この時点では、藩を組織化するつもりはなかったが、府と県は知事と地方自治体長の下に置かれた。この政治組織は文字通りに仮のものであり、必要に応じて朝令暮改が行われ、連年、多くの修正が加えられた。これは、地方行政制度

(79)　堺事件。
(80)　有栖川宮熾仁親王。
(81)　江戸開城。
(82)　開陽、回天、蟠竜、千代田形、長鯨、神速、美賀保、咸臨。
(83)　「徳川家臣大挙告文」。
(84)　実際は松島湾。
(85)　政体書。
(86)　三権分立。
(87)　三治制、または地方三治《じかたさんじ》。

が最終的に整うまで続いたのである。

皇帝（天皇）は条約を尊重する意図をすでに公にしていたが、その一件に関する覚書をすぐその後に出し、六人の影響力のある、越前、土佐、長州、薩摩、芸州、熊本の各藩主に連署するよう伝えた。相応しい足場の上に外国との関係を置くこと、「野蛮人を追い払う」（攘夷）考え方を放棄すること、外国諸国に一般的に見られる作法に従って朝廷に外交の大臣を設置することが最高の重要なことであると、書いてある。政府の告知には、これらの提案は受け入れられ、皇帝（天皇）との謁見のために六か国の列強の外交代表は京都に招かれた。一八六八年三月末、三か国がこれを受諾し、イギリス、フランス、オランダの公使は謁見を受け入れた。外国人に対する朝廷の姿勢のこの突然の変化、皇帝（天皇）の近寄りがたい古くからの伝統からの根本的な逸脱は、敵意に満ちた批判から逃げ、おそらく極端に保守的な人々の手によって事態が悪化されることは、予想されたことではなかった。三月二三日に朝廷へ参内するイギリス公使（パークス）と彼の随行員に対する襲撃事件が二人の狂信者[88]によって起こされた。七人の護衛兵がひどい重傷を負った。二人の日本人文官の後藤、中井は公使と馬で同行していたが、馬から駆けつけ、襲撃者の一人を殺害し、中井はその乱闘[89]で怪我を覆った。もう一人は捕まり、その後、首をはねられた。三人の共犯者は有罪となり、遠島という終身刑に処せられた。謁見はその三日後に行われ、心からの思いやりのある友好が示された。四月に皇帝は自身を厳しく隔離させていた古いしきたりを破り、大坂に下った。大坂は薩摩の政治家の大久保が大坂へ首都を移そうと提案していた場所である。大久保は大坂滞在中、彼はイギリス公使と引見したが。イギリス公使（パークス）は元首に信任状を提出した最初の外国代表であった。

外国人とキリスト教の方針転換

西欧諸国との外国交際が更新されたが、キリスト教が再び伝来しないよう、ことあるごとに恐怖が強調された。そのキリスト教は一七世紀には数え切れないほどの災いの原因となった。日本全国、すべての村、すべての都会や町の札ノ辻で、「邪悪な教義の」キリスト教を公然と非難し、聖職者、平修道士、日本人伝道師を発見したら褒賞をあたえる高札が掛かった。長崎は一七世紀にはローマ・カトリックの宣教師の居住地であり、すべての人々は毎年、キリスト教の踏み絵を強要されていた。ハリス条約[90]の条文では、開港場に礼拝の場所の建設を認められていたが、とりわけ不快極まる場所として見られていた。もし日本人が外国人と親密に交わると、日本人に外国の宗教教義が伝染すると恐れていたのである。人々の中に隠れているキリスト教徒は容赦ない鎮圧手段を用いれば、完全に根絶されると長い間信じられていた。ローマ・カトリックの宣教師が長崎に教会を建てると、当局に目を付けられていたキリスト教関係者の近隣の人々が一八六五年終わりごろには集まり始めた。近隣の村々の何千もの小作農が密かにキリスト教の儀式を実践していた。見つけることができた、すべての人々が逮捕され、改宗をするように強要された。これが不可能だと分かると、彼らは日本の他の場所に追放することで解決した。このような処置が彼らの信念を放棄させるだろうと期待したからである。外国領事や公使からこの処分に対する抗議が起こされたが、臨時の緩和策が取られるだけであった。一八六八年の革命（明治維新）が起きても事態は変わらなかった。その間にいろいろなことが起き、権力が将軍から皇帝（天皇）に置き換わり、古い高札（五榜の掲示）は取り去られ、他の代わりが用いられたが、キリスト教を「邪悪な教義」だとする公式見解はまだ残っていた。公使たちは抗議文を書き改めた。なるほど、一八五八年の中国に押しつけた条約(91)では宗教の自由の条項の結果として生じた介入権は、日本との条約ではその権利すらあたえられていない。しかし、友好関係を維持することを提案した皇帝（天皇）の政府が、政府によって告白させられた宗教に汚名を着せる行為は友好的ではないという不満には、反駁できない。外国外交官の代表は、いささかの成果を生みだした。皇帝（天皇）が日本の神々からの血統を受けついでいることを理論的根拠としている今の政府は、神道の神祇官を太政官と同等な場所に置いているので、一般的な支援は保証されていても、神道以外の宗教に寛容をあたえることはできない。追放令は効果的に実行された。しかし、キリスト教徒が追放されたほとんどの土地では、彼らは慈悲をもって迎えられた。キリスト教徒は殺されることなく、罪人としての扱いを受けることもなく、厳しい仕打ちを受けて正

(88)　三枝蓊、朱雀操。
(89)　フランス語 mêlée。
(90)　一八五八年の日米修好通商条約。
(91)　天津条約。

しい道に導かなくてはならない間違った方向へ行った人々である、としたことは、徳川将軍の政府が行ったものよりも、はるかに寛容な精神を示していることは事実である。われわれは一八七三年以降に起きてくる出来事を予想しなくてもよいであろう。一八七三年には、侮辱的な踏み絵は取り払われ、キリスト教徒の追放者は家に戻ることを許可され、一八七三年から、たとえ法律的に規定されていなくとも、宗教の自由はこの政権のもとで実際行われるようになった。その名称のとおり、明治政権は啓蒙する政権である。

東京遷都

大坂に首都を移すと言う案[92]は取り入れられなかった。しかし、一八六八年九月に皇帝（天皇）が江戸を行幸することが決まった。江戸は、東の首都として、名前を東京と変えたが、そのことは重要な意義をもった。若き元首（明治天皇）の戴冠式は一〇月一二日に行われ、一一月四日に彼は京都を去り、ゆっくりと旅をしながら二六日に東京に到着した。彼は一八六九年一月二〇日まで東京に滞在した。

その後の変化 議会開催

一八六八年一月一日、東京開市と新潟開港が実施された。こうして一八五八年のハリス条約[93]に記された項目が完了した。一月五日、皇帝（天皇）はすべての外交団の謁見を受けられた。同じ月には、勤皇派大名の評議会は、内戦の反対勢力である、会津と他の藩主の総数二五人の判決文について全員一致で投票した。藩主のうち二人以外は好意的に隠居するように計らわれたが、会津ともう一人は領地を没収され、ほかの一八人の大名は収入を減らされ、収益の上がらない土地へ移封させられた。

しかしながら、これまで皇帝（天皇）は藩からの物質的援助に頼っていたが、皇帝（天皇）の名において大君政府が廃止され、彼の政府を強固な基盤に置いておくためには、さらなる変革が必要であった。皇帝（天皇）の権力形成と同様、実態が彼に帰すための方向性の第一段階は、薩摩（島津忠義）、長州（毛利敬親）、土佐（山内豊範）、肥前（鍋島直大）の藩主によってとられた。彼らは一八六九年三月に彼らの領国と家臣を皇帝（天皇）にその処分を任せる覚書[94]に調印するために、それぞれの領主にそれを説いた（版籍奉還）。現在の藩主達は領国を返還し、知事としての称号が与えられた。藩の行政は皇帝（天皇）の民衆と領地の調和をもたらせる役とされた。

一八六八年初め、政府の指導が憶測される皇帝（天皇）の誓約[95]、つまり、議論と討論を万事に実行し、すべての処置は公の議論によって決定するという、[96] 誓約を遂行するために、代表者が集まることになった。しかしながら、議会が開催されるのに一年が経過したが、こうした概要は最初から出来上がっていた。最も重要な成果は大名たちが自らの領国を皇帝（天皇）に返還する提案（版籍奉還）を受け入れたことである。一八六八年の革命の指導者が常に持っていた意図、すなわち実行可能な議会制度が創られて実行されるまで時機が熟するには、さらに数年の月日を要した。

一八六八年一一月、会津が没落した後、官軍側に立って戦った西国の勢力の大部分は自らの領国に戻っていった。政府は命令に従う人々を手に入れるのは権威次第だと大いに感じるようになった。一八六九年二月に皇帝（天皇）は京都に戻ったが、また五月に東京に戻って来ていた。一一月には皇后も東京に入った。それ以来、東の都（東京）が永住的な朝廷の居住地となった。

薩摩藩士は彼らが実権を握っている内閣のこのような影響力の行使の仕方には満足していなかった。その頂点にいるのは、以前の公家の三条と岩倉であった。彼らはそれぞれ長州と薩摩の影響力を象徴していると言われている。六人の閣僚のうち薩摩藩出身は大久保ただ一人である。その他の閣僚は長州が二人、肥前が二人、土佐が一人であった。藩閥（Particularism）では、薩摩藩、長州藩、土佐藩が有力である。とくに最初に述べた薩摩藩には西郷がおり、彼の傾向は強い保守派であるが、彼は幅広い人気があった。日本統合の前途は悲観的に見えた。もっと確定的な物質的支援を得なければならないことは明白だった。官軍の勝利に最も貢献した人々の忠義に対して強い要請を出すことが決定された。一八七一年一月はじめ、岩倉と大久保は鹿児島に向かい、そのおり皇帝（天皇）から島津三郎に宛てた手紙を携えていたが、その島津三郎は古い薩摩国父であり、君主の主要な擁護者となることを懇願

(92)　大久保利通の提案。
(93)　修好通商条約。
(94)　版籍奉還の上表文。
(95)　五箇条の御誓文。
(96)　広ク会議ヲ興シ万機公論ニ決スヘシ。

した人物である。西郷は、薩摩軍の大部分の分遣隊は永久的に東京に駐在することになり、実際の中央組織に入ることになることを、同意するよう促された。それと同じころ、木戸が長州に下り、同地で大久保と落ち合い、彼らは二人の藩主に対して、薩摩の先例に従うようにと説得した。彼らは長州から土佐に回り、現地で、提案されている準備に参加するため、地方の藩の指導者との合意に達した。薩摩藩主と長州藩主が東京に住むことになっていたが、土佐の前藩主はすでに東京に住居を構えていた。岩倉は帰路の途中で、重要な藩である尾張と彦根の支持を得た。こうして、すべての軍隊は政府のすぐ近くに置かれ、歩兵隊の九大隊、騎兵隊の二大隊、砲兵隊の六中隊で構成された。

中央の権威が力を増したのは、この時期であった。豊後と信州に深刻な騒動が起こったが、その騒動を力で抑えつける必要があったからだ。君主制原理に本来備わっている強さは、政治的な暗殺を実践する不平を持つサムライを切り捨てることは出来ないけれど、最終的にはすべての困難を克服するものである。

封建制度の廃止

政治的統合と国力増進は、最も賢明な日本の政治家が長い間認めていた封建制度を完全に廃止することでのみ達成されたのである。一八七一年の初め、藩の領国が皇帝（天皇）の土地となる代表会議（廃藩置県）で、阿波藩主の名前で提出された覚書が公開された。これに対して、長州は同じ公式な作法に則り思いやりのある提案を行った。因州も同じように、経費の経済性を指摘し、単一の行政の下でいくつかの小さな藩の統合を述べた。新聞が政府の公式な保護の下で設立された。いま言及した新聞が刊行されたが、彼らは信頼を得るために、日本国中の色々な考え方を広めた。いくつかの小藩は自ら申し込んで、皇帝（天皇）の領土に統合された。八月一一日、右大臣の地位を保った三条実美[97]と、参議となった西郷隆盛と木戸孝允を除いて、存続していた閣議は解散された。大久保利通は大蔵卿、肥前の大隈重信は参議、土佐の板垣退助も同じ地位に加えられた。この官僚リストを見ると、四つの指導的な藩[98]から一人ずつの名前が出されている。岩倉具視は外務卿となり、後藤象二郎は工務卿となった。神道宗教は太政官の一部門に追いやられ、神祇省に降格された。肥前の大木と長州の伊藤、井上、山県は副大臣に再任された。こうして、改造された内閣は、すべてこの国を代表する知識人で、実際に強力な政府だった。数日後、世襲の筑前知事（福岡藩知事黒田長知）は解任させられた（罷免閉門）。藩士が政府紙幣を大量に偽造した結果である。彼の住処は親王が住んだ。二九日に最終的な決断が下され、勅命が発布された。その内容は、藩を廃止し、藩を県に転換することであった。世襲の知事は公職から退けられ、彼らの東京の永住の住まいを召し上げられ、妻子も退去させられた。こうして、大君政治が最も意気揚々としていたころよりも新政府はもっと独立性を維持することになった。その当時は彼らの屋敷は空き家になっていたところもあり、地方行政はそれまでの藩の重臣に任せていた。

要約

この出来事こそ、この時代の歴史の幕を閉じるのにふさわしいものである。ハリスの条約[99]から一三年間は、比較的短い期間ではあったが、政治的革命が完遂された。同時期には、王政復古もあった。いかなる国の歴史を見ても、両者が並行して行われたことはない。革命（Revolution）は不可能だったかもしれないが、君主の名前をもって達成した尊敬（Veneration）であった。その君主の家系は歴史の黎明期まで遡れるものであった。

徳川将軍の権力と特権は西欧列強が出現[100]する前にすでに腐敗していた。それは自然な成り行きだったが、自分たちが有利になるようもっと精力のある家やその藩士を地方に住まわせ、彼の影響が首都に影響を及ぼさないように努めたのである。これは、徳川将軍以前の支配者が没落した破壊的な内戦[101]を繰り返さないためである。外国との関係が及ぶことなく、その圧力で出来事は早まったのである。藩同志の利害の一致を説明することは難しく複雑なものである。そのころから、大君の法的な地位は臣下にすぎなかったが、西欧列強の元首や代表者との間に条約を結んでいった。彼の権限を保つことが難しくなってきていた。一八六八年の大君の没落は、根本的に間違った地位から来ることであり、論理的には明らかなことであった。

---

(97)　その直後太政大臣。
(98)　薩長土肥。
(99)　一八五八年、修好通商条約。
(100)　一八五八年。
(101)　関ヶ原の戦い。

文献目録

第二八章

（一） 中国関係

1 未刊史料：草稿など

Correspondence in the Public Record relating to Sir H. Pottinger's Mission to China.
Foreign Office Confidential Print from 1839 to 1871.

2 政府関係刊行物

Hansard. Parliamentary Debates. Vol. LIII. 3rd Series. London. 1840.
Parliamentary Papers relating to China from 1821 to 1870.
Royal Commission on Opium. Vols. vi, vii. London. 1895.
United States Senate Executive Documents. Washington. 1839-59.
Diplomatic Correspondence of the United States. Washington. 1861-8.
Foreign Relations of the United States. Washington. 1870.

3 回想録、書簡集、旅行記など

Auber, P. China, an Outline of its Government, etc. London. 1834.
Brandt, M von. Drei und dreissig Jahre in Ostasien. Leipzig. 1901.
Cordier, H. Histoire des Relations de la Chine avec les Puissances. Occidentales. Vol. 1. Paris. 1901.
Davis, Sir J. F. China. New edition. London. 1857.
Elgin, Earl. L. Oliphant. The Earl of Elgin's Mission. London. 1859.
Ellis, Sir Henry. Journal of Proceedings of the late Embassy to China. London. 1817.
Gaillard, le P. Louis. Nankin Port Ouvert. Shanghai. 1901.
Gros, Baron. Livre Jaune. Paris. 1864.
Huc, le Pere. Christianisme en Chine. Paris. 1857-8.
Lane-Poole, S. Life of Sir Harry Parkes. Vol. 1. London. 1894.

Lenormant, C. Articles in "Le Correspondant" for 1864.
Loch, H. B. Personal Narrative. 3rd. Edition. 1901.
Sargent, A. J. Anglo-Chinese Commerce and Diplomacy. London. 1907.
Taylor, Sir Henry. Autobiography. London. 1885.（Vol. 1. Appendix. Charles Elliot's Mission to China.）
Wilson, Beckles. Ledger and Sword. London. 1903.
Wilson, Andrew. The Ever Victorious Army. Edinburgh and London. 1868.

（二）日本関係

1　未刊史料

Foreign Office Confidential Print, 1853-71, partly reproduced in Parliamentary Papers of the period.

2　政府関係刊行物

United States Senate Executive Documents, Diplomatic Correspondence of the United States; Foreign Relations of United States Senate.

3　日本語史料

（A）未翻訳

小林庄次郎『幕末史』（History of the Fall of the Shogunate.）東京、一九〇七年
『維新史料』（Materials for the History of the New Regime.）三〇巻、東京、日付なし
勝安房『開国起源』（Collection of Documents relating to the Opening of the Country）東京、一八九一年
島田三郎『開国始末』（Life and Times of Ii Kamon no Kami）東京、一八八八年
池田晃淵『徳川幕府時代史』（History of the Tokugawa Shoguns.）東京、一九〇七年

（B）英訳

馬場文英著／E・Mサトウ英訳『元治夢物語』（Japan 1853-64）リプリント版、東京、一九〇五年
椒山野史著／E・Mサトウ英訳『近世史略』（A history of Japan from 1853-1869）渡邊修二郎、複製、一九〇六年

4 刊行物 総説と各論

Adams, F. O. History of Japan. London. 1875.

Bley, J. H. C. Die Politik der Niederlande in ihren Beziehungen zu Japan. Oldenburg. 1855.

Callahan, J. M. American Relations in the Pacific and the Far East, 1784-1900. In John Hopkins University Studies. Series xix. Nos 1-3

Dickins, F. V. The Life of Sir Harry Parkes. Vol. II London. 1894.（高梨健吉訳『パークス伝 日本駐在の日々』平凡社東洋文庫）

Greene, Rev. D. C. Correspondence between William II of Holland and the Shogun of Japan. In Transactions of the Asiatic Society of Japan（『日本アジア協会紀要』）. Vol. XXXIV. Pt. 4 Yokohama 1907.

Griffis, W. E. The Mikado's Empire. New York. 1876 and subsequent editions.（後続版）（山下英一訳『明治日本体験記』平凡社東洋文庫）

Griffis, W. E. Townsend Harris. New York and Boston. 1895.

解説A　*A Diplomat in Japan* の史料学

楠家重敏

はじめに

アーネスト・メイソン・サトウ（Ernest Mason Satow, 1843-1929）は幕末・明治期に活躍したイギリス外交官であり、著名な日本学者でもあった。一八四三年六月三〇日、ロンドンの北東のクラプトンに生まれた。一八六一年八月二〇日、イギリス外務省から辞令をもらい、日本の領事部門の通訳見習（Student Interpreter）に任命された。「両親はサザンプトン港まで来てくれた。埠頭に立って、私の乗っている船が港から出てゆくのをじっと見守っている両親の姿は、今でも私の目に焼き付いている」。同年一一月四日、サトウはインダス号で母国の岸辺を離れ、青雲の志を胸に抱いて、日本を目指した。一八六二年一月一六日、およそ二か月半の長旅の果てに上海に着いた。「とても驚いたが、今はまだ日本に行かなくてもよいということだった。日本語を学ぶ者にとって中国語は重要なものであるという見地に立つオールコック氏が私にあたえた指示なのだ」。一月から四月まで、サトウは上海に留まり、中国語の学習に専心した。四月一一日、彼は北京に着いた。サトウの北京滞在は予定より早まり四か月半で打ち切られた。九月二日、ランスフィールド号に乗って上海を出帆した。サトウがあこがれの日本に到着し、横浜に第一歩を刻したのは、同年九月八日であった。中秋の名月が祝われた日だった。

サトウは来日直後に起きた生麦事件の興奮のなかでも「冷静な気持ちで勉強をしていた」。横浜到着の翌日からアメリカ人宣教師ブラウンのもとで週二回の日本語の授業を受けていた。さらに高岡要から日本語を学んだ。半年が過ぎた一八六三年三月ころになると、サトウは高岡を独り占めして、日本語の文書を読み始めた。ブラウンからの指導も一人でやっていける自信がついて、サトウはやめてしまった。三か月後の六月二四日、サトウの日本語解読能力をためす機会が訪れた。幕府の小笠原図書頭は開港場を閉鎖して外国人を追放せよという過激な内容の命令を公使代理ニールに伝えてきた。その文書に含まれる用語を正しく理解する必要があった。オランダ語通訳官ユースデンは当然オランダ語文書から、通訳見習のサトウは日本語文書から英訳した。さらに三か月後の九月二二日、サトウはニールに昇進を申し出た。「私は一八六一年に領事館部門の仕事を始めて以来、北京とこの日本で日本語の書き言葉の学習に専念し、今や日本の役人から届けられる文書の大部分を読んで翻訳することが出来るようになりました。話し言葉もかなり進歩いたしました」。サトウの上申書を読み、ニールはイギリス外務省に進言した。やがて、却下の報告が届いた。

一八六四年四月一二日、公使オールコックはサトウの日本語解読能力を激賞している。「サトウ氏は一八六一年に派遣されてきた通訳見習の一人である。彼は難しい日本語の書き言葉に習熟した唯一の人物であり、今ではそれを解読して英訳することすらできるのである。（中略）彼は北京で中国語の書き言葉の予備学習をした有利な立場にあった唯一の通訳見習だったが、彼が破格の進歩を示したのも、この有効性のおかげであった」。北京で中国語を学んだおかげで、サトウは日本語の書き言葉に精通することが出来たのである。一八六五年四月、サトウは念願の通訳官に昇進した。

その後、イギリス公使パークスの有能な部下として、イギリスの対日外交に多大な貢献をした。一八六八年一月には、日本語書記官に昇任した。パークスが駐日公使として赴任した一八六五年からサトウが賜暇休暇のために母国に帰る一八六九年二月までの、サトウの縦横無尽の活動は本訳書に見るとおりである。一八七〇年に日本に帰任し、一八八三年まで滞在した。その後、シャム総領事（一八八四年）をかわきりに、同国公使（一八八五年）、ウルグアイ公使（一八八九年）、モロッコ公使（一八九三年）を歴任した。一八九五年には駐日公使として再度の日本勤務を果たし、一九〇〇年に駐清公使に転任した。一九〇六年に外交官生活にピリオドを打った。イギリスに戻った後も、いくつかの要職を担った。オタリー・セント・メリーで隠棲生活を送り、一九二九年八月二六日に他界した。八五歳二か月ほどの生涯であった。

日本学者としての業績も数多く、『会話篇』をはじめとする語学書、琉球文化論、神道論、古活字本、キリシタン版、地誌など、彼の関心は日本文化百般に及んだ。一八七二年に横浜で創立した日本アジア協会に多くの論考を投じ、アストン、チェンバレンとともに明治期のイギリス人三大日本学者と称された。

サトウの回顧録 *A Diplomat in Japan*（一九二一年）は幕末の日本の政情の一端を知ることができる史料として重要な価値をもっている。全三六章、本文総ページ数四一二ページ、彼の日記と記憶、さらに外交文書などを駆使して書き上げた著作である。

一　執筆時期と執筆素材の検討

幕末期

幕末期の執筆素材の主体となるのは、サトウ自身の日記、記憶、著作であり、なかでも重要性を持つ執筆素材は日記（イギリス国立公文書館 the National Archives 所蔵サトウ文書 Satow Papers. 請求記号 PRO 30/33 15/1～15/3）である。

彼の第一回滞日期間であり、回想録 *A Diplomat in Japan* の記述期間は一八六二年九月八日から一八六九年二月二四日までである。このほぼ六年九か月の間、サトウは連続して日記を書いていたわけではない。一八六二年はわずか八日間にすぎない。一八六三年でも一三日間である。一八六四年は四一日間である。一八六五年は四二日間である。一八六六年は七日間にすぎない。一八六七年は一七二日間である。一八六八年は一四七日間である。一八六九年は二八日間である。

一八六二年九月八日から一八六九年二月二四日までの間でサトウが日記を認めた日数の合計では四五八日間である。サトウの第一回滞日期間は二三六二日間であるから、日記を書いた日数の比率は一九・三九％となる。日本での滞在期間の二割弱しかサトウは日記を書いていないことになる。彼が日本語の学習をしていた一八六二年から一八六四年までの記事がとくに少ないのが残念である。

もっとも、このサトウの日記を補うものとして、彼の読書ノート（イギリス・ケンブリッジ大学図書館所蔵アストン・コレクション）がある。第一回滞日期間の日付を追って行くと、一八六七年は三月某日、六月八日、一二日、一三日、一七日、一九日、二一日、二六日、二七日、二九日、七月一日、三日、四日、二〇日、一〇月二一日、二四日〜二六日、二八日〜三一日、一一月一日、二日、八日、九日、一二日、一四日〜一六日、一八日、一九日、二一日、一二月四日、五日、九日〜一一日、一七日〜二三日、二六日、二八日、の四六日間である。この間の日記と読書ノートの重複期間は一〇日間である。滞在期間に対する日記（四五八日間）と読書ノート（重複を引いて三六日間）の期間を足して、比率を計算しても二〇・九一％にすぎない。一八六六年一一月二六日の横浜大火のおりに、「満州語や中国語に関する数冊のノート」などが焼失したことが惜しまれる。

サトウの *A Diplomat in Japan* の各章と自身の日記の記述の対応関係をみてゆこう。第一章から第四章までは時代背景を叙述したものであるから、記憶に頼ることになる。ただし、第三章「日本の政情」と第四章「条約、排外精神、外国人殺害」は歴史的事実を述べているので、サトウのこの方面の業績が十分に生かされている。第三章を書く際には、『日本外史』の英訳の仕事、『国史略』の読書ノートの経験が生き生きとした叙述を導いたのである。第三章第四章はサトウにとってのいわば現代史である。幕末の政情を描いた『元治夢物語』と『近世史略』の英訳がサトウの業績にあり、この仕事が執筆に生かされたのである。

サトウ日記との関連が生ずるのは、サトウが日本の土を踏んだ一八六二年九月八日の記述からはじまる第五章「リチャードソンの殺害、日本語の研究」からである。この章は一八六二年一一月二日にサトウが横浜で体験した地震の記事で終わっている。この二か月間のサトウ日記の記載は九月八日、九日、一二日、一七日、一〇月一日、一四日、一一月三日の八日間である。第六章「公用の江戸訪問」は一八六二年一二月二日から一八六三年一月三一日までの叙述である。この間の日記の記事は一二月二日のみである。第七章「賠償金の要求、日本人の鎖港提議、賠償金支払い」は一八六三年三月から同年六月二四日までが該当期間である。一一日間の記事が日記にある。第八章「鹿児島の砲撃」は薩英戦争の叙述である。日記の記事は九月一三日だけである。この章の叙述には『イギリス議会報告書』を参考にしている。第九章「下関、準備行動」は下関砲撃事件の開戦直前の記事である。三月二六日から八月六日までの間の一〇日間分の日記が該当する。第一〇章「下関、海軍の行動」は戦闘の様子を詳述している。八月下旬から九月七日までの期間である。日記では八月二九日〜九月三日、六日、七日が該当する。第一一章「下関、長州との講和締結」は講和交渉が描かれている。該当期間は九月四日から一〇月一〇日までである。日記は九月九日〜二四日、二七日〜三〇日、一〇月一日、四日、一〇日に書かれている。一八六五年七月一日の The Japan Commercial News 紙に「下関遠征の日本側の報告」を投稿している。第九章から第一一章までの記述には『イギリス議会報告書』を利用している。

第一二章「バードとボールドウィンの殺害」は鎌倉事件をめぐる叙述である。一八六四年一〇月二二日から一二月二八日までの記事である。この期間にはサトウは日記を書いていない。ただし、一二月二四日に「ボールドウィン少佐とバード中尉の殺害に容疑をかけられた二人の日本人の処刑」というタイトルで、事件の経過を中国・上海の North China Herald 紙に書いている。第一三章「ミカド（天皇）の条約批准」は、時間は飛んで、一八六五年九月から一一月二七日までの動きが語られた。この年の日記も一〇月二日から一一月三〇日までの断続四二日間がすべての記事である。第一四章「横浜の大火」は「英国策論」も話題になった。一八六五年一一月二八日から一八六六年一二月一〇日までと比較的長期間に及んでいる。ところが、日記は一八六五年一一月二八日〜三〇日と横浜大火の当日の一八六六年一一月二六日の記事だけである。第一五章「鹿児島と宇和島への訪問」は、一八六六年一二月一〇日ころから一八六七年一月一二日ころが記述の範囲である。日記は一二月二三日〜二五日、二七日、三〇日、三一日、翌年一月一日から九日、一一日、一二日の記事が該当する。第一六章「最初の大坂訪問」はサトウの大坂訪問記である。一八六七年一月一五日から二月一九日までである。このときの日記の該当箇所は一月一五日、二月七日、二月九日〜二一日である。第一七章は「大君の外国公使引見」が章題である。二月下旬から五月中旬までの記事である。日記は二月九日〜二一日、二五日、三月二一日、二三日〜二九日、三一日、四月二日が該当する。第一八章「大坂から江戸までの陸路の旅」は、五月一八日から六月二日までの旅である。途次の掛川でサトウは暴行事件に巻き込まれる。日記は五月一八日〜三〇日、六月一日、二日の記事がある。

第一九章は新潟、佐渡、七尾の訪問記である。六月三日から八月九日までの叙述である。日記は七月二三日、七月二六日〜八月九日までがこれに対応する。第二〇章は七尾から大坂までの旅程である。八月一〇日から二二日までの期間である。日記はこれに完全一致する。第二一章は大坂と徳島に滞在する。八月二三日から九月二日までの記事である。日記は八月二四日〜二七日、三〇日〜九月二日が該当する。第二二章は土佐と長崎に滞在するが、イカルス号事件の対応に追われる日々であった。九月三日から一六日までの筆致である。日記は九月三日〜九日、一一日〜一六日でほぼ対応している。第二三章は「将軍政治の没落」と題している。一一月六日から一二月三一日までの内容である。日記はこの日付に対応している。第二四章「内乱の勃発」は戊辰戦争の勃発から筆がはじまった。一八六八年一月一日から二四日までの叙述である。日記は一月一日〜一二日、一四日、一五日〜二四日に記事がある。第二五章「伏見の戦争」は鳥羽伏見の戦況を伝えている。一月二七日から二月三日までの短い期間である。日記は完全一致している。第二六章「備前事件」はまさに当該事件への対応が中心である。二月四日から一一日までの動きである。日記はここでも完全に一致する。第二七章は京都訪問記である。二月二六日から二九日までの記事である。日記は二月二九日のみである。

第二八章「腹切」では京都滞在が続いている。三月一日から八日までの様子を伝える。日記は三月一日、二日、五日〜八日が対応する。第二九章は堺事件を扱っている。三月九日から一八日までの内容である。日記は三月九日〜一三日、一五日、一六日、一八日に記事がある。第三〇章はミカド（天皇）との謁見の様子を語る。三月一九日から二七日までの内容である。日記は三月一八日〜二三日の記載だけである。第三一章は江戸での出来事である。三月三一日から四月二八日までの動向である。ところが、この期間の日記は空白を続けている。第三二章は水戸の政争などの雑多な出来事が述べられている。五月三日から一〇月一七日までの記事である。日記は五月一五日〜一八日、七月一一日、七月二九日〜三一日、と断片的な記事が続き、一〇月一七日にいたる。第三三章は会津の戦いが中心記事である。一一月六日から一二月九日までの流れである。日記は一一月六日〜一〇日、一六日、一九日、二一日〜三〇日、一二月三日〜五日、九日が対応する。第三四章は箱館の戦況である。一二月一一日までの動きである。日記は一二月一一日、一三日〜一六日、一八日、二一日、二二日に記事がある。第三五章は江戸でのミカド（天皇）の謁見を描いている。一八六九年一月二日から二七日までの叙述である。日記は一月二日、五日、七日〜一三日、一五日、一九日〜二一日、二三日〜二八日が対応する。第三六章「東京における最後の滞在、故国へ出発」はサトウの帰国までの日々を追っている。一月二八日から二月二四日までの動きである。日記は一月二八日、三〇日、二月八日、九日、一一日、一三日〜一六日、二四日に記事がある。

一八八五〜一八八七年

サトウの回想録の序文を読むと「本書の前半部分は、イギリス公使の職位を得て、シャム（タイ）のバンコクに駐在していた一八八四年から一八八七年までの任期に、公務の合間を縫って書いたものである」と明言されている。『イギリス外務省年鑑』(*Foreign Office List*) の記述を信頼するとすれば、一八八四年二月一四日（実際は三月六日）にシャムに着任し、一八八七年五月五日にその職を辞して帰国の途についた。この間にサトウは賜暇を得て、一八八四年一〇月三日から一一月二二日まで日本に滞在しており、一二月二一日にバンコクに戻ってきた。また、一八八六年六月下旬から八月末ころまで、もう一度日本に滞在していた。

この間のサトウの消息を辿ってみよう。一八八四年三月二〇日にF・V・ディキンズに宛てた手紙には「日本のことを考えると、きまってつよい悔恨の念におそわれます。イギリスから遠く離れていたものの、私はあの国でじつに幸福でした」と思いを吐露する。その翌日のアストンへの手紙でも「何かにつけて日本をなつかしく思い出さずにいられません」と書く始末である。サトウはその翌年から日本での回顧談を書き始める。一八八六年六月に姉に書いた手紙の一節には「もう一度日本に行くと考えただけで私は活気を取り戻し、二五年前にはじめて脳裏に焼きつけた、青い海に洗われる断崖の懐かしい光景がよみがえる」とある。日本への思いはサトウがシャムを去る日までつづいたようだ。

回想記を読み続けていくと、サトウがどのような推移で執筆していたかが垣間見えてくる。第一章には、当時の通訳見習について「一八八五年現在でも外交業務に就いているのは三人だけである」という記事がある。どうやら、実年代が記されている一八八五年の秋ころから回想録の執筆にサトウは着手したらしい。第三章には、「私がこの原稿を書いている時代」とか「今から二〇年ほど前には」という叙述がある。実年代の明記がない不安定な筆致なので、この「今から」とは一八八五年末か翌一八八六年初めのことか。第五章には、「ヘボン博士は現在（一八八六年）も日本に在住している」とある。この章は一八八六年に書いたということである。第六章にも、「それらは総理大臣伊藤伯（一八八六年）と井上馨伯で、三人目は誰であったか思い出せない」という一文がある。第五章と第六章は一八八六年中に執筆していたのである。このつぎにこの種の文例が出てくるのはかなり飛んで、第一五章にある「一八八五年初めころ、私は野口が死んだことを聞いて、非常に残念に思った」という記事である。一八八六年以降の回想と思われる。ところが、野口は一八八三年に他界しており、サトウは一八八四年一〇月四日に野口の未亡人に会ったという記録があることから、サトウの記憶も怪しい。第一七章には「熱海には、当時旅館がわずか二軒しかなかった。今では（一八八七年）、少なくとも一二軒あり」という記載がある。さらに第一八章に進むと、「桑名から宮（訳注：名古屋）までは、尾張湾頭を船に乗って横断した。今（一八八七年）なら汽船で通る」という一文が目に入る。ところが、第一九章には解釈に苦しむ一節がある。「現在（一八八五年）の日本の教育制度は」とあるが、どう考えるべきであろうか。一八八五年にここまで執筆したのか。あるいは単純ミスで、一八八七年の誤記か。ともあれ、第一五章から第一九章は一八八七年に書かれたものである。しかし、一八六七年九月のイカルス号の殺害事件のところで、筆を中断している。この事件は第二二章あたりから言及されているから、一八八七年の時点では少なくとも第二一章までは書き上げていたようである。サトウは一八八七年五月五日にバンコクを出発して、母国イギリスに帰国した。

一九一九年九月一九日〜一九二一年

一九〇六年、サトウは外交官活動にピリオドを打つ。一九二一年に回想録 *A Diplomat in Japan* を出版するまでの間に、彼は注目すべき著作を二つ書いている。

第一は *The Cambridge Modern History*（『ケンブリッジ近代史』）の第一一巻（一九〇九年）である。この巻の第二八章に中英関係史（一八一五〜一八七一年）と日英関係史（一八五三〜一八七一年）を執筆している。『ケンブリッジ近代史』全一三巻（一九〇七〜一九二五年）は一九世紀の歴史学研究の金字塔である。ヨーロッパ中心主義に立つ歴史観は批判の対象になり、第一一巻と第一二巻にかろうじてアジアの歴史が語られている。サトウは一九〇七年ころから執筆の依頼を受けている。サトウ自身が英訳した『元治夢物語』と『近世史略』をはじめ、勝海舟『開国起源』、島田三郎『開国始末』などの著作を利用している。中国関係には「時代区分」、「中国の対外姿勢」、「関係確立の困難」、「ネーピア使節」、「エリオットの困難」、「アヘン貿易問題」、「アロー号事件」、「天津条約」、「北京の公使館設置」など二〇の見出しが掲げられている。日本関係には「ペリー来航」、「ロシア使節」、「日米和親条約」、「ハリスの交渉」、「通商条約」、「将軍継嗣問題」、「条約施行」、「井伊直弼暗殺」、「対馬のロシア人」、「生麦事件」、「薩英戦争」、「下関砲撃事件」、「長州征伐」、「大君とミカドの権力」、「兵庫開港」、「大政奉還」、「内戦の推移」、「新政府の組織」、「外国人とキリスト教の方針転換」、「封建制度の廃止」など五三の見出しがある。サトウは一八四〇年代から一八七一年までの東アジア史を執筆しているが、これを踏まえてサトウの『回想記』を読むと、歴史の重層性が理解できる。『ケンブリジ近代史』については後掲の小島和枝の解説を参照。

第二はサトウの代表作と評価されている *A Guide to Diplomatic Practice*（一九一七年）である。外交官の指針として今日でも参照される著作であり、外交理論家としてのサトウの真骨頂、面目躍如たるものがある。この外交理論書と対になる、サトウ自身の実際の具体的な外交活動を記録したものが、*A Diplomat in Japan*（一九二一年）である。

第三期の一九一九年九月一九日からサトウは回想記の執筆を再開する。そのきっかけは回想録の「序文」でつぎのように語られる。「一八八七年にシャム（タイ）を出立したころから、私はこの未完成の原稿を放っておいて、一九一九年九月まで読み直すこともなかった。ところが、以前原稿を見せたことがある親戚の若い人たちから、あれは最後まで書き上げるべきですね、とやんわり言われた」。この年の六月二三日に、サトウは終日一八七一年から一八七四年まで父親が日本のサトウのもとに送ってくれた手紙を読んでいた。このことを手掛かりにして、親戚の若者に回想録の原稿の話をしたのかもしれない。こうしてサトウは再起して回想記の執筆を続けることにした。その過程はサトウの晩年の日記にときどき登場する。一九一九年九月一九日の日記をひも解くと、こう書いてある。「日本での私の体験談の執筆を再開する。今から三〇年以上前に書き始めた。一八六七年九月のイカルス号の二人の水夫の殺害事件の取り調べの途中の叙述で中断したものである」。

いよいよ、サトウはこの日から第二二章の筆を執った。回想記の執筆は順調な経過をたどっているが、第二六章に「一九一九年の今日から見ると」という断片的な記事があり、この年少なくとも第二六章までは確実にサトウの筆は進んだのである。さらにサトウの日記を読んでいくと、一二月二〇日と翌日の条に興味深い記事が見つかる。「日本での若いころの体験談を書いている。一六日に亡くなったヘンリー・スティーブンスンとラットラー号で難破したことを強烈に思い出した」（一二月二〇日）。「ラットラー号難破事件に関する私の日記を読んだ」（一二月二一日）。この事件は回想記の第三二章のおわりに書かれている。「私たちの乗ったラットラー号は宗谷湾で難破した。しかし、これは日本の政情の推移とは関係ないことだから、この時のことで紙面をふさぐ必要もなかろう」とかんたんに記してある。このときにサトウが第三二章まで筆致が及んでいるのなら、回想記の執筆は大詰めにさしかかっている。

一二月二七日にサトウは出版先をシーリィ・サーヴィス社に決めた。この会社は一九一一年一一月の時点でサトウに日本での体験を書いてくれないかと依頼していたのである。この年の一一月のサトウの同僚で日本学者のW・G・アストンの葬儀で知り合った可能性もある。元来、この出版社は一八九六年までケンブリッジ大学で歴史学の教授を務めていたシーリィ（J. R. Seeley）が創業したものだが、一九〇七年にサトウが『ケンブリッジ近代史』第一一巻第二八章に書いた幕末史に目を留めたらしい。シーリィの後任者は同書のシリーズの編者であるアクトンだった。この時点でのサトウの書名は『日本での回想』だった。年が明けた一九二〇年一月二五日には「一八八五年にバンコクで書いた『日本での回想』の三つの章を読み直した」とあり、二九日にも同様な記述がある。三一日には「チャールズ・ワーグマンと陸路で大坂から江戸へ行った私の旅行報告書を読んだ」とあり、回想録の第一八章のサトウが遭難した掛川事件の裏付け史料をチェックしている。その作業には、サトウが「北京からの帰途東京に立ち寄った一九〇六年に」(第二一章) 松方正義からもらった西郷隆盛の手紙も含まれていたのであろうか。二月一一日にサトウは念願の回想録を書き上げた。二月一七日には「一八六二年から一八六九年の日本での体験談の出版を諮問するクルーゾン卿への手紙を書いた」とある。サトウの原稿がイギリス外務省の規定や秘密事項に抵触していないかの確認をする必要があったのだ。二二日には「序文」の記事をクルーゾン卿に送った。二九日、無事、審査を通り、すぐにこれを出版社に伝えた。

そこで、サトウは三月六日に原稿を出版社に送った。三月三一日には出版社から返事が来て、一八七〇年以降のサトウの外交活動の追加執筆を提案した。しかし、翌日の四月一日に投函した手紙で、サトウはこれを断ってしまった。後世の研究者としてはとても残念である。四月二〇日、出版社はサトウの本の初刷千部、印税一五％を提示した。書名の変更にも応じ、この時点で *A Diplomat in Japan* の書題が確定した。五月五日にサトウはロンドンの出版社を訪ね、翌日の六日に紆余曲折を経た契約交渉が終了し、サトウは契約書にサインした。出版社では編集作業が着手され、六月一八日には大量の校正ゲラがサトウのもとに届いた。「(シーリィ・) サーヴィス社は一八六六年の横浜大火の記事が含まれる沢山の原稿を戻してきた」とある。横浜大火の章は第一四章である。一〇月一日に最終校正がサトウのもとに来て、翌日、修正を済ませた校正を出版社に送った。このときページが確定し、本文四一二ページとなった。これに日本語用語集と索引が加えられた。かくして、その三か月後の一九二一年一月にサトウは「序文」を書き上げ、二月九日、無料献呈本一二冊を手に入れた。いよいよ、*A Diplomat in Japan* は上梓の日を迎えたのである。三月一二日、サトウのもとに原稿料三〇四ポンドが送られてきた。

管見では、英語版の複製本は、Oxford University Press（1968）, Tuttle（1983）, Ganesha Publishing（1998）, ICG Muse（2000）, Stone Bridge Classic（2007）, Cambridge University Press（2015）がある。

サトウの回想録にはどのくらい信憑性があるだろうか。つまり、一九二一年の回想録が一八六〇年代の自分自身の体験を正確に物語っているか、さらに一九三八年、一九四三年、一九六〇年に刊行された日本語訳本が事実を正確に伝えているかという問題である。後者の問題は後半に再言するとして、いま問題とするのは前者の課題である。サトウの（1）記憶違い、（2）勘違い、（3）事実未確認による類推、がかなり存在している。（1）の記憶違いの事例としては、第一八章で大津の「良善寺」を訪ねたとあるが、山号を寺名と記憶違いしている。正しくは霊仙正福寺である。（2）の勘違いの事例としては、これも第一八章にでてくる事実だが、浜名湖を湾だとみなしている事例である。（3）の事例としては、第二三章にある事例で、サトウは江戸の新橋で日本人と夕食をしている。この料亭の名前をサトウ日記ではSankiutei、回顧録ではSanku-teiと書いている。また、サトウは原書の第一章冒頭で「日本への思いがめばえた」のを一八歳としているが、試験直前に一八歳になったのであり、一六歳か一七歳の誤りである。『エルギン卿の使節録』の刊行は一八五九年の一二月末であり、一八六〇年以降に彼が同書を読んだとすると、一八六一年六月三〇日の誕生日まで一年半の歳月がある。

要するに、サトウの回想録には慎重な史料批判が必要なのである。なお、日本語の訳本には影響していないと思われるが、サトウの回想録には数か所誤植とかすれがある。

二　反　響

A Diplomat in Japan が刊行されると、ロンドンの The Times Literary Supplement 紙は一九二一年三月一〇日号に「一八六〇年代のサトウの貴重な歴史的体験の記述にとどまらず、一九二〇年代までにおいて解明され、積み重ねられてきた極東事情の研究成果に立脚した視点から構成されてもよかったのではないか」という辛口のコメ

ントを出している。

サトウは旧友の日本学者B・H・チェンバレンに自著を贈った。その感想をチェンバレンは同年八月二六日に日本人秘書の杉浦藤四郎へ書いている。「現在、私の手元にサー・アーネスト・サトウの『日本における一外交官』という回想録があります。この本の文章はよろしくない。彼は教養のある人物には違いないのですが、文才がないのです。この本を彼自身の一八六二年から一八六九年までの個人的経験の記録として、興味をもちました。その一二年後（一八七三年）になって私は来日したのですが、そのころは旧物が徹底的に一掃されはじめたころで、私が見聞したものでさえ現在の状態とは全く違うので、千年も歳をとったような気がしました」（愛知教育大学附属図書館B. H. Chamberlain・杉浦文庫所蔵）。

チェンバレンから同年九月二二日付の手紙がサトウに届いたが、そこにはミスプリントの指摘とコメントがあった。「私が大いに驚いたことがあります。それは、あなたとサー・ハリー（パークス）が親友ではなかった、ということです」と。

同年九月二五日付のサトウの返事がチェンバレンに届いた。「私とサー・ハリーとの関係は確かに楽しいものではありませんでした。アダムズとミットフォードも彼とはうまくやれませんでした。おもに社会階級の違いからくるものです。彼らといつも一緒でしたので、彼とは疎遠になっていました。私もその通りだと考えた日本人の請願に対して、彼の荒々しい言葉を通訳しなければならなかったのは、本当に辛いことでした」（著者所蔵）。

サトウとパークスの関係を『回想録』は次のように書いている。「彼は外交業務には厳格で容赦なかったが、個人的な関係では、助けを求めるすべての人にはやさしかったし、彼の好意を得た人には誠実な友となった。不幸にも、私はそのような一人ではなかった。結果としてパークスとはそもそもの出会いから友人ではなかった。最後の最後までそうであった。ただし、私が任された仕事のことで怠けているとか機転が利かない、という理由で不満を言われることは絶対なかった」（本書第一三章）。この記事がチェンバレンを驚かせたのである。

サトウは日本語学習と中国語の関係を弁明する。「一八ページの第二文節の文章の論評に感謝いたします。全く悪い表現でした。私の言いたかったのは、中国語の話し言葉と役人の書き言葉は、日本語の学習に役に立たないということでして、漢字の知識を軽んじていたら、ひらがなの文学をのぞいて、いかなる日本語の書き言葉の学習に進歩はないのです。もし再版の機会がありましたら、この一節はもっと分かりやすいものにいたします」（著者所蔵）。

チェンバレンが問題にしたのは、次の一節だった。「日本の老中の直筆の文書が届いた。ところが、それを判読できて、意味まで理解できる中国人は誰もいなかったのである。この出来事は、中国語を勉強することが日本語を学習するための早道になるかどうかの問題に決着をあたえるものだった。当時も今も首をかしげているのは、漢字をたくさん覚えることが日本語を学習する者に有益なのかどうかである」（本書第一章）。

サトウは幕末から明治初期にかけて「読書ノート」を書き留めている。『国史略』、『孟子』、『好逑伝』、『江戸繋昌記』、『日本外史』という漢文の書物を精読して、漢字や日本に関する知識を増やしている。一八六四年一二月一九日に、サトウは日本語学習のために中国人教師の雇用を求め、これを許されている。「日本語学習者に必要なことは、日本語の話し言葉を知るだけでなく、書き言葉の中国語のかなりの知識をもつことである。日本人教師はこれを遠回しに学ぶより、中国人から直接これを知ることのほうが、かなりの時間の節約になる。日本人教師はこのことを全く知らない。なぜならば、彼らは日本語を外国語として学んだことがないからである」（イギリス外務省文書）と。幕末や明治初期には、サトウも中国語の知識が日本語の学習に十分役に立つものであることを認識しているはずなのに、晩年にはこれと一八〇度違う、全く異なる見解を示している。『回想記』の叙述を鵜呑みにしてはいけない実例である。しかし、サトウの本が再版される機会は訪れなかった。

三　日本語版の諸問題

A Diplomat in Japan が発売されると、日本でもサトウの回想録の紹介や抄訳がなされた。その一番手は磯辺弥

一郎「サトウ氏の見た西郷南洲」（『日本及日本人』第八三六号、一九二一年）である。サトウの本の第一三章に西郷隆盛との出会いが語られている。これを翻訳紹介したものであろう。ついで一九二六年の『アーネスト・サトウ氏と「日本耶蘇会刊行書志」特輯号』（反響社）のなかで、吉野作造の翻訳による「通訳生となって江戸に来る」が入っていた。第一章の紹介である。さらに一九三三年にはB・M・アレン（Allen）によってサトウの評伝 *Sir Ernest Satow* が出版されると、加藤玄智、蛯原八郎、小田律が競うかのように同書の抄訳を出している。同書の完訳には、庄田元男訳『アーネスト・サトウ伝』（平凡社東洋文庫、一九九九年）がある。こうした経緯をへて、本格的な翻訳本が刊行される。（ア）維新史料編纂事務局訳『維新日本外交秘録』（一九三八年）、（イ）塩尻清市訳『幕末維新回想記』（一九四三年）、（ウ）坂田精一訳『一外交官の見た明治維新』（一九六〇年）がこれである。

（ア）　維新史料編纂事務局訳『維新日本外交秘録』（一九三八年）

本書は非売品として一部の研究者に配布されたものであり、巷間にはあまり知られていなかったらしい。本文は五九九ページである。堅実な翻訳であり、史実に対する注記は大いに評価されうるものである。後の日本語訳本にあたえた影響は甚大なるものがある。副題を「開国王政復古に於ける躍進日本非常時の内面史当時の時局に鞅掌《おうしょう》せる一外交官の記録及び体験談」と翻訳している。「躍進日本」、「非常時」、「時局」という、あからさまに昭和一〇年代後半の日本の国情を反映したものであった。一八六〇年代の史実を無視するかのような表記になっている。一九三〇年代の現代の視点から見ており、歴史的視点が欠如している。

さらに凡例を読んでみると、やや違和感がある。（1）「本書は元より正史と見做すべきものではないが、（中略）極めて軽き意味の参考ともならうかと、翻訳したものである」、（2）「外国人の見聞であるから無論史実及び観察に誤はあるが、原著を其儘紹介する意味で、いちいち之を訂正せずに措いた。但し流言蜚語《ひご》又は誤聞に属し公表を憚る箇所は、全部削除した」、（3）「大阪《おーざか》は、豊臣時代から此の発音で、濁音を使はぬやうになつたのは近来の事であり、従つて当時としてはこれで正しいのである」、（4）「大君《たいくーん》 Tycoon は将軍の呼称である。漢字だけで見れば不遜な用語であるが、当時外交関係には慣用されたものであるから、訂正せずにおく」。

凡例の（1）には外国人の見聞記に対する低い評価を当然視する前提の表現である。そのため（2）では「無論史実及び観察」には誤りがあると断言している。ここでは当時の日本人の、もっと言えば本書の翻訳者の判断を正しいものとみなしている。自分たちの誤りや誤解は考慮されていない。「流言蜚語」あるいは「誤聞」と勝手に決めつけるのである。そして「原著を其儘紹介する」と言いながら、都合の悪い部分は「全部削除」してしまうのである。（3）では「大阪」の発音を問題提起しているが、幕末を含めた明治二年までの当該地名は「大阪」ではなく「大坂」であったという表記上の重要な問題は無視しており、研究不足を露呈している。（4）では将軍のことを「大君」と呼んでいた当時の言い方を「不遜」だときめつけているが、サトウが天皇のことを「ミカド」と言っていたことには注記をしていないのである。それこそ「公表を憚り」出来なかったのであろうか。

この本の最大の特色は伏字が多く存在することである。「流言蜚語」あるいは「誤聞」と裁断されたものが一六例ある。いかなる事情・判断で伏字になったのかはよく分からない。この伏字は二段階にわたって実施された。第一段階では政府当局の指示で印刷の段階で伏字が施されている。「……」という形の伏字である。第二段階は印刷が終了した後に黒インクで伏字になっている。これは誰の判断であろうか。政府当局か出版社の自己規制か。

（1）「日本の君主政治の発展をたどると、他国から侵入者がやって来て、純然たる神権政治を行ったのが、そもそもの君主政治の始まりである」（第三章）。（2）「外国に侵入される危険がなかったために、強力な中央集権の必要は感じられなかった。将軍の支配下の日本は、土地は多数の群小統治者に分配され、それらの者の名分上の君主はほとんど傀儡も同然であった」（第三章）。（3）「足利時代の末期には、将軍はミカドと同様に空名のものとなり」（第三章）。（4）第一二章の「バードとボールドウィンの殺害」は全文削除。（5）「日本自身としても、パークスのおかげを被っており、日本はこれに報いることができず、また充分にパークスの努力を認めてさえもいない」（第一三章）。（6）「間宮一という男が、（中略）暗殺者の一人であることは間違いないと思っていた。」（第一三章）。（7）「ミカドも遂に屈して、「よろしい、朝廷の高位者に諮ろう」と言われたという」（第一三章）。（8）「ミカドの布告の権威を否認して、そんなものは封印して置いたがよい、とまで言った」（第一三章）。（9）「フランスの政策なるものは、日本には承認された元首が必要であり、（中略）将軍をできるだけ強くした方がよいという見解に基づいている」（第一五章）。（10）「隠居は、自分の考えでは、日本をミカドを元首とする連邦国にした方がよいと思うし、これは薩摩も長州も同意している」（第一五章）。（11）「噂によれば、ミカドは天然痘にかかって死んだということだが、数年後に、その間の消息に通じている一日本人が私に確信したところによると、毒殺されたのだという」（第一六章）。（12）「この新帝（明治天皇）は、外国と日本の政治に関する学問をしかるべき教育によって正しく修めるならば、賢帝となる素質を有すると思われた」（第一六章）。（13）「動脈から血がどっと流れ出して、すぐに血のかたまりをつくった」（第二八章）。堺事件犯人の処刑現場。（14）「頭蓋骨の左側のすごい三角形の切れ目から、脳味噌がはみ出していた」（第三〇章）。（15）「（明治天皇は）多少化粧をしておられたのだろうが、色が白かった」（第三二章）。（16）「陛下は自分が述べる言葉が思い出せず、左手の人から一言聞いて、どうやら最初の一節を発音することができた」（第三二章）。

これら一六か所の削除・伏字の特色は（a）天皇家や天皇自身に関するもの、（b）幕末の政治状況に関するもの、（c）残忍な描写に関するもの、の三点である。（a）に該当するものは、（1）、（2）、（3）、（7）、（8）、（11）、（12）、（15）、（16）の九点があげられる。天皇家は朝鮮半島からやって来たとか、天皇の勢力が衰退した時期の叙述は真実であるとしても語ることができなかった時代である。（b）に当たるものは、（5）、（6）、（9）、（10）の四点がある。イギリスやフランスの外交官の活躍はあまり言及したくはない点である。連邦国家の構想も昭和一〇年代では受け入れがたい。（c）の叙述には（4）、（13）、（14）の三点がある。鎌倉事件や堺事件の処刑シーンは今見ても確かに目をおおうものである。

（イ）塩尻清市訳『幕末維新回想記』（一九四三年）

『幕末維新回想記』は一九四三（昭和一八）年八月に日本評論社から刊行された。定価二円三五銭で、初刷三千部である。出版印刷事情が困難の時代にしては健闘した発行である。第二刷が出たかどうかは分からない。この本によって一般読者がサトウの体験談を読むことができたのである。普及性としては前述の『維新日本外交秘録』よりもはるかに高かった。訳者の塩尻清市（一八九九〜一九八九）は英文学者であり、京都女子大学で教鞭を執っていた。英和辞典の編纂や翻訳も行った。R・L・スティヴンスン『ジキル博士とハイド氏』（馬場書店、一九四九年）の翻訳、芥川龍之介『河童』の英訳（秋田書店、一九四七年）も出している。

塩尻は『幕末維新回想記』の翻訳の方針をつぎのように語っている。「雑多な材料を手際よく整理して読み易く記述してある。けれどもその中には、我々には殆ど興味の無いやうな事柄や分り切つたことが、単なる記録として、または英吉利の読者に対する説明として、沢山取入れてある。それで、訳者は都合に依りさういふ箇所を省略または簡潔に訳述して、茲に全訳の半分程の分量の翻訳を得た」と。サトウの原文では全三六章の章立てであるが、塩尻はこれを二四の章にまとめたのである。

要するに（a）興味のないことがら、（b）分かり切ったこと、（c）単なる記録、と思われる叙述を省略あるいは簡潔に訳出したのである。これは一九四三年における訳者の主観的判断ということである。しかし、現在の視点では、とても興味があり、忘れ去られたものであり、貴重なデータとなるのである。問題はどこを省略あるいは簡潔化したかである。

『幕末維新回想記』の全二四章の章立てである。サトウの原著の章数三六に較べると、三分の二の章数である。第三章　日本の政情［原著第三章］と第一九章備前事件［原著第二六、二七章］のうち（原著第二七章）と第二〇章「ハラキリ」・公使上洛・ミカド謁を賜ふ［原著第二八、二九、三〇章］のうち（原著第二九章）が全文省略である。

あくまでも目安の数字となるが、総文節数一三三〇、総省略文節数六六七、総省略比率五〇・一五％となる。全体の半分が省略されていたとの結果が出た。本文は二九〇ページに収めている。前述の全訳の『維新日本外交秘録』のページ数五九九に較べると、ほぼ半分のページ数となる。総省略比率五〇・一五％と符合する。萩原によれば、この塩尻の訳業は「ほとんど翻訳とはいいがたく、無難と思われるところを訳者が要約したもの」にすぎないと酷評している。確かに、原文に忠実な翻訳ではなく、要点を簡潔にまとめた自由訳である。重厚さはないが、文意は読み取れる。訳文は読みやすい。

この訳本は第二次世界大戦中の日本とイギリスが戦火を交えていた時期に刊行されていたので、塩尻の解説も昔日の感があり、理性を欠いた言いがかりにすぎず、笑い話の種となる。「彼はその外交官生活の大部分を日英親善のために捧げ、我国でも多くの人から親日外人として敬愛された。けれどもそれは英国が未だ日本を怖れず、対日親善をその利益と考えていた時代のことで、今日若し彼が生きていたならば、果たして最後まで親日家であり得たであろうか。我々は此の「回想記」を読んで、来朝当時の彼が英吉利人たる対面を重んじた殆ど傲慢に近い態度に憤慨する。（中略）晩年の彼は結局西洋の趣味、西洋の文学、西洋の信仰に帰って、はじめて心の安息を得たといふ。要するに彼は英吉利人であった。如何に日本語日本文学を研究しても、如何に親しく日本人と交っても、それで日本人の立場、日本人の心にまでなれる筈がなかったのである。（中略）筆者は若し彼と戦陣の間に相見ゆるとすれば、互に穂先を洗って槍を交へたいと思ふ」。

（ウ）坂田精一訳『一外交官の見た明治維新』（一九六〇年）

一九六〇年、サトウの回想録が坂田精一（一九〇三〜一九八八）によって全訳された。『一外交官の見た明治維新』の出版である。訳者坂田は一九二九年に東京帝国大学を卒業した。この同じ年にサトウが亡くなったことを彼は知っていただろうか。その後の彼の経歴をみると、戦前は東京府で「日本災害史」の研究を行い、陸軍で「ドイツ精神史」の調査をしている。戦後は外務省で「日本外交史」の調査に従事し、国立国会図書館人文資料考査課長、同館主査を務めている。一九六〇年以降からは拓殖大学教授になっている。短期大学教授（日本史担当）、商学部兼任講師（日本近代史担当）、政経学部教授を歴任した。坂田の主要著作としては訳書『ハリス日本滞在記』（岩波文庫、一九五三年）、訳書『一外交官の見た明治維新』（岩波文庫、一九六〇年）、著書『ハリス』（吉川弘文館、一九六一年）、校訂書・田辺太一『幕末外交談』（平凡社、一九六六年）がある。一九六〇年には「安政の日米条約は果たして不平等条約か」（『日本歴史』第一四八号）という論文を書いて、当時の幕末外交史の権威の石井孝との論争に挑んだ。

『一外交官の見た明治維新』という訳書のタイトルは、とても魅力的である。原題の「日本における一外交官」では、平凡すぎて、日本の読者の関心は得られなかったであろう。戦前の『維新日本外交秘録』とか『幕末維新回想記』はいまひとつパンチが足りない。「筆者」のサトウと「時代」の一八六〇年代を簡潔に表現していて、さらに躍動感がある。その後、「幕末」やら「明治」やら「維新」やらが書名として多用されるが、この訳本はその命名の先駆となった。

完訳本として刊行された意義も大きい。一九三八年刊行の『維新日本外交秘録』では第一二章「バード及びボールドウィン殺害」は全文削除になっている。さらに検閲により、一五か所が伏字となった。一九四三年刊行の『幕末維新回想記』では、第三章「日本の政情」は全文省略である。訳出された文章は原書の半分にも及んでいる。これらの削除や省略の記述が完全復元された意義は、いまさら言うまでもないが、きわめて大きい。訳文も戦前のものに比べてかなり読みやすい。うまい表現、たくみな訳文も相当ある。ただし、刊行から七〇年近く経った現在からみると、やや古風な表現が散見され、国語辞典を引いてみなければ分からない言葉もある。

坂田の翻訳本の最大の問題点は若干の「訳し忘れ」といくつかの「誤訳」があることである。まず、「訳し忘れ」を指摘しておく。断っておくと、訳者が意識的に訳さなかった箇所は対象とはしていない。たとえば、第一〇章一二八頁の「別図にある」という一節は訳本では地図を省略しているから、これはケアレスミスではない。本来の意味での「訳し忘れ」の事例をあげてゆく。〈　〉の中が該当の部分で、評者の拙訳である。さしあたり、上巻（第一章〜第一八章）だけの、気づいた箇所だけに留める。

（1）御老中という言葉は、「高貴な長老たち」という意味である。〈その実態は「真価以下」のようである〉。外国の使臣が、老中のことを話すのに敬語を使うのはいささか不見識であるが（第六章）、（2）一、二隻の船を除けて、ボートがようやく通るだけの道を開いてくれた。〈船の上で番小屋の役人に勝ったので、われわれは川を遡っていった〉。われわれは、人口四〇万の都会の小役人根性をへし折った（第一〇章）、（3）阿部と伊豆守が老中の役職を免ぜられたことを、われわれは知った。〈彼らは要求の受取に好意的と信じられていたから、彼の失脚は交渉自体が失敗する恐れがあるように見えた〉。そこで外国代表は（第一〇章）、（4）すぐ近くの街の半分が、ものすごい閃光を発して、パッと燃え上がった。〈大量の黒い煙が立ち上がり、空をおおいつくした〉。油商人の店に火がついたのだ（第一四章）、（5）われわれがすぐに大坂に行けるように手配した。〈われわれは陸路で向かうことにした〉。兵庫港には（第一六章）。

　こういう「訳し忘れ」は戦前の伏字に匹敵するものであり、罪が重い。日本語の訳書だけを何気なく読んでいたら、全く気づかない文章である。原書の原文と照らし合わせた読者だけが分かるものである。それぞれ問題ではあるが、とくに、（3）は長文であるだけでなく、文脈上でも重要な記述になっている。

　つぎに「誤訳」の問題である。これもさしあたり上巻（第一章～第一八章）だけの指摘に留めておくことにする。（1）第一章一三頁、Mudie's Library（誤）ミューディー図書館→（正）貸本屋のミューディー、（2）第二章三〇頁、Japanese Secretary（誤）日本係書記官→（正）日本語書記官、（3）第二章三一頁、（誤）オランダ語を通訳見習に教える→（正）日本語を通訳見習に教える、（4）第二章三一頁、Augean（これをサトウはAegeanと誤記）（誤）オージーアス王の厩→（正）オージーアス王の牛舎、（5）第二章三三頁、the Military Train（誤）軍事訓練所→（正）陸軍輜重《しちょうたい》隊、（6）第二章三三頁、the three kingdom（誤）自然界→（正）三つの王国（植物界、動物界、鉱物界）、（7）第二章三三頁、（誤）ラッセル・ブルックとロバートソン→（正）ラッセル・ブルック・ロバートソン、（8）第三章四六頁、put to the sword（誤）白刃に仆れた→（正）勝者に虐殺された、（9）第五章六五頁、the bowling alley（誤）球戯場→（正）ボーリング場、（10）第五章七〇頁、guardhouses（誤）衛所→（正）見張番屋、（11）第七章九二頁、the pantry（誤）台所→（正）配膳室、（12）第一一章一四二頁、the Bluebook（誤）

青表紙文書↓（正）イギリス外交青書、（13）第一二章一三九頁、the garrison（誤）守備隊↓（正）駐屯軍（14）第一七章二五〇頁、myself（I was acting Japanese Secretary）（誤）私（日本語の書記として）↓（正）私自身（私は臨時日本語書記官だった）、（15）第一八章二六七頁、Rio-zen-ji、（誤）良善寺↓（正）霊仙《りょうぜん》正福寺、（16）第三二章二〇七頁、hear an echo of the "spoils system"（誤）「猟官制度」のエコー（こだま）を聞く↓（正）「猟官運動」が繰り返される。

この「誤訳」の原因はいくつか考えられる。第一は訳者の単純なミスである。（7）がそれで、一人の人物の名前「ラッセル・ブルック・ロバートソン」を「ラッセル・ブルック」と「ロバートソン」の二人の名前だと勘違いしている。『外務省年鑑』で確認できる。第二はしっかり辞書の記述を読んでいなかったことである。（1）、（4）、（11）、（16）がこれに該当する。これも初歩的なミスである。第三は原文を直訳してしまったことで、これには、（8）、（14）、（16）がある。これも辞書の文例を確かめていれば防げたものである。とくに（8）はニュアンスがだいぶ異なっている。第四は歴史的知識の欠如から来るものである。（2）、（3）、（6）、（9）、（12）、（13）、（15）がその実例である。この原因を語り始めると際限がなくなるので、具体例をひとつふたつ挙げるのに留めたい。（2）のJapanese Secretaryは駐日イギリス公使館の特殊な役職であり、来日直後の後輩の外交官である通訳見習に日本語を教える外交官の「日本語書記官」のことである。「日本係書記官」では意味が通じない。（15）はサトウの表記に当てずっぽうで訳語を当てはめただけのものである。山号と寺号をサトウが混乱したことに訳者は気づくべきである。（13）と（15）は地図で確認すべきものである。第五は歴史学の研究成果を考慮すれば防げるものである。（5）、（10）がその事例である。ただし、これらの研究成果なるものは『一外交官の見た明治維新』が出版された一九六〇年以降のものであるから、訳者を責めるのは酷かもしれない。

まとめ――その後のサトウ研究

イギリスはロンドンの西の郊外キューガーデンスに国立公文書館（National Archives、旧名Public Record Office）がある。この文書館にはアーネスト・サトウの文書Satow Papersがある。サトウの日記、書簡、外交文書などが膨大な量に及んでいる。

これらの史料群を基礎にして、その他の関係史料を巧みに織り上げて、サトウの生涯と業績を追跡した作品が萩原延壽（一九二六～二〇〇一）の『遠い崖――アーネスト・サトウ日記抄』（朝日新聞、一九八〇年～二〇〇一年）である。最終版というべき文庫版が二〇〇七年から二〇〇八年に刊行された。史料を示して、それに必要十分の解説をくわえて、事実を積み上げていく。これはイギリス経験主義から派生する、イギリス歴史学の伝統的な研究方法である。その手法を萩原も援用している。大学ノート四五冊にもわたるサトウ日記を中心にすえ、イギリス・フランス・アメリカの外交文書、アストン、ウイリス、チェンバレンなど彼の友人の関係史料を配して、実証的な作品を展開している。サトウ研究のいわば古典的著作である。

幕末・明治初年の研究は、一九六〇年代に外国側史料を用いた研究がはじまり画期をしめす。七〇年代には昭和女子大学の『近代文学研究叢書』の一冊に「アーネスト・サトウ」（第三一巻、一九七〇年）も入り、サトウの著作や研究データが充実した。一九八〇年代にはその視野が日本だけでなく中国など東アジアに拡大され、幕末・明治期の意味があらためて問い直された。それを承けた一九九〇年代を代表する成果が萩原の『遠い崖』である。こうした研究状況をふまえて、あらためてサトウの回想録を再読してみると、つぎつぎと解決すべき課題が浮かび上がってくる。萩原は『一外交官の見た明治維新』の誤訳をさりげなく訂正している。しかし、それはサトウの日記に関連する部分に留まってしまうので、おのずから限界がある。その後、庄田元男訳『アーネスト・サトウ伝』（平凡社東洋文庫、一九九九年）、吉良芳恵『図説　アーネスト・サトウ』（有隣堂、二〇〇一年）やラクストン『アーネスト・サトウの生涯』（雄松堂出版、二〇〇三年）、楠家重敏『アーネスト・サトウの読書ノート』（雄松堂出版、二〇〇九年）が続いた。一方、サトウの英文著作集 *Collected Works of E. M. Satow*（正編一二巻、続編五巻、一九九八年～二〇〇一年）、日記の復刻版には宮沢眞一の仕事 *Daiaies and Travel Journals of Ernest Satow* (*1861～1926*), Vol. I（1861 ～ 1872）: China & Japan（2015）の他、Robert Morton and Ian Ruxton ed. *The Diaries of Ernest Mason Satow. 1861～1869*（二〇一三年）も登場した。後者の脚注はモートン、ラックストン両人のサトウ研究の充実した成果が盛り込まれており、裨益するところ大である。とくにイギリス人研究者の研究文献も紹介されており、サトウ研究の地平は広がった。「サトウ日記」と『回想録』の比較研究によって、多くの新知見が得られた。

解説B　アーネスト・サトウと *The Cambridge Modern History*

小島和枝

はじめに

イギリス人作家ディキンズは「私の欲しいのは事実です。人生に必要なのは事実だけです」と *Hard Times*（『不況時代』）の主人公に語らせた。このような事実重視の考え方は一九世紀の西欧の歴史家の基底にあるもので、『ケンブリッジ近代史』の企画、編集、著述の参集した人々にも共通した理念であった。その企画の責任者である、一九世紀を代表する歴史家のアクトン卿（Lord John Acton, 1834-1902）は、『ケンブリッジ近代史』（*The Cambridge Modern History*）の企画の抱負をこう述べる。

「一九世紀が後代に伝えようとする知識を余すところなく記録し、これを申し分なく多くの人々に役立たせるのには、現在がまたとない好機であります。賢明な分業のおかげで私たちはそれができるのでありますし、この国際的研究が生んだ最も新しい文書、その最も円熟した結論をすべての人々に知らせることができるのであります」。

さらに、アクトン卿は「書き手の所属する国家、宗教、政党が文章にあらわれない」公正な歴史叙述を執筆陣に求めたという。一九世紀実証主義の本流を行く、この『ケンブリッジ近代史』の企画に、イギリスの国益を実行する立場の外交官だったアーネスト・メーソン・サトウ（Ernest Mason Satow, 1843-1929）がなぜ参加できたのか。サトウの歴史叙述の執筆過程を確認し、その内容を紹介かたがた検討し、さらにその歴史的意義について考察してみたい。

一 『ケンブリッジ近代史』

『ケンブリッジ近代史』全一三巻（一九〇七年～一九二五年）は一九世紀の歴史学研究の最大の成果であり、金字塔とも言える作品である。E・H・カー（Carr）が有名な『歴史とは何か』で冒頭に取り上げている業績である。ケンブリッジ大学教授で近代史を担当していたアクトン卿の企画のもと、ワード（A. W. Ward）、プロセロ（G. W. Prothero）、リーズ（S. Leathes）が編集責任者となった壮大な歴史叙述である。この『ケンブリッジ近代史』の場合の「近代史」は、西欧人が伝統的に抱いていた三分法歴史観（古典古代、中世、近代）に基づき、その出発点はルネサンスということになる。そのとりあえずの終着点は二〇世紀初頭であった。

その巻名を挙げていくと、第一巻「ルネサンス」（一九〇七年刊）、第二巻「宗教改革」（一九〇七年刊）、第三巻「宗教戦争」（一九〇七年刊）、第四巻「三〇年戦争」（一九〇七年刊）、第五巻「ルイ一四世の時代」（一九〇八年）、第六巻「一八世紀」（一九二五年刊）、第七巻「アメリカ合衆国」（一九〇七年刊）、第八巻「フランス革命」（一九〇七年刊）、第九巻「ナポレオン」（一九〇七年刊）、第一〇巻「王政復古」（一九〇七年刊）、第一一巻「国民国家の成長」（一九〇九年）、第一二巻「最近の時代」（一九二〇年刊）、第一三巻「年表と総索引」（一九一一年刊）ということになる。ちなみに、第一二巻の大尾の第一八章には著名な歴史学者のグーチによる「歴史科学の成長」という一節が添えられている。一見して分かるのは、近代史イコールヨーロッパ史、ヨーロッパ史イコール世界史という図式である。ケンブリッジ大学出版部の委員会は、「英語で書かれた世界史または普遍史を刊行する」ために、アクトンにこの事業を委嘱した経緯がある。ヨーロッパとアメリカのみの「世界史」、「普遍史」であり、「アジア」他は添え物にすぎない、この西洋中心主義の歴史観の問題点は古くから言い古されていることなので、ここではこの議論には踏み込まないことにする。

アジアの歴史叙述がまとまって登場するのは、第一巻第三章「オスマン征服」、第三巻第四章「オスマン勢力の絶頂」、第四巻第二五章「植民勢力の変遷」（日本でのイギリスとオランダの東インド会社の活動に言及）、第五巻第一二章「オーストリア、ポーランド、トルコ」、第五巻第二二章「植民地とインド」、第一一巻第二八章「極東」、第一二巻第一四章「オスマン帝国とバルカン半島」、第一二巻第一六章「インドにおけるイギリス帝国」、第一二巻第一七章「極東」、第一二巻第一八章「日本の新しい世代」、第一二巻一九章「日露戦争」の各章である。ヨーロッパから一番近いアジアのオスマン・トルコはルネサンスのころより記述が始まる。第四巻第二五章で初めて日本との関係が言及される。イギリスの植民地であったインドにもかなりの筆が割かれる。意外なのは、中国に関する独立の章が立っていないことと、この時期の中国の国内史の叙述がほとんど皆無のことである。

日本関係の独立した章説が立てられるのは、第一一巻第二八章「極東」である。これは第一節「中国と西欧列強諸国との関係」と第二節「日本」に細分化される。筆者はイギリス外交官アーネスト・メーソン・サトウ（一八四三年〜一九二九年）である。本稿のメインテーマである。執筆比率は、中国の一に対し、日本の二である。叙述の重点は日本にある。その執筆過程と内容検討は次節より行われる。第一二巻第一七章にも同じ表題の「極東」が設けられているが、その内容は中国、安南（ベトナム）、フィリピン諸島、マレー半島、シャム（タイ）の歴史が述べられている。この章の著者は大英博物館のオリエンタル図書・文書部の主任ダグラス（R. K. Douglas）であるが、後述の事情から安南（ベトナム）とシャム（タイ）の叙述はサトウが無署名代筆した。第一二巻第一八章「日本の新しい世代」の著者は、サトウの同僚の外交官ロングフォード（J. H. Longford）である。一八七一年の廃藩置県から起筆し、一九〇二年の日英同盟締結で擱筆している。つづく第一二章第一九章には一九〇四年に勃発した「日露戦争」の背景、戦況、講和について述べられている。筆者は軍人のモーリス（F. B. Maurice）である。一九世紀半ばから二〇世紀初頭までに日本の躍進をヨーロッパ世界は刮目したのである。

二　サトウの執筆過程

サトウがいつごろから『ケンブリッジ近代史』の執筆に関与し始めたのか定かではないが、一九〇七年一月三〇日のサトウ日記には「『ケンブリッジ近代史』の第一一巻への私の寄稿の件で、スタンレー・リーズと面会する。彼は私にプロセロに逢うよう勧めた。一八七一年以降の極東の歴史には手を染めたくない理由をリーズに話した」とある。ここに登場したリーズもプロセロもアクトン卿の弟子で、『ケンブリッジ近代史』の編集責任者であった。日記の記事から推測すると、これ以前にサトウとリーズには面識があり、一八一五年から一八七一年までの中英関係史と日英関係史の（さらには安南（ベトナム）とシャム（タイ）も）執筆については、すでに両者との間に了解は生まれていたようだ。しかし、サトウは一八七一年以降の日本の歴史を書くことは望んでいなかった。その理由は不明である。ただ、一九〇八年四月五日にサトウがアストンに宛てた書簡を見ると、「ダグラスが『ケンブリッジ近代史』の一八七一年から一九〇七年までを書きたいと伝えてきました」とあり、サトウの代わりに大英博物館のダグラスが該当期間の執筆にあたることになり、この問題は解決した。

その後、しばらく消息は途絶えるが、一九〇七年一一月一〇日にサトウが日本学者F・V・ディキンズに送った手紙には「私は『ケンブリッジ近代史』の中英関係史の脚注づくりの多忙な日々をすごしていました。とても骨の折れる仕事で、まるで『イギリス外交青書』の判読しがたい資料を精読するようでした」と書いてあった。三日後のサトウ日記を覗いてみると「一八五七年までの初期の『イギリス外交青書』を読んでみると、中国人は信頼できず、自分自身で用心した方が良い、との印象を得た」との読後感が述べてあった。中英関係史の叙述は完成したと見てよかろう。二か月ばかり文章の推敲を重ねていたらしく、サトウは一二月一二日に北京に旅立つ友人に一八一五年から一八七〇年までの原稿を彼に見せている。翌年の一九〇八年一月一六日のサトウ日記には「『ケンブリッジ近代史』の次巻（第一一巻か）の私の章の中国の部分の見直しが終わった。二一ページになった。もともと三七ページ以上があたえられていたが、プロセロに搾り取られたのだ。彼は、世界史で重要な地位を占めてきた日本の部分に多くの紙幅を取りたいのだ」。英中関係史の原稿が脱稿したことも注目すべきだが、この時点で編集責任者のプロセロは、中英関係史よりも日英関係史を重視する姿勢をとっていたことは、留意しておくべきである。一月一九日にディキンズに宛てた手紙には、中国関係の章を書き終えた時点で、中国関係と日本関係の叙述に対してあたえられた紙幅の半分以上を超えてしまっているので、三月末までに、もう一度見直す必要がある、と語っていた。

二月ごろより、サトウは日本関係の執筆に入ったようだ。二月一六日にディキンズに宛てた書簡では、「一八九五年から一九〇〇年まで東京で駐日公使をしていた時に購入した書籍の中に、一八五三年からの近代史に関する優れた資料がたくさんあった。その資料は極東に関する私の章に役に立つものである。外交関係では、アメリカの外交文書はわがイギリスの外交青書よりも有用である。しかし、私はイギリスの半公信文書をすべて持っている。不運にも、オールコックのものはかなり拡散されている。パークスの急送文書は素晴らしい」と、サトウは執筆のための資料の価値についてコメントをする。三月二九日にも、サトウはディキンズに宛てて投函した。「勝安房守がまとめた政治文書のコレクション（『開国起源』）を読んでいる。これは日本の外交政治史に多くの光を当てている。一八四〇年代初めから一八六八年までが範囲である。『ケンブリッジ近代史』の私の章の内容にはあまり貢献しないが、最も有用な資料である」。勝海舟が編纂した『開国起源』に対する高い評価である。四月一七日にも、サトウは資料論をディキンズに語る。「貴殿は早稲田歴史叢書の一冊である『徳川幕府時代』（池田晃淵『徳川幕末時代史』）に触れています。この本は政体に関する私の報告を糺すのに役立つかもしれません。この本で私の章を始めなければなりません。島田三郎の『開国始末』（これは本当の歴史である）のような本が日本人の読者に用意されたのなら、違った歴史が書かれるでしょう」。勝海舟や島田三郎などの在野の史料集や歴史書をサトウは重きを置いているのである。早稲田大学出版部から刊行された池田晃淵の本も高評価だったが、これが井伊直弼の時代で擱筆していることをサトウは惜しんだ。

翌日の四月一八日のサトウ日記には意外なことが書いてある。「『ケンブリッジ近代史』の私のシャムの章を書き上げた」。このころ、彼は日本と中国の歴史のみならず、一一巻に掲載するためにシャム（タイ）の歴史を書いたのである。さらに、サトウは続けて「R・K・ダグラス（Douglas）は、一八七一年から一九〇七年までの日本の歴史を書いている」と書き留めた。『ケンブリッジ近代史』の第一一巻のみならず次巻の一二巻まで視野を広げた仕事である。ダグラスはイギリス大英博物館の東洋関係文書部門の主任である。彼はサトウに資料の借覧を申し出たが、上手くやりこなせるか不安を訴えている。これよりさきの四月五日の日本学者アストンに宛てた手紙にはこのダグラスの『ケンブリッジ近代史』第一二巻の一八七一年から一九〇七年までの極東についての章に関する議論があった。グリフィス『ミカドの帝国』、J・J・ライン『日本』、マウンジー『薩摩反乱記』、ブラント駐独公使の本、アメリカ合衆国外交文書などの使用をサトウはダグラスに勧めている。

五月二六日にサトウはアストンに手紙を書いた。一八六八年という「感動の年」に自分がサー・ハリーに送った手紙を読み返し、再び若返った気がしたと語る。自分の日記も呼んだが、夏や秋に薩摩藩士と江戸の茶屋に遊びに行ったことを懐かしんでいる。アメリカ領事のハリスの日記はとても有用な資料だと評価している。一両日中に、『ケンブリッジ近代史』の日本関係の原稿を脱稿するはずだとも書き添えている。もし『ケンブリッジ近代史』の編者たちが許してくれるならば、一八三八年から四八年までの戦争はパーマストンの誠意のない「無関心」が原因であり、中国との問題は単に通商面だけで片付けようとする判断の誤りから生じたことを示したいと抱負を語る。さらに茶貿易をしていたイギリス東インド会社の独占が廃止になったのは、政治家だけではなくマンチェスターやリバプールの商人の指示によるものだとコメントした。しかし、パーマストンや中国貿易、イギリス東インド会社などの叙述は『ケンブリッジ近代史』には採用されなかった。

五月三〇日のサトウ日記には、留意しておくべきことが書かれている。「『ケンブリッジ近代史』の極東に関する中国関係の校正刷りを編者に送った。編者のテンプリーはシャム（タイ）と安南（ベトナム）の部分の第一一巻での掲載は取り止めにして、第一二巻のダグラスの章に組み入れることを提案した」。テンプリーの提案をサトウは受け入れたようで、六月一二日の日記には彼のシャムと安南に関する原稿は第一二巻に入ることになった、と書いてある。同じ日、サトウは編者の一人と相談し、日本関係の記事を四〇ページ以内に収めることが困難だと訴えた。ともあれ、一五日ころサトウは日本関係の原稿を脱稿し、これをケンブリッジ大学の編者に送っている。

このため、次巻の第一二巻の編集についてサトウとケンブリッジ大学関係者との話し合いがあったようで、六月中旬にサトウがアストンに書いた手紙には、この経過の一部が報告されている。「イギリス外務省は、ガビンスが今なお外交官の業務に就いていることを理由に、彼が『ケンブリッジ近代史』の第一二巻に日本関係の章を執筆することを禁じた。もし彼が退職したなら、書物が刊行される前に外務省関係者に見せる必要はないのだ」。サトウは後輩外交官のガビンスに期待したのだ。そして、サトウはケンブリッジ大学の編者に執筆者のその他の候補として、F・V・ディキンズ、B・H・チェンバレン、J・H・ロングフォードの名前をあげた。このうち、サトウがまず指を屈したのはガビンスであったが、第一二巻の実際の著者となったのは、最後のロングフォードであった。

ところが、ガビンスは食わせ者であった。『ケンブリッジ近代史』（ケンブリッジ大学出版部）のサトウの歴史叙述が公刊された二年後の一九一一年に、ことともあろうに彼はオックスフォード大学出版部から *The Progress of Japan. 1853~71*（『日本の進歩　一八五三〜七一』）という単行本を出版したのである（本文二二五ページ、附録九六ページ）。彼がイギリス外務省を退職したのは、一九〇九年一〇月一〇日だから、この著作の出版についてはイギリス外務省からの干渉はなかったはずである。退職の前後に、ガビンスが幕末史の歴史を書いていたことは、当時、誰も知らなかった。しかも、彼の扱った内容は、サトウの歴史叙述と全く同じ時期の、ほぼ同じものであった。一九一一年の段階で、サトウの仕事は早くもガビンスに抜かれた形になった。ガビンスはサトウに資料を閲覧させてくれたことに感謝を述べているが、サトウの心中はいかなるものであっただろうか。

さて、六月二三日のアストンに宛てた書簡には、ケンブリッジ大学の編者から文章の圧縮を命じられ、日本の政治や道徳の状況や「対馬におけるロシア」の記事を省略しようとサトウは漏らしたが、最終的な記事を読むと、ケンブリッジ大学の関係者にはこれらの記事の重要性は認知されていたようで、前二項は部分的に削除されたかもしれないが、「対馬におけるロシア」の叙述はそれほど省筆にはならなかった。七月二日のアストンへの手紙には、さらに具体的な事例をあげて省筆のことが言及されている。「削除には気が進まなかったが、日本の政治状況に関する全部の記事を切り捨てた。対馬のエピソードやキリスト教徒の殺害もそうである。一方、初期議会の試み、江戸と京都の間の交渉は、ハリス条約（日米和親条約）の交渉の記事を活かすために、短くした」と。

八月二日のアストン宛書簡には、「私は『ケンブリッジ近代史』のための日本関係と中国関係の両方の書誌を書き上げた」とあり、九月八日のサトウ日記にも「『ケンブリッジ近代史』の日本関係の追加部分も書き終えた」とあり、サトウはここで『ケンブリッジ近代史』のすべての執筆の責務を全うしたのである。九月一三日のアストン宛の手紙には、「『ケンブリッジ近代史』の私の中国と日本の章は六四ページに広がったが、三分の二は日本関係のものである」と書いた。

九月二二日のサトウの日記には、「(『ケンブリッジ近代史』の編者の) テンプリーから手紙が届いたが、中国と日本の私の章を六部送ることを約束し、『ケンブリッジ近代史』の第一二巻に私が書いた安南（ベトナム）とシャム（タイ）を挿入することをスタンレー・リーズに連絡するよう提案している」との記事があった。後者の件を主任編者に確認をとることにしたのである。そして、サトウ日記の一二月三〇日に「『ケンブリッジ近代史』の私の章に関する原稿料四五ポンドの小切手がケンブリッジ大学出版から届いた」とあり、ここですべてが完了した。

三　内容検討

かくして年が明けた一九〇九年に、サトウの中国と日本の章を含んだ『ケンブリッジ近代史』第一一巻が刊行の運びになった。

まず、前者の「中国と西欧列強諸国との関係」の章の見出しを掲げておこう。「時代区分」、「中国の対外姿勢」、「関係確立のむずかしさ」、「ネーピア使節」、「エリオットの困難」、「アヘン貿易問題」、「イギリス政府の決定」、「中国でのアメリカ外交　カシングの条約」、「フランス外交」、「キリスト教団の外交的保護」、「中国がキリスト教の拡大を警戒」、「天津大虐殺　広東での紛争」、「アロー号事件」、「広東の封鎖と占領」、「天津条約」、「第二次北清遠征」、「北京の公使館設置」、「反乱の鎮圧」、「バーリンガムの中国観」、「要約」の二〇の見出しである。

サトウは中国と西欧列強諸国との「時代区分」を三つの時期に分けている。中国とイギリスが衝突した一八一五年から一八四二年、中国とフランス・アメリカが協調していた一八四三年から一八六〇年、イギリス・フランス・アメリカ・ロシアが北京に外交施設を維持していた一八六〇年から一八七一年である。

一九世紀前半の中英関係史の最大の問題は「アヘン貿易問題」である。一八三九年、清朝は林則徐を派遣し、林則徐はイギリス商人に彼らが所持するアヘンを手渡すよう命令を下した。イギリス側はこれを自由貿易の重大な妨害行為として捉えたが、清朝ではアヘンの禍を断ち切ることを狙っていた。これに端を発したアヘン戦争は、一八四二年の南京条約でイギリスへの香港割譲、莫大な戦費賠償が取り決められた。「フランス外交」で重視されたのは、貿易ではなく、宗教であった。中国でのフランス貿易は取るに足らないものだったが、ローマ・カトリック教徒の宗教的自由の確保に力を注いだ。一八五八年の清仏天津条約で宗教の自由は拡大された。これに対して清朝は警戒したが、やがて「天津大虐殺」が起こる。一八五六年の夏、優れたイギリス人が領事として広東に派遣された。やがてサトウの上司となるパークスであった。すでに一四年間も中国で勤務をし、中国語の口語に堪能であった。イギリス外務大臣のパーマストンの政策意図もよく理解していた。広東では商館が攻撃され、襲撃や外国人殺害が繰り返されていた。役人と民衆は長い間、外国人を軽視していて、町の城壁に外国人が入場することさえ拒んでいた。一八五六年に「アロー号事件」が起きたが、イギリス国内でもグラッドストンなどがこれに反対した。「天津条約」が結ばれたが、清朝はこれを嫌って、条約調印を拒否した。清朝が最も不快に思っていたのは、外国の公使館が北京に建てられることであった。英仏連合軍は天津・北京と進撃し、ヴェルサイユ宮殿を模した壮麗な円明園を破壊する。一八六〇年に北京条約が結ばれる。ロシアは清朝と英仏の和解を働きかけ、その報酬としてウスリー川から間宮海峡までの領域の割譲を得た。一八六一年には北京にイギリス・フランス・ロシアの公使館が設けられ、以後、西欧諸国がこれに続いた。中国国内では太平天国の乱が起きた。キリスト教をもとにした「太平天国」の信念から清朝を打倒する中国民衆を一時外国人も共感していた。やがてこの「反乱の鎮圧」もなされたが、内憂外患の状況を呈した。サトウは中国と西欧列強諸国との関係をこう「要約」する。「北京政府は条約を遂行する唯一責任ある存在であり、地方役人を十分恭順させる存在と見ている。このことは西欧列強諸国の外交政策を示すものである」と。

後者の「日本」の章の見出しはつぎの通りである。「時代回顧」、「ペリー来航」、「日本の社会状況」、「政治体制」、「大君と諸大名」、「ミカドと宮廷」、「老中の権力」、「水戸の斉昭」、「ロシア使節」、「諸大名の意見」、「日米和親条約」、「ハリス下田滞在」、「江戸行」、「ハリスの交渉」、「通商条約：開港」、「斉昭の立場」、「ミカドは条約を拒否」、「将軍継嗣問題」、「京都の政治状況」、「間部の京都派遣」、「大君の苦境」、「条約施行」、「井伊直弼暗殺」、「プロシアの条約」、「イギリス公使館の夜襲」、「対馬のロシア人」、「政治的恩赦」、「島津三郎の江戸派遣」、「生麦事件」、「薩英戦争」、「大君の上洛」、「下関砲撃事件」、「第一次長州征伐」、「大君とミカド」、「長州藩士の京都追放」、「カミユ殺害」、「大君、再度上洛」、「禁門の変」、「第二次長州征伐」、「大君とミカドの権力」、「ミカドの条約勅許」、「大君とミカドの崩御」、「兵庫開港」、「大政奉還」、「ミカドの政権復帰」、「内戦の推移」、「官軍の勝利」、「新政府の組織」、「外国人とキリスト教の方針転換」、「その後の変化」、「議会開催」、「封建制度の廃止」、「要約」の五三の見出しである。

「日本の歴史叙述は自然に二通りに分かれ、文字通り外国列強の行動とその結果から生じる国内の政治状況である。事件を年代順に忠実に表現するよりも交互に叙述した方が、都合が良いであろう」。ここにはサトウの歴史叙述の方法論が述べられている。出来事の経緯を時系列に述べる編年体をとるのではなく、対外交渉と国内政治を交互に論じる紀伝体の歴史叙述をとることを宣言している。

一八五三年七月八日に四隻の艦隊を率いてペリーが浦賀に来航すると、日本国内の政治状況があわただしく動き出す。大君は一八世紀初頭に朝鮮通信使との折衝のために初めて採用された称号であるが、列強諸国はいつも皇帝と呼んでいた。彼の施政は家臣が行い、広大な領国を有する大名は政治に関与することはなかった。一方、ミカドは政治的権威を行使せず、宮殿に引きこもり、世間一般の人々とは関わりをもっていなかった。ミカドは「正当な」支配者であったが、「事実上」は行政上の称号にすぎなかった。

一八五四年三月三一日、日米和親条約が結ばれた。その内容は、アメリカ船に石炭、薪、水、食糧の給与、下田と箱館の開港などであった。六月一八日にはペリーは下田から出帆した。この間にクリミア戦争が勃発し、イギリス提督スターリングは日英協約に調印した。大君政府はイギリスに対して、日本を通過する船舶のために、食糧や薪や水の給与、長崎と箱館での船舶の修理を許可した。ここでサトウは「提督は従って何の困難を経験することなく、文言に最恵国待遇が具体的に書かれた協定に締結した」と叙述した。重大な記述であるが、日本側はオランダと中国の特権をイギリスに付与せずと理解した。同じころ、ロシアのプチャーチンは下田に到着した。日本側は国境問題を議論することと、日米和親条約の内容を上回る譲歩を拒否した。日露和親条約は一八五五年二月七日に調印された。孝明天皇に交渉を報告したが、ミカドは十分満足した旨を大君政府に伝えた。

一八五八年、先行した日米修好通商条約をひながたにしてオランダ（八月一八日）、ロシア（八月一九日）、イギリス（八月二六日）、フランス（一〇月九日）と修好通商条約が結ばれた。その内容は、外交官と領事の特権を認めること、下田と箱館に加えて、神奈川（横浜）、兵庫、新潟（あるいは日本海側の一港）を開港し、江戸と大坂を開市すること、アヘン輸入を禁止することなどである。

イギリスはロシアの動向を気にしていた。ロシアは中国から巨大な領土を獲得していた。アムール川河口から朝鮮の北方の国境線までであった。そこには不凍港がなかった。朝鮮海峡に横たわる日本の対馬をロシア海軍の中継地として使用できれば便利だと考えた。一八六一年三月、ロシアの軍艦がその海岸に軍事施設を設けるために派遣された。大君政府はイギリスの公使と提督に助けを求めていた。イギリス外交官はロシア政府に苦情を訴えるように勧め、日本側もこれを行った。このころの日本側の準備不足を見越して、ロシアが対馬に利権を獲得していたら、後にそれを除去させるのは容易ではなかったろう。これは日本における、イギリスとロシアの「グレート・ゲーム」のひとこまだった。

サトウがこの作品で重視したのは、「大君とミカドの権力」の問題である。一八五八年、ハリスは大君の閣老が自分たちにはミカドの勅許のない条約を締結する権限を明らかにしていないことを非難した。条約は日本の一部しか支配していない大君によって調印された。この前提を隠して、外国語で書かれた文書には大君に「陛下」の尊称をあたえていた。江戸で実際に外交関係が始まると、外交代表が「大君は日本の皇帝ではなく、初期の外国人著作家（ケンペル）が「精神的皇帝」と思っていたミカドがその上に存在する」ことを知るのは時間の問題だった。大君は有力大名の支配へ介入できないこと、ミカドが裁可を拒んだら条約の施行ができないことが明らかになった。

大君の存在がもはや時代おくれであることは、外国人や日本人を問わず、明らかだった。喫緊の課題は、すべての国民が容認した唯一の政治権力が国際的関係のなかで適応し、西欧の主権国家に見られる交渉基準に適応することだと、サトウは指摘する。これが日本で実行される。一八六七年一一月九日の大政奉還、一八六八年一月三日の王政復古である。二〇〇年以上続いた江戸幕府は滅亡し、摂政・関白も廃止され、代わって総裁・議定・参与の三職が置かれた。

大君の権力と特権は、西欧諸国が登場する前にすでに腐敗していた。大君の法的地位はミカドの臣下にすぎなかったが、西欧列強諸国の元首や代表者との間で条約を結んでいった。彼の権限を保つことが難しくなってきた。一八六八年の大君の没落は、根本的に間違った地位から来るものであり、論理的にも明らかだった。

ま と め

「公使館の日本語書記官はアーネスト・サトウ氏である。この人の学識に関する評判は、特に歴史部門において、日本における最高権威であると日本人自身も言っておるほどである」。これは一八七八年五月二四日のイギリス人女性旅行家イザベラ・バードの言葉である。『日本外史』、『元治夢物語』、『近世史略』といった日本歴史の著作を英訳したサトウは幕末史を執筆する十分の能力と資格があった。それゆえ、一九〇九年に『ケンブリッジ近代史』

第一一巻の著者の一人に選ばれたことは誰もが納得することであった。『ケンブリッジ近代史』のサトウの仕事は高く評価されるべきものである。中国と日本を含めた東アジアの視点から歴史を描いたことは重要なことである。サトウの視野の広さと見識は十分評価できるものである。日本列島の日本人の日本語による歴史しか描けぬ古いタイプの歴史家の発想とはかなりの隔たりがある。

唯一気にかかったのは『ケンブリッジ近代史』の編集方針である「書き手の所属する国家、宗教、政党が文章にあらわれない」公正な歴史叙述に外交官出身のサトウが抵触しているのではないかという疑念である。外交官は自国の国益を実現する存在ではないか。たとえば、一八五四年の日英協約に関して「スターリング提督は何の困難を経験することなく、文言に最恵国待遇が具体的に書かれた協定を締結した」とサトウは記述している。これは正しくイギリス外交官としての判断であり、公平な叙述とは言い難い。日本人歴史研究者からの反論はもちろんあった。この問題は『ケンブリッジ近代史』第一二巻の執筆者に外交官出身のロングフォードが参加していることにも及んでくる。

サトウが英文でアカデミックな歴史書に中英関係史と日本の幕末史を叙述していることは一考の価値がある。一方、サトウ研究においても、彼の『ケンブリッジ近代史』への貢献を、これまでの研究者が等閑視していたことは反省すべきことである。幸い彼の著作集が刊行されたことは、これから彼の歴史家としての評価を検討する意味で重要な意義があった。ここでは『ケンブリッジ近代史』を執筆することになった事情や、彼の歴史叙述の内容を検討したが、実はイギリス・ロンドンのナショナル・アーカイブス（国立公文書館）のサトウ文書（Satow Papers）には『ケンブリッジ近代史』の彼の草稿が所蔵されている。削除され、採用されなかった記事の内容がいかなるものであったかの検討は他日の課題としたい。

あとがき

サトウの回想録の翻訳を構想したのは、二〇年ほど前に、坂田精一先生の訳本の全文を当時のワープロ・タイプで打ってみた時からである。作成したものは坂田訳本の誤植を訂正した程度の原稿であった。これもサトウの例に倣い、長い間、私の机下に眠っていた。その間にも拙著『アーネスト・サトウの読書ノート』（雄松堂出版、二〇〇九年）という作品をつくりサトウ研究の史料的基盤を整えた。数年前から杏林大学の客員教授となり、少閑を得るようになった。そこで昔の原稿を引っ張り出してみたが、大幅な変更が必要であることを悟り、新訳を作ることにした。有名な文庫版の日本語訳は六〇年以上の風雪に耐え、今でも書店の書棚を飾っている。しかし、この間にサトウ研究も大いに進展し、学術的観点から大幅な改訂が必要となったのである。

三年の間、研究室に毎日閉じこもり、サトウの原書 *A Diplomat in Japan* と格闘した。二〇一九年二月二二日の午後二時二二分二二秒に訳稿は脱稿した。晃洋書房に原稿を送った後でも、訳文の推敲と注釈の充実を図った。この間、いろいろな人びとからアドバイスをいただいた。中世文学に精通する池田英悟さんには第三四章の能・狂言のデータを教えていただいた。研究室で同室の橋本雄太郎先生には生麦事件のリチャードソンの死因やイギリスの動産・不動産の制度を教えてもらった。母校の日本大学の後輩の小松修君の論文を読み、見張番屋の事情を知り、第五章の注釈に使わせてもらった。しかし、最終的な文責は楠家にある。横浜開港資料館内の喫茶室の長嶌桃さん、私の大学の研究室近くの三鷹・千代田寿司の田中操・広美夫妻には原稿執筆や研究調査で疲れた私をリフレッシュさせていただいた。加藤豊子さん、寺本敬子さん、塩田明子さん、中川高行さん、小寺瑛広さん、田口雅子さん、岡田和子さん、石神光雄さんとの勉強会での討論が役立った。東久世章さんには有名なご先祖様のことを教えていただいた。杏林大学総合政策学部の大川昌利先生、同大学外国語学部の先生方の学恩に感謝申し上げる。

忘れてはいけないのは、ケンブリッジ近代史第一一巻第二八章の翻訳をしてくれた小島和枝さんである。彼女の頑張りがあったからこそ、巻末を飾る、このような充実した作品に仕上げることができた。最後にいつもながら出版に向けて奮闘していただいた晃洋書房のみなさん、とりわけ営業の高砂年樹さん、編集の山本博子さんには深甚よりお礼申し上げる。

二〇二〇年一二月二四日

杏林大学井の頭キャンパスの客員教授研究室にて

楠家重敏

付記

解説の初出は、解説Ａ（楠家重敏執筆）が『杏林大学外国語学部紀要』（第三一号所収、二〇一九年三月）、解説Ｂ（小島和枝執筆）が日本英学史学会東日本支部『東日本英学史研究』（第一九号所収、二〇二〇年三月）である。

《訳者紹介》

楠家重敏（くすや　しげとし）

1952年　東京都品川区生まれ
1980年　日本大学大学院文学研究科日本史専攻（博士課程後期）修了
現　在　日本大学講師

主要業績

『ネズミはまだ生きている』（雄松堂出版，1986年）
『日本アジア協会の研究』（日本図書刊行会，1997年）
『日本関係イギリス政府文書目録』（雄松堂出版，2002年）
『W. G. アストン』（雄松堂出版，2005年）
『日英協会100年史』（博文館新社，2009年）
『アーネスト・サトウの読書ノート』（雄松堂出版，2009年）
『「歴史とは何か」の歴史』（晃洋書房，2016年）
『幕末の言語革命』（晃洋書房，2017年）
『ジャパノロジーことはじめ』（晃洋書房，2017年）など

小島和枝（こじま　かづえ）［附録］

埼玉県さいたま市生まれ
2014年　英国 The University of York 大学院人文科学科（女性学）博士課程修了（論文博士）
2017年　英国 The University of Edinburgh 大学院教育研究科（TESOL：英語教授法）修士課程修了
現　在　拓殖大学工学部准教授

主要業績

「ミットフォード研究の展望」（共著，日本英学史学会『英学史研究』51号，2018年）
「W. G. アストン『英文日本文学史』を読む」（日本英学史学会東日本支部『東日本英学史研究』18号，2019年）
「W. G. アストン『日本神話』（1899）の諸問題」（日本英学史学会東日本支部『東日本英学史研究』20号，2021年）
“Teaching English to Speakers of Other Languages (TESOL): Using Task-Based Language Teaching (TBLT) Lesson Plan, Rational and Evaluation.”（東京英米文学研究会『紀要』13号，2018年）
“Analysing Sunshine Japanese Junior High School Textbooks.”（東京英米文学研究会『紀要』14号，2019年）

変革の目撃者（下巻）
——アーネスト・サトウの幕末明治体験——

2021年3月10日　初版第1刷発行　　＊定価はカバーに
2021年5月25日　初版第2刷発行　　表示してあります

著　者　アーネスト M. サトウ
訳者・附録監訳者　楠　家　重　敏　©
附録訳者　小　島　和　枝
発行者　萩　原　淳　平
印刷者　江　戸　孝　典

発行所　株式会社　晃　洋　書　房
〒615-0026　京都市右京区西院北矢掛町7番地
電話　075（312）0788番㈹
振替口座　01040-6-32280

装丁　尾崎閑也　　印刷・製本　共同印刷工業㈱

ISBN978-4-7710-3395-5